PROFÉTICOS PARA TODOS

PROFÉTICOS PARA TODOS

EZEQUIEL

JOHN GOLDINGAY

Copyright © 2016, por John Goldingay. Edição original por Westminster John Knox Press, Louisville, Kentuck. Todos os direitos reservados.
Copyright da tradução © 2024 por Vida Melhor Editora LTDA. Todos os direitos reservados.

Título original: *Lamentations and Ezekiel for everyone*

Todos os direitos desta publicação são reservados à Vida Melhor Editora Ltda. Nenhuma parte desta obra pode ser apropriada e estocada em sistema de banco de dados ou processo similar, em qualquer forma ou meio, seja eletrônico, de fotocópia, gravação etc., sem a permissão dos detentores do copyright.

As citações bíblicas são traduções da versão do próprio autor, a menos que seja especificada outra versão da Bíblia Sagrada.

PRODUÇÃO EDITORIAL	Juan Carlos Martinez
TRADUÇÃO	José Fernando Cristófalo
COPIDESQUE	Raquel Fleischner
DIAGRAMAÇÃO	Sonia Peticov
CAPA	Rafael Brum

DADOS INTERNACIONAIS DE CATALOGAÇÃO NA PUBLICAÇÃO (CIP)
(BENITEZ Catalogação Ass. Editorial, MS, Brasil)

G571p   Goldingay, John
1.ed.   Proféticos para todos: Ezequiel / John Goldingay; tradução José Fernando Cristófalo. – 1.ed. – Rio de Janeiro: Thomas Nelson Brasil, 2024. (Coleção Antigo Testamento para todos)
        272 p.; 12 x 18 cm.

        Título original: *Lamentations and Ezekiel for everyone.*
        ISBN 978-65-5689-898-8 (capa dura)

        1. Bíblia. A.T. Ezequiel – Comentários. 2. Bíblia. A.T. Ezequiel – Crítica e exegese. 3. Bíblia. A.T. Ezequiel – Crítica e interpretação. 4. Ezequiel, Profeta I. Cristófalo, José Fernando. II. Título. III. Série.

03-2024/52   CDD: 224.4

Índice para catálogo sistemático:
1. Ezequiel: Livros proféticos: Antigo testamento: Cristianismo   224.4

Aline Graziele Benitez — Bibliotecária — CRB-1/3129

Os pontos de vista desta obra são de responsabilidade de seus autores e colaboradores diretos, não refletindo necessariamente a posição da Thomas Nelson Brasil, da HarperCollins Christian Publishing ou de suas equipes editoriais.

Thomas Nelson Brasil é uma marca licenciada à Vida Melhor Editora LTDA. Todos os direitos reservados à Vida Melhor Editora LTDA.

Rua da Quitanda, 86, sala 601A - Centro,
Rio de Janeiro/RJ - CEP 20091-005
Tel.: (21) 3175-1030
www.thomasnelson.com.br

SUMÁRIO

Agradecimentos   7

Introdução   9

EZEQUIEL 1:1-28 • Deus pode aparecer quando você menos espera ou merece   15

EZEQUIEL 2:1–3:21 • Pânico e indiferença   19

EZEQUIEL 3:22–4:17 • O poder de uma imagem   23

EZEQUIEL 5:1-17 • Entre as nações   27

EZEQUIEL 6:1-14 • Sobre intolerância   31

EZEQUIEL 7:1-27 • Raça de víboras   34

EZEQUIEL 8:1-18 • Sobre não estar em casa   38

EZEQUIEL 9:1-11 • Quem são as pessoas que suspiram e gemem?   42

EZEQUIEL 10:1-22 • Deus está indo embora   45

EZEQUIEL 11:1-25 • Um pequeno santuário   48

EZEQUIEL 12:1-28 • Deus não irá deixar as coisas perdurarem   52

EZEQUIEL 13:1-23 • Sobre construir um muro   58

EZEQUIEL 14:1-23 • Noé, Danel e Jó   62

EZEQUIEL 15:1-8 • Eles serão consumidos pelo fogo   67

EZEQUIEL 16:1-34 • Apenas uma prostituta   69

EZEQUIEL 16:35-63 • Jerusalém, sua mãe e suas irmãs   74

EZEQUIEL 17:1-24 • Um conto sobre duas águias   80

EZEQUIEL 18:1-32 • Obtenham uma nova mente e um novo espírito   85

EZEQUIEL 19:1-14 • Lamento pelos governantes da nação   90

EZEQUIEL 20:1-44 • Quando você não pode consultar Deus   94

EZEQUIEL 20:45–21:32 • A espada afiada e polida   101

EZEQUIEL 22:1-31 • Infidelidade ao povo e a Deus   106

EZEQUIEL 23:1-27 • Você só pode servir a um único Senhor   111

EZEQUIEL 23:28-49 • Ezequiel escrevendo para
a imprensa marrom 115

EZEQUIEL 24:1-27 • A panela fervente e o luto 119

EZEQUIEL 25:1-17 • A vingança é minha 124

EZEQUIEL 26:1-21 • O (amor ao) dinheiro é a raiz
de todos os males? 129

EZEQUIEL 27:1-36 • O naufrágio do *Titanic* 134

EZEQUIEL 28:1-26 • A queda de um rei 140

EZEQUIEL 29:1-21 • "Meus filhos me derrotaram" 146

EZEQUIEL 30:1-26 • O Dia do Senhor para o Egito 151

EZEQUIEL 31:1-18 • Onde o sol nunca se põe 156

EZEQUIEL 32:1-32 • O grande nivelador 161

EZEQUIEL 33:1-20 • A ponte de Londres está caindo 166

EZEQUIEL 33:21-33 • Sobre como não ouvir um
cantor/compositor 171

EZEQUIEL 34:1-31 • O bom pastor 175

EZEQUIEL 35:1—36:15 • Dois povos, uma terra 180

EZEQUIEL 36:16-38 • Não há cura 185

EZEQUIEL 37:1-14 • O vale de ossos secos 189

EZEQUIEL 37:15-28 • Sobre ser pós-denominacional 193

EZEQUIEL 38:1-23 • A última grande batalha (1) 196

EZEQUIEL 39:1-29 • A última grande batalha (2) 201

EZEQUIEL 40:1-37 • Quem pode subir o monte do Senhor? 206

EZEQUIEL 40:38—41:12 • Entregar, purificar, celebrar 213

EZEQUIEL 41:13—42:20 • O sagrado e o comum 218

EZEQUIEL 43:1—44:3 • O retorno da glória 223

EZEQUIEL 44:4-27 • Quem pode ministrar adequadamente? 229

EZEQUIEL 44:28—45:17 • Apoiando o ministério 233

EZEQUIEL 45:18—46:24 • Diária, semanal, mensal, anual e
espontaneamente 238

EZEQUIEL 47:1-23 • Águas que vivificam 244

EZEQUIEL 48:1-35 • *Yahweh*-está-aqui 249

Glossário 255

⌐ AGRADECIMENTOS ⌐

A tradução no início de cada capítulo (e em outras citações bíblicas) é de minha autoria. Estabeleci como alvo me manter o mais próximo do texto hebraico original do que, em geral, as traduções modernas, destinadas à leitura na igreja, para que você possa ver, com mais precisão, o que o texto diz. Da mesma forma, embora prefira utilizar a linguagem inclusiva de gênero, deixei a tradução com o uso universal do gênero masculino caso esse uso inclusivo implicasse dúvidas quanto ao texto estar no singular ou no plural — em outras palavras, a tradução, com frequência, usa "ele" onde em meu próprio texto eu diria "eles" ou "ele ou ela". Às vezes, acresci palavras para tornar o significado mais claro, colocando-as entre colchetes. Quando o texto usa o nome de Deus, *Yahweh*, eu o mantive em vez de substituí-lo por "o Senhor", como as traduções, normalmente, o fazem. Ainda, transliterei alguns outros nomes de modo distinto das traduções tradicionais, em parte para facilitar a pronúncia (p. ex., Jeoaquim, não Jeoiaquim). Ao término do livro, inclui um glossário contendo alguns termos recorrentes no texto, como expressões geográficas, históricas e teológicas. Em cada capítulo (exceto na introdução ou nas seleções da Escritura), a ocorrência inicial desses termos é destacada em **negrito**.

As histórias presentes na tradução, em geral, envolvem meus amigos, assim como minha família. Todas elas ocorreram, de fato, mas foram fortemente dissimuladas para preservar as pessoas envolvidas. Em algumas, o disfarce utilizado foi tão eficiente que, ao relê-las, levo um tempo para identificar as pessoas descritas. Nas histórias, Ann, minha primeira esposa, aparece com frequência. Alguns meses após eu começar a escrever *O Antigo Testamento para todos*, ela faleceu, após negociar com a esclerose múltipla durante 43 anos. Compartilhar os cuidados, o desenvolvimento de sua enfermidade e a crescente limitação, ao longo desses anos, influencia tudo o que escrevo, de maneiras facilmente perceptíveis ao leitor, mas também de formas menos óbvias.

Então, um ano ou pouco mais, antes de começar a escrever este volume, apaixonei-me e casei-me com Kathleen Scott e sou muito grato por minha nova vida ao lado dela e por seus lúcidos comentários sobre o manuscrito, tão criteriosos e elucidativos que, na realidade, ela deve ser creditada como coautora.

Minha gratidão, igualmente, a Matt Sousa por ter lido o manuscrito e me indicado o que precisava ser corrigido ou esclarecido no texto, e a Tom Bennett por ter conferido a prova de impressão.

⌐ INTRODUÇÃO ⌐

No tocante a Jesus e aos autores do Novo Testamento, as Escrituras hebraicas, que os cristãos denominam de Antigo Testamento, *eram* as Escrituras. Ao incluir essa observação, lanço mão de alguns atalhos, já que o Novo Testamento jamais apresenta uma lista dessas Escrituras, mas o conjunto de textos aceito pelo povo judeu é o mais próximo que podemos avançar na identificação da coletânea de livros que Jesus e os escritores neotestamentários tiveram à disposição. A igreja também veio a aceitar alguns livros adicionais, como Macabeus e Eclesiástico, tradicionalmente denominados "apócrifos", os livros que estavam "ocultos" — o que veio a implicar "espúrios". Agora, com frequência, são conhecidos como "livros deuterocanônicos", um termo mais complexo, porém menos pejorativo; isso simplesmente indica que esses livros detêm menos autoridade que a Torá, os profetas e os Escritos. A lista exata deles varia entre as diferentes igrejas. Para os propósitos desta série que busca expor o "Antigo Testamento para todos", consideramos como "Escrituras" os livros aceitos pela comunidade judaica, embora na Bíblia judaica eles sejam apresentados em uma ordem distinta, classificados como a Torá, os Profetas e os Escritos.

Elas não são "antigas" no sentido de antiquadas ou ultrapassadas; às vezes, gosto de me referir a elas como o "Primeiro Testamento" em vez de "Antigo Testamento", para não deixar dúvidas. Quanto a Jesus e aos autores do Novo Testamento, as antigas Escrituras foram um recurso vívido na compreensão de Deus e dos caminhos divinos no mundo e conosco. Elas foram úteis "para o ensino, para a repreensão, para a correção e para a instrução na justiça, para que o homem de Deus seja apto e plenamente preparado para toda boa obra" (2Timóteo 3:16-17). De fato, foram para todos, de modo que é estranho que os cristãos pouco se dediquem à sua leitura. Assim, o objetivo, com esses volumes, é auxiliar você a fazer isso.

Meu receio é que você leia a minha obra, não as Escrituras. Não faça isso. Aprecio o fato de esta série incluir grande parte do texto bíblico, mas não ignore a leitura da Palavra de Deus. No fim, essa é a parte que realmente importa.

UM ESBOÇO DO ANTIGO TESTAMENTO

Embora o Antigo Testamento cristão contenha os mesmos livros da Bíblia judaica, eles são apresentados em uma ordem diferente:

- Gênesis a Reis: Uma história que abrange desde a criação do mundo até o exílio dos judaítas na Babilônia.
- Crônicas a Ester: Uma segunda versão dessa história, prosseguindo até os anos posteriores ao exílio.
- Jó, Salmos, Provérbios, Eclesiastes, Cântico dos Cânticos: Alguns livros poéticos.
- Isaías a Malaquias: O ensino de alguns profetas.

A seguir, há um esboço da história subjacente a esses livros (não forneço datas para os eventos em Gênesis, o que envolve muito esforço de adivinhação).

1200 a.C. Moisés, o êxodo, Josué
1100 a.C. Os "juízes"
1000 a.C. Saul, Davi

900 a.C. Salomão; a divisão da nação em dois reinos:
Efraim e Judá

800 a.C. Elias, Eliseu

700 a.C. Amós, Oseias, Isaías, Miqueias; Assíria, a superpotência; a queda de Efraim

600 a.C. Jeremias, rei Josias; Babilônia, a superpotência

500 a.C. Ezequiel; a queda de Judá; Pérsia, a superpotência; judaítas livres para retornar para casa

400 a.C. Esdras, Neemias

300 a.C. Grécia, a superpotência

200 a.C. Síria e Egito, os poderes regionais puxando Judá
de uma forma ou de outra

100 a.C. Judá rebela-se contra o poder da Síria e obtém a
independência

0 a.C. Roma, a superpotência

EZEQUIEL

Ezequiel também concordaria com a compreensão de
Lamentações sobre o ocorrido a Jerusalém. Ele foi um jovem
contemporâneo de Jeremias, mas ele mesmo foi levado à
Babilônia, como parte da população exilada ali, em 597 a.C.,
uma década antes da queda final da cidade. Durante os últimos anos, antes desse crucial evento, portanto, ele buscou
preparar os judaítas exilados na Babilônia para a destruição,
ao mesmo tempo que Jeremias preparava as pessoas deixadas
em Jerusalém.

O seu livro é claramente organizado como segue:

Capítulos 1—3:   A visão na qual *Yahweh* o comissiona
Capítulos 4—24: Suas mensagens aos exilados antes
da queda final de Jerusalém, repletas
de advertências

Capítulos 25—32: Suas mensagens a respeito das demais
nações
Capítulos 33—48: Suas mensagens aos exilados após a queda
da cidade, repletas de encorajamento

A exemplo de Jeremias, Ezequiel veio de uma família sacerdotal, mas ele jamais atuou como um sacerdote, pois foi transportado de Jerusalém para o exílio antes de atingir a idade
apropriada. Pode-se dizer que esse evento o transformou
em um pastor ou profeta sacerdotal. Ele possui a maneira
de pensar de um sacerdote, ao abordar as transgressões do
povo, a disciplina de Deus sobre eles e a forma com que Deus
irá restaurá-los.

O livro começa com uma aparição de *Yahweh* na Babilônia,
que resulta na comissão de Ezequiel por *Yahweh* para pregar
ao povo ali exilado, embora o jovem também fosse avisado
de que eles não lhe dariam ouvidos. Durante a leitura de seu
livro, devemos ter em mente que Ezequiel não está fisicamente em Jerusalém. Ele vê muito do que ocorre na cidade,
mas o vê de maneira visionária. O profeta fala muito sobre
a cidade e sobre a área pertencente ao clã de Judá em torno
dela, mas faz isso visando ao bem dos habitantes de Jerusalém
que foram levados ao exílio. Ele precisa levá-los a ver que a
transgressão contínua dos judaítas que foram deixados para
trás, na cidade, torna o juízo vindouro e a consequente queda
inevitáveis. A exemplo de Jeremias, em seu ministério em
Jerusalém, Ezequiel deve fazer que os exilados vejam que
o exílio e a queda da cidade não serão o fim, pois o juízo
logo será acompanhado pela restauração; eles são apenas o
começo. O profeta retrata a transgressão da cidade em termos sacerdotais. Embora fale da infidelidade das pessoas de
seu povo, umas em relação às outras, o profeta preocupa-se

mais em discorrer sobre a infidelidade da vida religiosa deles. A expressão que o juízo assumirá será a saída de *Yahweh* do templo.

Na metade do livro, ao término do capítulo 24, *Yahweh* conta a Ezequiel que um fugitivo da cidade, então já destruída, está prestes a chegar à Babilônia para trazer notícias sobre esse trágico evento. Esse anúncio prepara o terreno para as boas-novas, que ocuparão a segunda metade do livro. Uma função das mensagens sobre as demais nações é constituírem uma transição para as boas-novas, pois más notícias sobre os adversários de Judá são boas notícias para os judaítas, embora elas mesmas atuem como advertências quanto a Judá não buscar alianças com outras nações, imaginando ser a salvação deles.

As notícias sobre a queda de Jerusalém aparecem no capítulo 33. Isso não significa que o trabalho de Ezequiel, como profeta, está concluído. Na verdade, a sua boca é aberta de uma nova maneira. Ele agora compartilha uma série de visões positivas sobre as intenções de *Yahweh*. Essa derradeira seção do livro é dominada por um relato sobre ele ser levado a uma jornada visionária por um templo remodelado, embora esteja no centro de um país igualmente remodelado. O fato de a sua visão acerca de um novo futuro assumir essa forma constitui um reflexo adicional ao fato de *Yahweh* ter escolhido um sacerdote para ser o seu profeta em solo babilônico; assim, por meio dele, *Yahweh* pode retratar o futuro em termos sacerdotais. A visão de Ezequiel influenciou especialmente a visão de João, na ilha de Patmos, ao fornecer o imaginário que aparece nas visões do apóstolo, no livro de Apocalipse.

EZEQUIEL

EZEQUIEL 1:1–28
DEUS PODE APARECER QUANDO VOCÊ MENOS ESPERA OU MERECE

¹No trigésimo ano, no quarto mês, no quinto dia, quando eu estava entre a comunidade exilada, junto ao rio Quebar, os céus se abriram, e vi uma grande aparição de Deus. ²No quinto dia do mês (era o quinto ano do rei Joaquim no exílio), ³a mensagem de *Yahweh* veio a Ezequiel, filho de Buzi, o sacerdote, na terra dos caldeus, junto ao rio Quebar. A mão de *Yahweh* veio sobre ele ali.

⁴Olhei, e eis que vi uma tempestade de vento vindo do Norte, uma grande nuvem, com um fogo consumidor, e cercada por um brilho intenso. No interior, um grande clarão de metal, de dentro do fogo, ⁵e no meio dele, havia formas de quatro criaturas. Esta era a sua aparência: elas tinham forma humana ⁶mas cada uma tinha quatro rostos e quatro asas. ⁷Suas pernas eram retas; mas as plantas de seus pés eram como as de um bezerro e reluziam como bronze polido. ⁸Debaixo das suas asas, nos quatro lados, havia mãos humanas. As quatro possuíam rostos e asas: ⁹e suas asas tocavam umas nas outras. Quando se moviam, iam para a frente e não se viravam. ¹⁰A forma de seu rosto: um rosto humano, mas as quatro tinham um rosto de leão, no lado direito, e as quatro tinham um rosto de boi, no lado esquerdo, e as quatro tinham um rosto de águia. ¹¹Assim eram os seus rostos. Suas asas estavam estendidas para cima, duas pertencentes a cada criatura que se tocavam entre si, e duas que cobriam o seu corpo. ¹²Cada qual ia na direção do seu rosto; para onde o vento ia, elas iam. Não se viravam enquanto iam. ¹³Assim era a forma das criaturas. A aparência delas era semelhante aos carvões de uma fogueira, a própria aparência de tochas. O fogo ia de um lado a outro, entre as criaturas. O fogo tinha um brilho, e dele saíam relâmpagos. ¹⁴As criaturas iam e vinham, a própria aparência de relâmpagos.

¹⁵Olhei para as criaturas; eis que havia uma roda na terra, ao lado [de cada uma] das criaturas com seus quatro rostos.

EZEQUIEL 1:1-28 • DEUS PODE APARECER QUANDO VOCÊ MENOS ESPERA OU MERECE

[16]A aparência das rodas e a sua construção: o próprio brilho do topázio. A forma de cada uma das quatro: a sua aparência e a sua construção eram como uma roda dentro de outra. [17]Quando elas iam, o faziam na direção de seus quatro rostos; elas não se viravam enquanto iam. [18]Seus aros eram altos e imponentes. Seus aros eram cheios de olhos em toda a volta, pertencentes aos quatro. [19]Quando as criaturas iam, as rodas iam, ao lado delas. Quando as criaturas se elevavam acima da terra, as rodas se elevavam. [20]Para onde quer que o vento fosse, elas iam, com o vento indo. As rodas se moviam ao lado delas, porque o espírito da criatura estava nas rodas. [21]Quando as criaturas se moviam, elas também; quando paravam, elas paravam; quando se elevavam da terra, as rodas se elevavam ao lado delas, porque o espírito da criatura estava nas rodas. [22]Uma forma estava acima da cabeça das criaturas, uma plataforma, o próprio brilho de cristal, impressionante, estendida sobre a cabeça delas, acima. [23]Sob a plataforma, as asas delas estendiam-se na direção umas das outras. Cada criatura tinha duas asas cobrindo o seu corpo, de um lado, e duas cobrindo do outro lado. [24]Ouvi o som das suas asas, o próprio som de muitas águas, o próprio som de *Shadday*, quando elas iam, o som de um tumulto, o próprio som de um exército. Quando paravam, relaxavam as suas asas.

[25]Houve um som acima da plataforma sobre a cabeça delas (quando paravam, relaxavam as suas asas). [26]Acima, a plataforma que estava sobre a cabeça delas tinha a própria aparência de safira, a forma de um trono, e, acima da forma de um trono, uma forma que era a própria aparência humana. [27]Vi o próprio brilho de metal, a própria aparência de fogo no interior, e em torno dele, da aparência de sua cintura para cima e da aparência de sua cintura para baixo, vi a própria aparência de fogo. O seu brilho estava em derredor. [28]A própria aparência do arco que surge na nuvem em um dia chuvoso, assim era a aparência do brilho em derredor. Aquela era a aparência da forma do esplendor de *Yahweh*. Eu a vi e prostrei-me, rosto em terra, e ouvi uma voz falando.

Lembrei-me do motivo de haver recebido a visita daquele homem, citada em meu comentário sobre Lamentações 5. Eu havia falado, em sala de aula, sobre um pastor que ignorara o chamado de Deus para ir e servi-lo no estrangeiro como missionário. O seu ministério subsequente na Inglaterra havia sido grandemente abençoado, ainda que ele não estivesse no lugar desejado por Deus. Uma desobediência a Deus não significa necessariamente arruinar toda a sua vida. O homem que me visitou ouviu de outras pessoas que a insistência em seu novo relacionamento, e o divórcio para poder se casar com ela, significaria jamais ter a bênção divina em seu novo casamento. Respondi-lhe que jamais podemos fazer tais previsões, pois Deus sempre está decidindo se deve agir com misericórdia ou com disciplina. O nosso chamado é para fazer a coisa certa por ser a coisa certa, não por podermos perder a bênção divina.

A comunidade de Ezequiel é formada por pessoas que foram levadas para o exílio, na **Babilônia**, em 597 a.C.; cinco anos se passaram então. Qualquer um com um mínimo de sensibilidade religiosa ou princípios reconheceria que eles mereciam aquele destino (mesmo se houvesse indivíduos, como Ezequiel, que não o merecessem) e indagaria se poderia esperar que *Yahweh* os alcançasse na Babilônia. Os sentimentos dos exilados poderiam ser similares àqueles expressos em Lamentações, após a queda de Jerusalém, em 587 a.C. Eles tinham perdido qualquer direito à esperança da bênção de Deus. (Não sabemos a que a informação "no trigésimo ano" se refere. Talvez fosse a idade de Ezequiel quando, possivelmente, assumiria o seu ministério como sacerdote, caso não tivesse sido transportado para a Babilônia.)

Do nada, em um sentido literal, *Yahweh* aparece na Babilônia. É possível que Ezequiel veja a aproximação de uma tempestade literal, com ventos, nuvens escuras e relâmpagos. Se assim for, *Yahweh* transforma a tempestade literal em uma aparição de sua própria carruagem de nuvens. *Yahweh* está vindo para o seu povo na Babilônia — a Babilônia de todos os lugares! Não que esteja vindo com uma mensagem de consolo, mas o contrário. Isso não significa que ele tenha simplesmente lavado as mãos. Talvez o significado da visão é mostrar que *Yahweh* já estava presente com o seu povo na Babilônia; ele agora capacita o profeta a ver por trás do véu, constituído pelos próprios céus, para ver que *Yahweh* está presente e para reportar esse fato a todo o povo exilado.

Há limites para o que Deus permite Ezequiel ver. Uma aparição muito direta de Deus poderia simplesmente cegar um ser humano. O máximo que Deus permite ver é a sua carruagem, puxada por quatro criaturas — não meros cavalos, mas combinações de ser humano, animal e ave (para que possam voar e transportar Deus por entre as nuvens). Subsequentemente, essas criaturas são chamadas de **querubins**. A mescla de características lhes propicia grande manobrabilidade, como as rodas cruzadas na carruagem, que podem ir nesta ou naquela direção. Contudo, são movidas por uma só vontade.

As criaturas sustentam uma plataforma na qual está um trono; no trono há uma figura humana. Ezequiel está olhando de baixo para cima, de maneira que pouco consegue ver da figura. Sua experiência é paralela à de Isaías, que vê apenas a bainha do manto de Deus. Embora Deus seja retratado como um leão ou um rochedo, com mais frequência ele é descrito como uma figura humana — isso está relacionado ao fato de os seres humanos serem criados à imagem divina, para representá-lo no mundo. O relato de Ezequiel igualmente salvaguarda a transcendência divina ao usar o **nome** *Shadday* (isso não nos permite imaginar Deus em termos excessivamente humanos). Todo-Poderoso, a tradução tradicional, é, provavelmente, uma suposição. A única outra palavra hebraica com a qual o Antigo Testamento vincula esse nome é um verbo que significa "destruir". Desse modo, as pessoas podem considerar que *Shadday* sugira "destruidor"; essa compreensão se adequa a Ezequiel. Da mesma forma, é um fato solene que a tempestade venha do Norte, a direção na qual as pessoas, com frequência, localizam a habitação de Deus, mas também a direção da qual vieram os invasores. Mas, então, o texto declara que havia algo similar a um arco-íris sobre esse Deus, que deixa de lado o seu arco, pendurado no céu sem corda e flechas (veja Gênesis 9).

A aparição divina a Ezequiel significa boas e solenes novas. Para a audiência do profeta e das pessoas que leem a sua mensagem na forma escrita, isso também indica considerar suas palavras mais seriamente.

EZEQUIEL 2:1—3:21
PÂNICO E INDIFERENÇA

[1]Ele me disse: "Jovem, fique em pé para que eu possa falar com você." [2]Um vento entrou em mim enquanto ele me falava. Ele me colocou em pé, e eu o escutei falando a mim. [3]Ele me disse: "Jovem, estou enviando você aos israelitas, às nações rebeldes, que se rebelaram contra mim. Eles e os seus ancestrais me desafiaram até este dia. [4]Os descendentes são duros de semblante e obstinados de mente. Eu o estou enviando a eles, e você deve lhes dizer: 'O Senhor *Yahweh* assim disse: [5]"Quer ouçam, quer se recusem a ouvir (porque são uma casa rebelde), eles reconhecerão que um profeta está entre eles. [6]Assim, você, meu jovem, não tenha medo deles e de suas palavras, ainda que cardos e espinhos estejam com você e você viva com escorpiões. Não tenha medo das palavras deles, nem se deixe abalar por eles, pois são uma casa rebelde. [7]Você deve lhes falar as

minhas palavras, quer ouçam, quer se recusem a ouvir, porque são rebeldes. **8**Você, meu jovem, ouça o que estou lhe falando. Não se torne rebelde como a casa rebelde. Abra a sua boca e coma o que vou lhe dar."'" **9**Eis que vi uma mão estendida para mim, e nela havia um rolo escrito. **10**Ele o estendeu diante de mim. O rolo estava escrito na frente e no verso. Lamentos, murmuração e gemidos estavam escritos nele.

CAPÍTULO 3

1Ele me disse: "Jovem, coma o que encontrar. Coma este rolo e vá falar à casa de Israel." **2**Abri a minha boca, e ele me deu o rolo para eu comer. **3**Ele me disse: "Jovem, alimente o seu estômago, encha as suas entranhas com este rolo que estou lhe dando." Eu o comi, e, em minha boca, ele se tornou doce como o mel. **4**Ele me disse: "Jovem, apronte-se, vá à casa de Israel e fale com as minhas palavras. **5**Pois não é a um povo de fala insondável e de linguagem difícil — você está sendo enviado à casa de Israel, **6**não para muitos povos de fala insondável e de linguagem difícil, cujas palavras não pode ouvir. Se eu o enviasse a eles, esses povos o ouviriam. **7**Mas a casa de Israel não estará disposta a ouvi-lo, pois não estão dispostos a me ouvir, porque toda a casa de Israel é de semblante duro e obstinada de mente. **8**Eis que estou tornando o seu semblante duro contra o semblante deles e a sua cabeça dura contra a cabeça dura deles. **9**Como um diamante mais duro do que a pederneira estou tornando a sua cabeça. Você não deve ter medo deles, não deve se abalar por eles, pois são uma casa rebelde." **10**Então, ele me disse: "Jovem, aceite com a sua mente todas as palavras que lhe digo. Ouça com os seus ouvidos **11**e vá à comunidade do exílio, aos membros do seu povo, e fale a eles. Diga-lhes: 'O Senhor *Yahweh* assim disse, quer eles ouçam, quer se recusem a ouvir.'"

12Então, um vento elevou-me, e ouvi, atrás de mim, um grande e estrondoso som (o esplendor de *Yahweh* seja adorado em seu lugar) — **13**o som das asas de criaturas batendo umas contra as

EZEQUIEL 2:1–3:21 • PÂNICO E INDIFERENÇA

outras, o som das rodas em conjunto e um grande e estrondoso som. [14]Então, um vento elevou-me e me levou, e fui, feroz e em fúria de espírito, com a forte mão de *Yahweh* sobre mim. [15]Fui à comunidade exilada, em Tel Abibe, junto ao rio Quedar. Vivi onde eles estavam vivendo; vivi ali, desolado, por sete dias. [16]Ao fim dos sete dias, a mensagem de *Yahweh* veio a mim: [17]"Jovem, eu o estou designando como um vigia para a casa de Israel. Você deve ouvir a mensagem da minha boca e avisá-los da minha parte. [18]Quando eu disser sobre a pessoa infiel: 'Você, certamente, morrerá', mas você não a advertir e não falar para advertir a pessoa infiel de seu caminho infiel, para mantê-la viva, ela, a pessoa infiel, morrerá pela transgressão dela, mas procurarei o sangue dela em suas mãos. [19]Mas, quando você advertir a pessoa infiel e ela não se desviar de sua infidelidade, de seu caminho infiel, ela morrerá por sua própria transgressão, mas você terá salvado a sua vida. [20]E, quando uma pessoa fiel se desviar de sua fidelidade e agir errado e eu colocar um obstáculo diante dela, ela morrerá. Porque você não a advertiu, pela própria ofensa ela morrerá, e os atos fiéis que ela praticou não serão lembrados. Mas procurarei o sangue dela em suas mãos. [21]Mas, se adverti-la (a pessoa fiel) de que a pessoa fiel não deve ofender, e ela não ofender, certamente ela viverá, porque se deixou ser advertida, e você mesmo terá salvado a sua vida."

A região nordeste dos Estados Unidos hoje é caracterizada por uma mescla de pânico e indiferença quanto às advertências sobre a ameaça de uma tempestade monumental que resultou na evacuação e no fechamento de sistemas de transporte. É difícil, aos meteorologistas, saber como, adequadamente, avisar a população quanto aos perigos que eles imaginam ser iminentes. Uma tempestade, no ano passado, foi mais branda do que o alardeado. Por outro lado, na semana passada, alguns cientistas italianos foram sentenciados, por homicídio culposo, a seis anos de prisão por falharem em advertir, com a devida correção e presteza, sobre um terremoto que causou a morte de trezentas pessoas.

Ezequiel está sendo advertido de que será considerado responsável caso falhe em advertir as pessoas quanto ao destino que paira sobre a cabeça delas. O destino é inevitável. Embora, em certo sentido, as intenções de Deus sejam fixas (se as pessoas seguirem naquele caminho, a tribulação virá), em outro, elas são flexíveis (a sua implementação depende da resposta da pessoa). A tarefa de Ezequiel é trabalhar para provar que está errado.

Deus tem uma forma de se dirigir a Ezequiel que é distintiva em relação a ele. A expressão hebraica para "jovem" é, literalmente, filho do homem, uma designação de alguém como "ser humano", com uma indicação de "mero ser humano". Da mesma forma, Ezequiel tem uma forma distinta de falar de Deus, como "Senhor *Yahweh*". *Yahweh* é o **nome** pessoal de Deus; conhecer esse nome é um enorme privilégio. Combiná-lo com a palavra "Senhor" lembra o povo de que *Yahweh* não é alguém com quem se possa brincar. É a mensagem que essa comunidade do exílio necessita ouvir. O problema é que a casa de **Israel** é rebelde e desafiadora. Chamar a casa de "Israel" sugere que esse pequeno grupo de **judaítas** representa o antigo povo de Deus, o que constitui boas-novas. Mas chamá-los de uma casa sugere que são como filhos e filhas rebeldes, aos quais os seus pais disseram: "Basta! Fora desta casa."

Ezequiel é enviado ao povo no **exílio** com essa mensagem, mesmo que grande parte de sua crítica seja com respeito ao que ainda está acontecendo em Jerusalém. Enquanto Jeremias está advertindo os judaítas, em Judá, de que transgressão deles significa que problemas maiores virão, Ezequiel está transmitindo a mesma mensagem aos judaítas no exílio. Ele necessita fazer isso, pois os judaítas em Jerusalém seguem sendo uma casa rebelde, e os exilados precisam preparar-se para mais más notícias que virão de sua capital e porque os próprios judaítas exilados na **Babilônia** ainda não aprenderam nenhuma lição.

Ezequiel recebe uma desagradável mensagem que deverá transmitir, mas ela é boa, pois vem de *Yahweh*. Ele certamente enfrentará oposição, pois trata-se de uma mensagem de juízo. Há, contudo, um sentido irônico, pois ele pode olhar o lado positivo. Pelo menos, a sua audiência não falará uma língua estranha! Às vezes, o povo de Deus pensa ter uma mensagem profética para transmitir ao mundo. São enviados ao seu próprio povo e rejeitados por ele (o que é muito mais humilhante do que ser repudiado pelo resto do mundo). Ezequiel deve preparar-se para ser tão duro quanto a sua audiência.

Yahweh não é explícito a respeito de como ele procurará o sangue de alguém nas mãos de Ezequiel, a quem ele falhou em advertir, mas isso soa mais como algo para manter os olhos bem abertos. Para os ouvintes de Ezequiel ou para os leitores de suas profecias, o ponto da advertência é que, sem dúvida, Ezequiel cumpriu a sua comissão, de tal modo que essa questão não surgiu. A audiência é responsável por seu próprio destino. Não devem acusar ninguém, exceto a si mesmos.

EZEQUIEL 3:22—4:17
O PODER DE UMA IMAGEM

²²A mão de *Yahweh* veio sobre mim ali, e ele me disse: "Levante-se, saia para o vale, e falarei com você ali." ²³Assim, levantei-me e fui para o vale, e ali o esplendor de *Yahweh* estava presente, como o esplendor que eu vira junto ao rio Quebar. Prostrei-me, rosto em terra. ²⁴Um vento entrou em

mim e me levantou sobre os pés. Ele falou comigo e me disse: "Venha, tranque-se dentro de sua casa. ²⁵Você, jovem — eis que colocarão cordas sobre você e o amarrarão com elas. Você não deve sair entre eles. ²⁶Farei a sua língua grudar ao seu palato, e você ficará mudo. Para eles, você não será alguém que reprova, pois são uma casa rebelde. ²⁷Mas, quando eu lhe falar, abrirei a sua boca, e você lhes dirá: 'O Senhor *Yahweh* assim disse.' A pessoa que ouvir, ouça, e a pessoa que se recusar, recuse, pois são uma casa rebelde."

CAPÍTULO 4

¹"Você, jovem, pegue um tijolo, coloque-o à sua frente e enta-lhe nele uma cidade: Jerusalém. ²Prepare um cerco contra ela. Edifique uma torre contra ela. Construa uma rampa contra ela. Faça um acampamento contra ela. Coloque aríetes con-tra ela, em toda a volta. ³Pegue uma placa de ferro e a coloque como um muro de ferro entre você e a cidade e ponha o seu rosto na direção dela. Ela estará sob cerco; você colocará um cerco contra ela. Isso será um sinal para a casa de Israel.

⁴Deite-se sobre o seu lado esquerdo e ponha a transgressão de Israel sobre [o seu lado]. O número de dias durante os quais estiver deitado sobre o lado esquerdo, você carregará a transgressão deles. ⁵Eu mesmo estou lhe dando os anos da transgressão deles, em número, 390 dias; você carregará a transgressão da casa de Israel. ⁶Quando completá-los, você se deitará sobre o seu lado direito, uma segunda vez, e car-regará a transgressão da casa de Judá. Quarenta dias, um dia para cada ano, estou lhe dando.

⁷E, na direção do cerco a Jerusalém, você deve voltar o seu rosto e o seu braço desnudo e profetizar contra ela. ⁸Eis que estou colocando cordas sobre você, e não se virará de um lado para o outro até completar os seus dias de cerco. ⁹Pegue para você trigo, cevada, feijão, lentilha, painço e espelta, coloque--os em uma vasilha e com eles faça pão para você. Pelo número

EZEQUIEL 3:22–4:17 • O PODER DE UMA IMAGEM

de dias que estiver deitado sobre o seu lado, 390 dias, você deve comê-lo. ¹⁰O alimento que você comer, por peso, vinte siclos por dia, deve comer em tempos regulares, ¹¹e água por medida você deve beber, um sexto de galão deve beber em tempos regulares. ¹²Deve comê-lo como um bolo de cevada. Asse-o, usando excremento humano, à vista deles." ¹³*Yahweh* disse: "Dessa maneira, os israelitas comerão o pão deles, contaminado, entre as nações para as quais eu os estou banindo." ¹⁴Eu disse: "Não, Senhor *Yahweh*, eis que a minha pessoa não foi contaminada. Jamais comi algo encontrado morto ou dilacerado por um animal, desde a minha juventude até agora. Carne impura jamais tocou a minha boca." ¹⁵Assim, ele me disse: "Veja, estou lhe dando esterco animal em vez de excremento humano. Você pode fazer o seu pão com isso." ¹⁶Ele me disse: "Jovem, aqui estou eu e irei quebrar o suprimento de pão em Jerusalém. Eles comerão pão por peso, em ansiedade, e beberão água por medida, em desolação, ¹⁷de maneira que ficarão sem pão e água e se tornarão desolados uns em relação aos outros, e definharão por causa da transgressão deles."

As primeiras palavras de minha esposa, ao acordarmos nesta manhã, praticamente foram: "Nossa. Tive pesadelos terríveis. Preciso parar de assistir ao noticiário antes de irmos para a cama." O noticiário mostrou imagens da tempestade à qual me referi em meu comentário sobre Ezequiel 2 e que tem castigado Nova York; imagens das consequências de um ataque a uma fábrica de armamentos no Sudão, com a suposição de que tenha sido realizado por Israel e ser um passo adiante em direção a uma guerra no Oriente Médio. Os sonhos da minha esposa, talvez, não tenham sido alimentados pelo filme a que assistimos, envolvendo a ameaça de um asteroide viajando em direção ao nosso planeta, nem pela reportagem sobre a possibilidade de as serpentes dominarem o mundo (ou, talvez, apenas os pântanos da Flórida).

O poder dessas imagens reside no pano de fundo do ministério de Ezequiel, assustador e, ao mesmo tempo, encorajador. A execução de arte pode impactar poderosamente as pessoas. Na forma escrita das profecias de Ezequiel, as imagens apelam diretamente para a imaginação; para as pessoas entre as quais o profeta vivia, elas são retratadas à vista delas e, simbolicamente, encenadas. Primeiro, há a imagem de um profeta que permanece trancado em sua casa e jamais fala. Isso não faz o menor sentido, pois um profeta precisa estar falando no meio do povo. Ficar retido em sua casa (talvez haja cúmplices que o mantêm amarrado), e permanecer calado é uma expressão do juízo de *Yahweh* sobre eles. *Yahweh* não quer lhes dirigir a palavra, porque eles deixaram claro que não desejam ouvir. Apenas em ocasiões especiais *Yahweh* permitirá ao profeta abrir a sua boca em seu **nome**. A primeira ação simbólica manifesta uma característica que denotará outras. A ação não é meramente uma imagem do silêncio de *Yahweh*, mas ela expressa, na prática, a sua mudez.

A seguir, então, vem uma encenação simbólica do cerco a Jerusalém. Embora ministre entre os exilados na **Babilônia**, Ezequiel mantém o foco em Jerusalém. Os exilados imaginam que a permanência deles naquela cidade estrangeira será breve, que *Yahweh* certamente manifestou o seu ponto e que, logo, eles voltarão para casa. Havia outros profetas, no exílio, que assim profetizavam. A tarefa de Ezequiel é levar os exilados a enxergar que, na realidade, a situação irá piorar antes de melhorar.

Sua encenação física expressa o ponto. *Yahweh* está levando em consideração uma longa história de rebelião e de transgressão por parte de **Israel**. Seria um erro examinar os números. Por volta de 390 anos tinham se passado desde a construção do templo ou desde que **Efraim** se separou de **Judá**, mas quarenta anos parece mais um número simbólico, e, somando esses dois valores, temos 430 anos, isto é, o período que Êxodo 12 indica para a permanência israelita no Egito. Seja como for, o ponto de Ezequiel é mostrar que há séculos de transgressão a serem pagos. Talvez o profeta, de fato, fique deitado por aquela quantidade de dias, mas a ação simbólica poderia funcionar de outra maneira. É possível que se deitasse durante quinze minutos por dia, com um calendário em mãos, ou que se deitasse por um dia, arrancando uma folha do calendário (para retratar em nossos termos). De uma forma ou de outra, ele está representando a penalidade que o povo está pagando por sua rebeldia.

Na sequência, o profeta encena, de outra maneira, as implicações da queda vindoura de Jerusalém. Haverá um cerco e um **exílio** ainda mais terríveis do que aqueles que a sua audiência experimentou até ali. Haverá grande escassez de comida, água e combustível (presume-se que ele tenha assado o pão antes de iniciar a encenação). O uso de esterco animal como combustível era uma prática estabelecida, mas não o uso de excremento humano. O ponto, aqui, é fornecer uma ilustração extrema da situação à qual a cidade será submetida. A **Torá** não diz nada sobre a impureza associada com o uso de excremento humano, mas não é necessário ser um sacerdote para considerar isso, extremamente repulsivo.

EZEQUIEL 5:1–17
ENTRE AS NAÇÕES

[1]"Você, jovem, pegue uma espada afiada, use-a como uma navalha de barbeiro, passe-a sobre a sua cabeça e sobre a sua barba. Pegue balanças de peso e reparta [o cabelo].

EZEQUIEL 5:1-17 • ENTRE AS NAÇÕES

²Você deve queimar no fogo um terço [do cabelo], dentro da cidade, quando os dias do cerco se cumprirem. Pegue outro terço e o golpeie com a espada ao redor de toda a cidade. Espalhe um terço ao vento; desembainharei a espada atrás deles. ³Mas pegue um pouco dele e o esconda nas dobras [de suas roupas]. ⁴Apanhe um pouco deles, de novo, e jogue-os no meio do fogo. Queime-os no fogo. Dali sairá um fogo contra toda a casa de Israel."

⁵O Senhor *Yahweh* assim disse: "Coloquei esta Jerusalém entre as nações, com os povos ao redor dela. ⁶Mas ela se rebelou contra as minhas decisões com mais infidelidade do que as nações, e contra as minhas leis, mais do que os povos em der- redor. Por causa do povo ter rejeitado as minhas decisões e as minhas leis — eles não andaram por elas." ⁷Portanto, o Senhor *Yahweh* assim disse: "Porque vocês têm sido mais turbulentos do que as nações que estão ao seu redor — não andaram pelas minhas leis, não decretaram as minhas decisões e não agiram de acordo com as decisões das nações que estão ao seu redor; ⁸por isso, o Senhor *Yahweh* assim disse: 'Aqui estou eu [agindo] contra vocês, sim, eu mesmo. Decretarei decisões entre vocês à vista das nações. ⁹Farei a vocês o que não fiz e o que jamais farei novamente, por causa de todos os seus atos ultrajantes. ¹⁰Portanto, em seu meio [Jerusalém], pais comerão filhos e filhos comerão os seus pais. Decretarei decisões contra você e dispersarei os seus remanescentes aos ventos.

¹¹Por isso, tão certo como eu vivo' (declaração do Senhor *Yahweh*), 'porque vocês profanaram o meu santuário com todas as suas abominações e todos os seus ultrajes [...] — sim, eu mesmo, cortarei vocês, o meu olho não os poupará, e não terei pena de vocês. ¹²Um terço de vocês morrerá em uma epidemia ou chegará ao fim pela fome em seu meio. Um terço cairá pela espada ao redor de vocês. Dispersarei um terço aos ventos e desembainharei a espada atrás deles. ¹³A minha ira se consu- mirá, darei descanso à minha fúria sobre eles e encontrarei

alívio. Eles saberão que eu, *Yahweh*, falei em minha paixão, quando consumi a minha ira contra eles. ¹⁴Farei de você uma ruína e objeto de insulto entre as nações que estão ao seu redor, à vista de todos os que passam. ¹⁵Será motivo de injúria e de ridículo, de disciplina e de desolação, para as nações que estão ao seu redor, quando decretar decisões contra você em ira, raiva e furiosas repreensões. Eu, *Yahweh*, falei.

¹⁶Quando enviar as flechas malignas da fome sobre as pessoas, que são para destruição, as quais enviarei para destruir você, acrescentarei fome sobre você e quebrarei o seu suprimento de pão. ¹⁷Enviarei contra você fome e criaturas malignas, e elas a enlutarão; a epidemia e o derramamento de sangue passarão por você, e trarei a espada contra você. Eu, *Yahweh*, falei.'"

Retornei à Inglaterra, algum tempo atrás, para uma visita e tomei o trem, de West Country até Londres. Descobri-me admirando o campo, com seus prados exuberantes e verdes, bem como as belas vilas. Senti-me como um autêntico turista norte-americano. Fiquei especialmente impactado pelos pináculos e torres das igrejas, que sobressaíam nas vilas. Nos dias em que se podia presumir que as vilas eram cristãs, os pináculos ou as torres representavam o lugar de Deus e de adoração, no centro da vida dos seus habitantes. Em meio a uma era na qual não se pode presumir que a fé cristã seja real para muitas pessoas, eles atuam como lembretes da realidade de Deus. A igreja, e a congregação que ali adora, estabelece-se no meio da nação ao redor dela.

Essa é a posição na qual **Yahweh** estabeleceu **Israel**. Sua capital não está acima, fisicamente, da região em derredor, mas Israel está no centro do mundo. Isso ocorre geografi-camente, no ponto de encontro da Ásia, África e Europa (desculpe-me, Américas), o que explica, em parte, a sua importância na história política. Não seria surpresa caso a sua posição geográfica fosse um motivo para Deus tê-la escolhido como o lugar de implementação do seu propósito para redimir o mundo.

Isso conecta-se com o fato de *Yahweh* enfatizar a posição de Jerusalém entre as nações, com povos ao redor dela. *Yahweh* não enviou os israelitas às nações para falarem de si mesmos. Essa ideia de missão é estranha ao Antigo Testamento. Deus pretendia que Israel fosse um meio de as nações o conhecerem. Gênesis fala desse resultado vir por meio de sua bênção a Israel. Ezequiel pressupõe que isso envolva Israel viver pelas leis e **decisões** de Deus. O problema é que Israel amoldou-se às nações vizinhas em vez de exemplificar um caminho diferente. Em Lucas 12, Jesus disse que muito é requerido de pessoas a quem muito é dado; Israel foi o referente original daquela declaração. Os israelitas nem mesmo viviam segundo os padrões das outras nações, afirma *Yahweh*, de maneira surpreendente (talvez tenha em mente a propensão dos israelitas de quebrarem tratados e serem rebeldes, o que resultou na destruição da cidade pelo exército da **Babilônia**).

Não há neutralidade para Jerusalém, não há como evadir-se de sua posição no meio das nações, como uma cidade com a qual *Yahweh* está especialmente envolvido. Se não for para ser modelo de **fidelidade** e de bênção, será não apenas um modelo de **infidelidade**, mas também da calamidade resultante, "à vista das nações". Israel ainda será modelo, algo com o qual as nações aprenderão os caminhos de Deus, mesmo que retrate a recompensa da infidelidade. Os leitores do Antigo Testamento, às vezes, se preocupam com os relatos sobre Deus destruindo nações e/ou instruindo Israel a fazê-lo. Deus, pelo menos, é imparcial. Nada mais severo é prescrito ou feito às demais nações do que é decretado ou feito a Israel.

Então, estamos certos em nos preocupar com essa dinâmica. A igreja, afinal de contas, constitui uma espécie de extensão de Israel. Da mesma forma, nós estamos no meio das nações para ser um farol na colina. Assim, se nos tornarmos iguais e indistinguíveis das nações ou mesmo menos confiáveis do que elas...

A ação de Ezequiel com os cabelos representa o destino que virá sobre os residentes da cidade. O retrato incorpora a advertência devastadora de *Yahweh*. Não há nenhuma indicação de sobrevivência. Felizmente, essas não são as últimas palavras de *Yahweh* sobre o tema.

EZEQUIEL 6:1–14
SOBRE INTOLERÂNCIA

[1]A mensagem de *Yahweh* veio a mim: [2]"Jovem, vire o seu rosto na direção dos montes de Israel e profetize contra eles. [3]Você deve dizer: 'Montes de Israel, ouçam a mensagem do Senhor *Yahweh*: "O Senhor assim disse acerca das montanhas e colinas, das ravinas e dos cânions: 'Aqui estou eu, e irei trazer a espada contra vocês, devastarei os seus santuários. [4]Os seus altares serão desolados, os seus altares de incenso serão quebrados. Farei os seus mortos caírem diante dos seus ídolos. [5]Colocarei os cadáveres dos israelitas diante dos seus ídolos e espalharei os seus ossos ao redor dos seus altares, [6]em todos os seus assentamentos. As cidades serão demolidas e os santuários arrasados, para que, quando os seus altares forem demolidos e, portanto, punidos, quando os seus ídolos forem quebrados e receberem um fim, quando os seus altares de incenso forem destruídos e o que você tiver feito for aniquilado, [7]e quando a pessoa morta cair em seu meio, vocês saberão que eu sou *Yahweh*. [8]Mas deixarei algum remanescente. Quando você tiver sobreviventes da espada entre as nações, quando estiver disperso entre as terras, [9]os seus sobreviventes se lembrarão de mim entre as nações

EZEQUIEL 6:1-14 • SOBRE INTOLERÂNCIA

para as quais forem levados cativos, de que eu fui quebrado com a mente imoral deles, que se desviou de mim, e com os seus olhos imorais atrás de seus ídolos. Eles sentirão aversão por si mesmos por causa dos males que fizeram, por todos os seus atos ultrajantes. **10**Eles saberão que eu sou *Yahweh*. Não foi em vão que falei sobre fazer todo este mal a eles.'"'"'

11 O Senhor assim disse: "Bata palmas, bata os seus pés no chão. Diga: 'Ai', por causa de todo o mal, dos atos ultrajantes da casa de Israel, que cairá pela espada, pela fome e pela epidemia. **12**A pessoa que estiver distante morrerá pela epidemia, a que estiver perto morrerá pela espada, e a que permanecer e for preservada morrerá pela fome. Lançarei a minha ira sobre eles. **13**Vocês saberão que eu sou *Yahweh* quando os seus mortos estiverem entre os seus ídolos, ao redor dos seus altares, em toda a colina alta, sobre o topo de todos os montes, debaixo de cada árvore verdejante e debaixo de cada carvalho frondoso, o lugar no qual eles apresentaram uma fragrância agradável a todos os seus ídolos. **14**Estenderei a minha mão contra eles e tornarei a terra uma desolação e devastação, desde o deserto até Dibla, em todos os seus assentamentos. E eles saberão que eu sou *Yahweh*."

No mês passado, quando estávamos em uma pousada numa ilha na Turquia, para nossa surpresa fomos acordados pelos sinos de uma igreja em vez da chamada do minarete. Após a Primeira Guerra Mundial, como parte de um acordo de paz entre a Turquia e a Grécia, centenas de milhares de cristãos turcos foram obrigados a trocar de lugar com centenas de milhares de muçulmanos gregos, mas descobrimos, nessa ilha, que alguns monges coptas conseguiram permanecer no que outrora era o bairro grego/cristão. Em alguns períodos, cristãos e muçulmanos têm sido capazes de conviver juntos em uma tolerância religiosa, certos de suas crenças, mas ainda aptos a manter uma convivência pacífica. Em outros períodos, contudo, isso se mostrou impossível. Nos Estados Unidos, tem se tornado cada vez mais difícil a convivência política dos diferentes credos.

Os residentes em **Judá**, obviamente, atravessavam um período difícil para manter a fé e resistir às tentações da religião tradicional local, e, aqui, *Yahweh* os está confrontando. Dirigir o discurso aos montes e vales é uma forma de falar ao território como um todo, o qual é dominado por montanhas e vales. Os santuários estão nos "lugares altos". Toda cidade ou vila mais desenvolvida teria um santuário, normalmente construído em uma posição elevada, e era quase impossível que nesses santuários *Yahweh* fosse adorado de acordo com a **Torá**. Todavia, esses lugares eram propícios a uma adoração similar à dos deuses cananeus, por causa das presunções feitas sobre *Yahweh* (e a sua consorte!), ou abertamente envolver a adoração a esses deuses. Essa influência é indicada pela menção a árvores verdejantes e carvalhos frondosos, o contexto comum dos ritos dos cananeus. Por outro lado, não havia nada de errado com os **altares** em si, com os altares de incenso e a oferta de fragrâncias agradáveis, mas eles se tornavam abomináveis por sua associação com os **ídolos**.

O objetivo da ação é para que as pessoas "saibam que eu sou *Yahweh*". Essa é uma expressão-chave no livro de Ezequiel. Em certo sentido, é uma expressão estranha — não há discussão quanto a ele ser *Yahweh*. No entanto, as implicações da sentença são mais amplas. Ela pressupõe que somente *Yahweh* é realmente Deus. Isso implica conhecer Deus, e o faz no sentido de submissão a ele.

Yahweh está "quebrado" pelas pessoas terem se desviado dele, em sua mente, e olhado para outros deuses. A fúria que ele sente é acompanhada de uma dor profunda. Pode-se dizer que as suas ameaças expressam toda a sua dor. *Yahweh* cita o tempo no qual os judaítas desprezarão a si mesmos pelo que fizeram. Pode-se dizer que eles também se sentirão "quebrados". Mas *Yahweh* pressupõe que esse autodesprezo possa ser uma emoção positiva, caso seja acompanhada pela conversão da **infidelidade** e o consequente conhecimento da verdade.

Dibla, por outro lado, é desconhecida; o nome parece uma derivação de Ribla (as duas palavras diferem apenas por um "traço" ou filete, a menor parte de uma letra). Assim, "desde o deserto até Ribla" significa do extremo sul ao extremo norte, na Síria. Desconhecida por Ezequiel, Ribla será o cenário de algumas cenas assustadoras relativas a 2Reis 25, após a queda final de Jerusalém.

EZEQUIEL 7:1–27
RAÇA DE VÍBORAS

¹A mensagem de *Yahweh* veio a mim: ²"Você, jovem — o Senhor *Yahweh* assim disse à terra de Israel: 'Um fim! O fim está vindo aos quatro cantos da terra. ³O fim está agora sobre você. Enviei a minha ira contra você e decidirei sobre você de acordo com os seus caminhos. Trarei todos os seus atos ultrajantes sobre você. ⁴Os meus olhos não a pouparão, não terei piedade, porque trarei sobre você os seus caminhos e os seus atos ultrajantes que estão em seu meio. E você saberá que eu sou *Yahweh*.'"

⁵O Senhor *Yahweh* assim disse: "Um mal singular! Um mal, eis que está vindo. ⁶Um fim está vindo! Ele está vindo! O fim está se levantando contra você! Eis que está vindo! ⁷A condenação está chegando sobre você, que habita na terra. O tempo está chegando. O dia está próximo, de tumulto, não de alegria sobre as montanhas. ⁸Agora está perto. Derramarei a minha ira sobre você e consumirei a minha ira contra você. Decidirei

sobre você de acordo com os seus caminhos e trarei todos os seus ultrajantes atos sobre você. [9]Os meus olhos não a pouparão, não terei piedade. Quando, de acordo com os seus caminhos, eu trouxer os seus atos sobre você, os seus atos ultrajantes que estão em seu meio, você saberá que eu sou *Yahweh*, aquele que desfere o golpe. [10]Eis o dia! Eis que está vindo. A condenação está chegando. A vara brotou, o orgulho floresceu, [11]a violência surgiu, uma vara infiel. Nada vem deles, nada da horda deles, nem de alguns dos seus; não há distinção neles. [12]O tempo está vindo, o dia está chegando. O comprador não deve celebrar, o vendedor não deve lamentar, porque a ira está sobre toda a sua horda. [13]Porque o vendedor não recuperará o que vendeu, mesmo que a sua vida ainda esteja entre os viventes, pois a visão sobre toda a horda não voltará atrás. Cada um com a sua transgressão — eles não reterão a sua vida.

[14]Eles soaram a trombeta e prepararam tudo, mas não há ninguém indo para a batalha, porque a minha ira está contra toda a sua horda. [15]A espada está na rua; a epidemia e a fome, na casa. A pessoa que estiver no campo morrerá pela espada, e a pessoa que estiver na cidade, a fome ou a epidemia a consumirá. [16]Os seus sobreviventes sobreviverão, mas estarão nas montanhas, como pombas nos vales, todos eles gemendo, cada qual com a sua transgressão. [17]Todas as mãos ficarão frouxas, e a água descerá por todos os joelhos. [18]Eles se cobrirão de pano de saco, e o tremor os cobrirá, com desgraça sobre todo o rosto e tosquia sobre sua cabeça. [19]Jogarão a própria prata nas ruas; o seu ouro se tornará tabu. A sua prata e o seu ouro não serão capazes de livrá-los no dia da ira do Senhor, não satisfarão o desejo das pessoas nem encherão o seu estômago, porque a transgressão delas transformou-se em sua queda. [20]A beleza das joias [de prata e de ouro] era motivo de orgulho para eles — com elas fizeram as suas imagens, as suas abominações. Portanto, eu as estou tornando impuras para eles. [21]Eu as entregarei nas mãos de estrangeiros como espólio, como saque aos infiéis da terra, e eles as tornarão como impuras.

EZEQUIEL 7:1-27 • RAÇA DE VÍBORAS

²²Desviarei o meu rosto deles, e as pessoas contaminarão o meu lugar precioso — intrusos adentrarão nele e o profanarão. ²³Faça uma corrente, porque a terra está cheia de julgamentos sangrentos, a cidade está cheia de violência. ²⁴Trarei a mais perversa das nações, e tomarão posse das casas deles. Darei fim à majestade dos poderosos. Os seus santuários se tornarão comuns. ²⁵A calamidade está vindo. As pessoas buscarão paz, mas não a encontrarão. ²⁶Desastre virá após desastre, e alarme após alarme. Elas buscarão a visão de um profeta, mas o ensino perecerá do sacerdote, e os planos, dos anciãos. ²⁷O rei pranteará, o governador vestirá a desolação como roupa, as mãos das pessoas da terra tremerão. Com base no caminho delas, lidarei com elas e, por suas decisões, decidirei sobre elas, e saberão que eu sou *Yahweh*."

Estou conversando com uma pessoa de nossa congregação para pregar na igreja no dia 15 de dezembro próximo. Dias atrás, ela me enviou uma mensagem observando que a passagem do Evangelho para aquele dia incluía Jesus referindo-se ao povo como "raça de víboras" (sobre a qual sempre pensei que seria divertido pregar, até agora) e que, além disso, "este será o último sermão antes de o mundo supostamente acabar, no dia 21. Alguma sugestão?". Sábios maias e astrônomos desdenharam da ideia de haver qualquer fundamento na previsão de que o mundo acabará nessa data, e, se você estiver lendo este livro, eles provarão estar certos. Predições acerca do fim do mundo têm sido tão falsamente difundidas que as pessoas propensas a serem céticas são reforçadas em seu ceticismo.

Descobriremos, em Ezequiel 12, que o povo se mostrou cético acerca das declarações de Ezequiel quanto ao "fim" ser iminente. O fim ao qual o profeta se referia era o fim da vida independente de **Judá**, o fim do tempo em que Jerusalém é a sua capital e uma cidade funcional. Ao falar sobre o fim, o profeta lança mão de uma declaração presente em Amós 8. Esse profeta viveu mais de um século antes de Ezequiel e profetizou sobre o fim vindouro de **Efraim**. O tempo provou que ele estava certo, pois Efraim não mais existia. Desse modo, os judaítas deveriam estar temerosos por ter as palavras de Amós também aplicadas a Judá, que se sentia superior àquele renegado povo do norte, o qual recebera o devido castigo. Ezequiel até mesmo usa o truque ameaçador de Amós, de colocar palavras com sons similares, para produzir um efeito, quando ele fala sobre o fim estar "se levantando" — esse verbo hebraico é similar à palavra para "o fim". Ezequiel igualmente imita Amós ao falar do "dia"; "o dia de *Yahweh*" devia ser um dia de alegria, de celebração, mas Amós advertiu Efraim de que seria um dia sombrio, não um dia jubiloso (veja Amós 5). Da mesma forma, Ezequiel declara que será "o dia da ira de *Yahweh*", não da bênção de *Yahweh*. Não será um dia festivo, quando as pessoas compartilham alegria, mas um dia de tumulto e confusão.

Parte do fundamento que dá certeza a Ezequiel quanto à vinda desse dia é que (para usar a mesma expressão de Jesus) o seu povo é uma "raça de víboras". Assim, certamente, Deus agirá em juízo. Quando Jesus fala nesses termos, ele está seguindo os passos de profetas como Amós e Ezequiel. Grande parte desse capítulo é irregular, e muitos de seus detalhes são intrigantes; por isso, tentei esclarecê-lo um pouco. Imagino que a sua audiência original tenha sentido o mesmo, o que significa que necessitaram assumir o risco de refletir profundamente sobre ele, caso desejassem obter algum sentido. No entanto, a conclusão é óbvia.

Ezequiel está, uma vez mais, abordando a situação em sua terra natal, que é muito importante para os exilados na

Babilônia, que nutrem a esperança de retornarem para lá em breve. A vida na terra é caracterizada pela violência, mas também pela confiança no futuro; as pessoas que escaparam do **exílio** que levou Ezequiel e outros presumem que conseguiram se desviar das balas. Imaginam que podem defender a si mesmas, mas não serão capazes de fazê-lo; todos estão a caminho da catástrofe. Prata e ouro não terão nenhuma utilidade, quer sejam usados para a confecção de imagens das divindades do povo (que se mostrarão inúteis), quer sejam considerados como recursos financeiros (o dinheiro não tem valor durante um cerco militar). A prata e o ouro servirão apenas como espólio para os invasores.

A declaração mais assustadora é de que *Yahweh* se afastou de seu povo, em Judá. Ele deixou a sua própria casa e está feliz por pés estrangeiros a invadirem. Quando se voltarem aos seus profetas, sacerdotes e anciãos, descobrirão que eles nada têm a dizer. Quando buscarem os seus líderes, os encontrarão confusos.

A exemplo de Amós, o "fim" ou o "dia de *Yahweh*" não é o fim do mundo, após o qual nada haverá, ou após o qual haverá ressurreição ou vida no céu. Trata-se de um evento na história no qual Deus abala todas as estruturas e ordens da vida de seu povo de uma forma que os faz enfrentar toda a transgressão da sua vida e, pelo menos, os faz "saber que ele é *Yahweh*".

EZEQUIEL 8:1–18
SOBRE NÃO ESTAR EM CASA

¹No sexto ano, no sexto mês, no quinto dia do mês, eu estava sentado em minha casa, e os anciãos judaítas estavam sentados diante de mim. Ali a mão do Senhor *Yahweh* caiu sobre mim. ²Olhei, e eis que havia uma forma com uma aparência flamejante.

Da cintura da forma para baixo havia fogo e, de sua cintura para cima, uma aparência de ouro, como de metal reluzente.

EZEQUIEL 8:1-18 • SOBRE NÃO ESTAR EM CASA

[3]Estendeu o que parecia uma mão e agarrou-me pelos cabelos da minha cabeça, e um vento levantou-me entre a terra e os céus e me levou a Jerusalém com uma grande aparição de Deus, para a porta de acesso ao pátio interior, que fica na direção do norte, onde estava o assento da imagem provocativa e desafiadora. [4]Eis que o esplendor do Deus de Israel apareceu ali, como a aparição que vi no vale.

[5]Ele me disse: "Jovem, levante os seus olhos para o norte." Levantei os meus olhos para o norte, e eis que, junto à entrada do altar, estava essa imagem provocativa. [6]Ele me disse: "Jovem, você vê o que eles estão fazendo, os grandes ultrajes que a casa de Israel está fazendo aqui, para que eu me afaste do meu santuário? Você verá ultrajes ainda maiores." [7]Ele me levou à entrada do pátio. Olhei, e eis que havia um buraco no muro. [8]Ele me disse: "Jovem, quebre o muro." Quebrei o muro, e eis que havia uma porta. [9]Ele me disse: "Entre e veja os ultrajes malignos que eles estão realizando aqui." [10]Entrei e olhei, e eis que havia toda forma de répteis e animais abomináveis, e todos os ídolos da casa de Israel, esculpidos no muro em todo o redor. [11]Setenta indivíduos dos anciãos da casa de Israel, com Jazanias, filho de Safã, no meio deles, estavam em pé diante deles, cada qual com um incensário na mão. A abundante nuvem de incenso subia. [12]Ele me disse: "Jovem, você viu o que os anciãos da casa de Israel estão fazendo no escuro, cada qual em seus aposentos cobertos de imagens? Porque eles estão dizendo: '*Yahweh* não está olhando para nós. *Yahweh* abandonou a terra.'" [13]Ele me disse: "Você verá, novamente, ultrajes ainda maiores que eles estão realizando." [14]Ele me levou para a porta de entrada da casa de *Yahweh*, que fica para o norte. Eis que mulheres estavam ali sentadas, pranteando por Tamuz. [15]Ele me disse: "Jovem, você viu? Você verá, novamente, ultrajes ainda maiores do que estes." [16]Ele me levou ao pátio interno da casa de *Yahweh*. Eis que, na entrada do palácio de *Yahweh*, entre o pórtico e o altar, havia uns vinte

> e cinco homens, de costas para o palácio de *Yahweh* e com o rosto voltado para o Oriente, e estavam se prostrando para o Oriente, para o sol.
>
> [17]Ele me disse: "Jovem, você viu? Acaso é pouco para a casa de Judá fazer os ultrajes que estão fazendo aqui? Porque eles encheram a terra de violência e, uma vez mais, me irritaram. Eis que estão colocando o ramo perto do nariz. [18]Sim, eu mesmo agirei em ira. Meus olhos não pouparão e não terão piedade. Falarão aos meus ouvidos em alta voz, mas eu não os ouvirei."

Ao voltar aos Estados Unidos, duas semanas atrás, fui interrogado por um oficial da imigração (creio que ele queria apenas tornar mais interessante uma noite entediante) sobre o motivo de eu permanecer como residente estrangeiro e ainda não ter requerido cidadania. Minha primeira resposta foi de que jamais me senti um norte-americano; vivi como britânico tempo demais. Sinto-me totalmente em casa nos Estados Unidos, mas sei que não é o meu verdadeiro lar. Por outro lado, da mesma forma, ao voltar à Inglaterra, não me sinto mais totalmente em casa. Ausentei-me por tempo demais; o país mudou, e eu também.

Os **israelitas** deveriam se sentir em casa em Canaã, embora não estivessem, de fato, em casa ali. Eles deveriam guardar a lembrança de como Deus agiu na vida deles e a revelação que ele lhes deu, antes de chegarem lá. Deveriam ter, naquela terra, uma vida que considerasse essas realidades. É uma vida difícil de viver, e eles não se mostraram muito bons em vivê-la.

Essa dinâmica constitui um dos fatores subjacentes ao fenômeno criticado aqui por Ezequiel. Um ano depois de aparecer diante dele e comissioná-lo, *Yahweh* aparece, novamente ao profeta e faz algo que é espetacular de uma forma distinta. Num sentido visionário, *Yahweh* leva Ezequiel de volta a Jerusalém para ver o que está acontecendo no templo. Essa abdução foi mais contundente do que o verbo pode implicar; o ato é semelhante a um pai carregando o filho forçosamente, para a cama. Ezequiel talvez não veja nada diferente do que já tinha presenciado diretamente antes de ser exilado para a **Babilônia**, seis anos antes. Primeiramente, há a imagem que provoca a ira e a hostilidade de *Yahweh*. Essa linguagem, em outras passagens, sugere uma imagem que supostamente representa a esposa ou consorte de *Yahweh*, uma deusa do amor e do casamento. Ora, *Yahweh* é o Deus poderoso, celestial e transcendente que aparecera a Ezequiel daquela forma avassaladora, não um Deus com uma esposa e uma vida sexual, mas os seres humanos se sentem mais à vontade com um deus mundano e cotidiano, que compartilha essa experiência e prioridade nas relações humanas. A imagem não corresponde a nada real, mas as pessoas atribuem realidade a ela, de maneira que provoque *Yahweh*. Não é apenas algo morto que não faz diferença.

Segundo, há representações de animais e de serpentes, mais imagens de divindades, os quais Ezequiel sabe serem meros **ídolos**, mas que são vistos pelas pessoas como um modo de tornar as divindades mais acessíveis e mundanas. Romper um muro para ver o que as pessoas estão fazendo no escuro, em privado, sugere que a cena representa aspectos da observância religiosa pessoal dos indivíduos, no recôndito de suas casas. O que ocorre no privado não permanece privado. Há certa tristeza quanto ao fato de os anciãos e Jazanias estarem envolvidos. Os anciãos e o pai de Jazanias participaram de um movimento reformista que buscou abolir essa espécie de observância em Jerusalém (veja 2Reis 22—23). O comentário que fazem sobre *Yahweh* ter se esquecido deles indica como havia compreensões contraditórias dentro da própria comunidade. Havia a possibilidade de *Yahweh* os estar castigando, mas também havia a expectativa de que, em breve, ele os restauraria; a possibilidade de *Yahweh* tê-los abandonado, mas também a possibilidade de as ideias sobre *Yahweh*, expressas na **Torá** e pelos profetas, como Jeremias e Ezequiel, simplesmente estarem erradas.

Então, surge a visão das mulheres chorando pela morte de Tamuz, o deus babilônico, simbolizado pelo advento do calor do verão, no Oriente Médio, que parece fazer tudo morrer; é possível que os ritos de luto envolvam orações pelo retorno de Tamuz à vida, que seria simbolizado pela chegada das chuvas e do renascimento da natureza. Ao lado delas há homens com as costas voltadas para *Yahweh* e curvando-se ao sol. O calor do sol é perigoso, mas, sem os raios solares, não há um novo amanhecer, a cada dia, e o sol é a figura principal no esquadrão de planetas e estrelas que governam os eventos no planeta. Todas essas observâncias propiciam às pessoas se sentirem mais em casa, no mundo, mais no controle da vida cotidiana e **comum**.

Embora não saibamos o significado da expressão "colocar o ramo perto do nariz", ela é aparentemente alguma forma de insulto, a exemplo de mostrar o dedo médio, nos Estados Unidos, ou sinal em V, na Grã-Bretanha. As palavras finais de Ezequiel, no capítulo, indicam que *Yahweh* considera uma ofensa similar a violência com a qual o mais forte oprime o mais fraco.

EZEQUIEL **9:1–11**
QUEM SÃO AS PESSOAS QUE SUSPIRAM E GEMEM?

[1]Ele chamou em meus ouvidos: "Aproximem-se, vocês que lidam com a cidade, cada um com seu implemento de destruição em mãos." [2]E eis que vinham seis homens pelo caminho da porta superior, voltada para o norte, cada um com seu implemento de demolição nas mãos, e um homem entre eles, vestido de linho, com um estojo de escriba em sua cintura. Eles vieram e se colocaram ao lado do altar de bronze. [3]Ora, o esplendor

do Deus de Israel se elevou de cima do querubim, sobre o qual estivera, para o terraço da casa. Ele chamou o homem vestido de linho, em cuja cintura estava o estojo de escriba. *Yahweh* lhe disse: "Passe pelo meio da cidade, pelo meio de Jerusalém, e coloque um X na testa das pessoas que estão suspirando e gemendo sobre os ultrajes que são cometidos em seu meio." ⁵A estes [outros homens], ele disse, em meus ouvidos: "Passem pela cidade depois dele e ataquem. Os seus olhos não devem poupar. Vocês não devem ter piedade. ⁶Matem totalmente ancião, jovem, moça, pequenos, mulheres. Mas em qualquer pessoa sobre a qual estiver o X não toquem. Comecem desde o meu santuário." Assim, eles começaram com os homens, que eram anciãos, e que estavam diante da casa. ⁷Ele lhes disse: "Contaminem a casa. Encham os pátios com os mortos. Saiam." Eles saíram e atacaram na cidade. ⁸Enquanto estavam atacando, eu mesmo permaneci sozinho. Prostrei-me, rosto em terra, e clamei: "Ah! Senhor *Yahweh*! Irás destruir todos os remanescentes de Israel, derramando a sua ira sobre Jerusalém?" ⁹Ele me disse: "A transgressão da casa de Israel e de Judá é muito, muito grande. A terra está cheia de sangue derramado. A cidade está cheia de injustiça. Porque disseram: '*Yahweh* abandonou a terra. *Yahweh* não está olhando.' ¹⁰Quanto a mim, os meus olhos não pouparão e não terei piedade. Estou trazendo o caminho deles sobre a própria cabeça." ¹¹E eis que o homem vestido de linho, em cuja cintura estava o estojo de escriba, estava trazendo a palavra de volta: "Agi de acordo com tudo o que me ordenaste."

Minha esposa e eu estamos voltando de uma reunião na qual estivemos conversando sobre genocídio. A minha tarefa era falar sobre o genocídio no Antigo Testamento; a de Kathleen era falar sobre o genocídio em nosso mundo contemporâneo. Ela expressou a sua aflição acerca da situação no Chade dos refugiados de Darfur, forçados a fugir de suas casas no Sudão nove anos atrás, para não serem mortos ou estuprados em sua terra natal. Expressou também a sua angústia pelo fato de o mundo ignorar as súplicas deles e a sua frustração por não ter logrado sucesso em seus esforços com o objetivo de tirar, pelo menos, uma das garotas do acampamento para estudar em outro país, como Uganda. Essa situação faz Kathleen gemer e lamentar ao ver o que ocorre no Chade, com o auxílio das imagens de vídeo.

Yahweh deseja saber quem, em Jerusalém, sente essa angústia pelo que está ocorrendo na cidade. O homem com o estojo de escriba me faz pensar em um oficial do imposto de renda, que chega diante da sua porta, trajando terno, carregando o seu computador, para auditar as suas contas. A sua tarefa é identificar pessoas que estão aflitas, suspirando e gemendo. Essas são as pessoas que escaparão do desastre que virá sobre a cidade. Ezequiel nada fala sobre elas serem pessoas que buscam promover mudanças ou reformas. Há situações em que nada pode ser feito em relação às irregularidades em nossa igreja ou comunidade, exceto clamar a Deus sobre isso. Contudo, seria melhor dissociar-se e manter distância delas. A palavra hebraica que traduzi por "X" é o nome da letra "T", que, nos dias de Ezequiel, parecia com um X, o que faz uma pessoa cristã pensar no desafio de ser alguém que toma a cruz.

A visão parece ser irreal. Quando o desastre acontece, ele atinge tanto infiéis quanto fiéis. Ezequiel sabia que seria assim. De modo realista, ele observa que a calamidade cairá sobre jovens, moças e crianças, sobre homens que seriam os principais elementos do processo de decisão em uma sociedade patriarcal, bem como sobre os anciãos e as mulheres, cuja adoração infiel Ezequiel já testemunhou. Todos ganham quando os responsáveis pela tomada de **decisões** o fazem correta e fielmente. Além disso, o próprio Ezequiel estava no **exílio**, ainda que não se identificasse com as práticas em

Jerusalém que levaram a cidade à sua primeira queda, em 597 a.C., e o primeiro exílio resultante. O objetivo da visão não reside em assegurar aos indivíduos que eles ficarão bem. Ela não diz que o homem vestido de linho encontrou alguém suspirando e gemendo. O foco da visão está na amplitude do juízo de *Yahweh*. Caso o homem trajado de linho tenha encontrado pessoas nas quais colocar a marca, a implicação é de que eram poucas e que, certamente, as pessoas sem a marca serão, impiedosamente, tratadas. A visão, uma vez mais, esfrega o nariz dos exilados no fato de que a sua cidade natal não irá escapar de um julgamento terrível. Como de hábito, *Yahweh* fala com mais dureza do que pretende agir. Nem todos serão mortos; ele garantirá a permanência de um remanescente.

EZEQUIEL **10:1–22**
DEUS ESTÁ INDO EMBORA

¹Olhei, e eis que sobre a plataforma que estava sobre a cabeça dos querubins havia uma pedra como de safira; a aparência da forma de um trono estava sobre ela. ²[*Yahweh*] disse ao homem vestido de linho: "Vá por entre as rodas, por baixo dos querubins, encha as suas mãos com as brasas ardentes que estão entre os querubins e as espalhe sobre a cidade." Ele foi diante dos meus olhos. ³Os querubins estavam à direita da casa quando o homem entrou e a nuvem encheu o pátio interno. ⁴O esplendor de *Yahweh* levantou-se de cima do querubim, indo acima do terraço da casa; a nuvem encheu a casa, e o pátio encheu-se do brilho do esplendor de *Yahweh*. ⁵O som das asas dos querubins se fez ouvir até no pátio externo, como a voz de *El Shadday*, quando ele fala. ⁶Quando ele ordenou ao homem vestido de linho: "Apanhe fogo do meio que está entre as rodas, dentre os querubins", [o homem] entrou e se colocou ao lado da roda. ⁷Um querubim estendeu a sua mão do meio dos querubins em direção ao fogo, que estava entre os querubins, apanhou-o e o colocou nas mãos daquele que estava vestido

EZEQUIEL 10:1-22 • DEUS ESTÁ INDO EMBORA

de linho. Ele o pegou e saiu. [8](A forma de uma mão humana pertencente aos querubins era visível debaixo das suas asas.)

[9]Olhei, e eis que havia quatro rodas ao lado dos querubins, uma roda ao lado de cada um dos querubins. A aparência das rodas: o próprio brilho da pedra de berilo. [10]A aparência delas: as quatro tinham uma forma, como se uma roda estivesse dentro da outra roda. [11]Quando iam, se moviam nas quatro direções. Elas não se viravam enquanto iam, pois seguiam para o lugar para o qual a cabeça estava voltada. Elas não se viravam enquanto iam. [12]Todo o corpo deles — suas costas, suas mãos e suas asas — e as rodas estavam cheias de olhos em toda a volta (as rodas pertenciam aos quatro; [13]essas rodas haviam sido chamadas "giratórias", em meus ouvidos). [14]Cada um tinha quatro rostos. Um era o rosto de um querubim. O segundo era um rosto humano. O terceiro era o rosto de um leão. O quarto era o rosto de uma águia. [15]Os querubins se elevaram; era a criatura que eu havia visto junto ao rio Quebar. [16]Quando os querubins se moviam, as rodas iam ao lado deles. Quando os querubins estendiam as suas asas para se erguerem da terra, as rodas não se afastavam do lado deles também. [17]Quando [os querubins] paravam, elas paravam. Quando os querubins se elevavam, elas se elevavam com eles, pois o espírito de vida estava nelas.

[18]O esplendor de *Yahweh* saiu do terraço da casa e se colocou sobre os querubins. [19]Os querubins estenderam as suas asas e se elevaram da terra, diante dos meus olhos, enquanto saíam, com as rodas ao lado deles. Pararam à porta da entrada oriental da casa de *Yahweh*, com o esplendor do Deus de Israel acima deles. [20]Era a criatura que eu vi abaixo do Deus de Israel, junto ao rio Quebar. Assim, reconheci que eram querubins. [21]Cada um tinha quatro rostos e quatro asas, com a forma de mãos humanas sob as suas asas. [22]A aparência dos seus rostos era a mesma daqueles que eu tinha visto junto ao rio Quebar, eram as mesmas criaturas. Cada uma seguia na direção do seu rosto.

EZEQUIEL 10:1-22 • DEUS ESTÁ INDO EMBORA

Ontem, visitei uma igreja cujo pastor a descreveu como construída no estilo "seguro dos anos 1970", isto é, um salão vazio, com fileiras de bancos e uma cruz, com um conjunto de bateria diante dela. Fora do edifício, havia uma placa com os dizeres: "a igreja se encontra aqui". A igreja é o povo, não o prédio. A construção é apenas um invólucro para abrigar o povo. O prédio fazia um contraste com o Monastério de Hosios Loukas (São Lucas, o seu profeta fundador), na Grécia, e a Mesquita de Santa Sofia, na Turquia (originariamente, uma igreja), que visitamos no mês passado. Lá, a elevada altura do teto, com as suas pinturas, chama a atenção de toda a congregação (não há fileiras de bancos) para a glória de Deus.

O templo de Jerusalém era um pouco similar, embora não construído na escala da Santa Sofia. A glória de Deus, o esplendor de Deus, residia nele, portanto as pessoas não podiam entrar. Elas reconheciam a íntima presença de Deus de outras maneiras, não apenas passando o tempo nos pátios do templo, mas o edifício do templo as fazia lembrar do aspecto transcendente e assombroso da presença divina. O horror da visão, em Ezequiel 10, é que ela revela a saída da presença de Deus, do templo e da cidade. O terrível processo inicia-se no capítulo anterior, no qual o esplendor de *Yahweh*, a presença gloriosa, move-se para a entrada do templo. Agora as criaturas saem da entrada e pairam sobre a cidade, para o Oriente. O escriba agora tem outra função, a qual, uma vez mais, sugere que o ponto principal sobre a sua tarefa anterior era preparar o caminho para o ato de juízo de *Yahweh* sobre toda a cidade. Ele é quem dá início ao temível julgamento com o fogo entre as rodas.

Ezequiel segue no meio de uma experiência na qual Deus lhe aparece em uma forma que o faz associar ao seu comissionamento como profeta, o que sugere algumas boas-novas. Embora a notícia terrível seja a de que *Yahweh* está abandonando o templo, em Jerusalém, ele não está simplesmente indo para algum lugar desconhecido, mas na direção do Oriente. Isso se adequa ao relato sobre ele aparecer na **Babilônia**. Ezequiel observa que "a(s) criatura(s)", naquele capítulo anterior, pode(m) agora ser identificada(s) como **querubins**, mas não "exatamente". Meses atrás, um dos meus principais mentores e grande inspirador faleceu. Em seu derradeiro sermão, ele refletiu sobre os pensamentos e sentimentos que o acometiam ao se aproximar da morte. "Fora com todos os anjos antes de Rafael, suas vestes vistosas e seus halos repreendedores!", declarou. "Fora com todos aqueles querubins infantis, e suas nádegas bem esculpidas! Fora com as nuvens e harpas e toda a confusão religiosa medieval que os acompanha!"

EZEQUIEL **11:1–25**
UM PEQUENO SANTUÁRIO

¹Um vento me levantou e me levou à porta leste da casa de *Yahweh*. Ali, à entrada da porta, havia vinte cinco homens. Vi entre eles Jazanias, filho de Azur, e Pelatias, filho de Benaia, oficiais do povo. ²[*Yahweh*] me disse: "Jovem, estes são os homens que planejam perversidades e formulam maus conselhos nesta cidade, ³que dizem: 'O tempo de construir casas não está próximo? Esta é a panela, e nós somos a carne.' ⁴Portanto, profetize contra eles. Profetize, jovem." ⁵O espírito de *Yahweh* caiu sobre mim, e ele me disse: "Diga: '*Yahweh* assim disse: "Então, casa de Israel, vocês estão dizendo; mas eu mesmo sei o que surge em seu espírito. ⁶Vocês fizeram muitas pessoas morrerem nesta cidade. Encheram as suas ruas com os mortos."'" ⁷Portanto, o Senhor *Yahweh* assim disse: "Os seus mortos, os quais colocaram em seu meio: eles são a carne. Esta é a panela, mas eu os estou fazendo saírem dela. ⁸Vocês têm medo da espada, mas eu trarei a espada sobre vocês. ⁹Eu os farei sair de seu meio e os entregarei nas mãos de estrangeiros. Implementarei decisões contra vocês. ¹⁰Pela espada vocês cairão. Na fronteira de Israel, decidirei sobre vocês, e saberão que eu sou *Yahweh*. ¹¹Ela não será uma

panela para vocês, nem vocês serão a carne nela. Na fronteira de Israel, decidirei sobre vocês, [12]e saberão que eu sou *Yahweh*, cujas leis vocês não seguiram e cujas decisões não executaram, mas agiram de acordo com as decisões das nações que estão ao seu redor." [13]Quando eu profetizei, Pelatias, filho de Benaia, morreu. Prostrei-me, rosto em terra, e clamei em alta voz: "Ah, Senhor *Yahweh*, estás dando um fim aos remanescentes de Israel!"

[14]A mensagem de *Yahweh* veio a mim: [15]"Jovem, os seus parentes, os seus próprios parentes, que são pessoas em sua família estendida, toda a casa de Israel, toda ela, são as pessoas sobre as quais os residentes de Jerusalém disseram: 'Fiquem longe de *Yahweh*. É a nós que esta terra foi dada, como uma possessão.' [16]Portanto, diga: 'O Senhor *Yahweh* assim disse: "Porque eu os movi para bem longe, entre as nações, e porque eu os dispersei entre as terras e me tornei um pequeno santuário para eles, nas terras às quais foram."' [17]Por isso, diga: 'O Senhor *Yahweh* assim disse: "Recolherei vocês dentre os povos, os reunirei das terras para as quais os dispersei e lhes darei a terra de Israel. [18]Voltarão para ela e removerão todas as suas abominações e os seus ultrajes de lá, [19]e lhes darei uma mente. Colocarei um novo espírito dentro de vocês. Retirarei a mente de pedra de sua carne e lhes darei uma mente de carne, [20]para que sigam as minhas leis, guardem as minhas decisões e as implementem. Serão um povo para mim, e serei Deus para eles. [21]Mas, àqueles cuja mente está seguindo a mente de suas abominações e de seus ultrajes, irei trazer o seu caminho sobre a sua própria cabeça'" (declaração do Senhor *Yahweh*)."

[22]Os querubins estenderam as suas asas, com as rodas ao lado deles, e o esplendor do Deus de Israel acima deles. [23]O esplendor de *Yahweh* se levantou do meio da cidade e parou sobre uma montanha que fica a leste da cidade. [24]Um vento me levantou e me levou à Caldeia, para a comunidade exilada, com a aparição do espírito de Deus, e a aparição que vi elevou-se de cima de mim. [25]Falei à comunidade exilada todas as palavras de *Yahweh* que ele havia me mostrado.

O prédio de nossa igreja é um pequeno santuário, e a congregação que se reúne ali é uma pequena igreja. Quando há quarenta pessoas ali presentes, o espaço aparenta estar, razoavelmente, cheio. Poucos anos atrás, todavia, precisávamos colocar cadeiras extras para acomodar todas as pessoas; hoje, isso não é mais necessário. Como devemos pensar sobre o futuro? É inevitável que continuemos decrescendo à medida que as pessoas mais velhas morrem? Poucas pessoas novas passaram a congregar conosco nos dois anos anteriores. É possível que a congregação cresça? Que base de esperança podemos ter?

A partida do esplendor de *Yahweh* é um evento terrível que paira sobre Jerusalém e que (sabemos pelo registro histórico) se tornará uma realidade em quatro ou cinco anos. A cidade cairá, o templo será destruído. As pessoas em Jerusalém, e aquelas já exiladas na **Babilônia**, precisam encarar o fato e se preparar para ele em seu pensamento. O encorajamento aos **judaítas** no exílio é o fato de *Yahweh* não estar meramente partindo de Jerusalém para residir em algum lugar desconhecido ou inacessível no deserto. No segundo parágrafo, ele declara que já se tornou um pequeno santuário para esses judaítas. Os exilados podem ter pensado em construir um santuário na Babilônia, e podem até tê-lo edificado, mas *Yahweh* não está falando em construir um santuário lá, e sim *ser* um santuário na Babilônia. Ele está presente ali, no exílio, ainda que não exista nenhum edifício. Não há nada extraordinário aqui. Os **israelitas** jamais assumiram que *Yahweh* estivesse presente somente no templo, o que significaria que a maioria do povo de Deus raramente estaria na sua presença. Havia uma garantia especial de sua presença ali, no templo, mas *Yahweh* estava presente em todo o território israelita, assim como na Babilônia. Estar em Jerusalém não assegurava estar na presença de

Yahweh, do mesmo modo que estar na Babilônia não excluía estar na sua presença.

As pessoas deixadas em Jerusalém têm desculpas para pensar que os judaítas enviados ao **exílio** haviam sido expulsos por *Yahweh* e lhes dizer para ficarem longe de *Yahweh* e de Jerusalém. Algumas poderiam ser pessoas que foram enganadas e expulsas de sua própria terra por aqueles agora no exílio. Poderiam alegar que os exilados mereciam aquele destino e igualmente se alegrarem pelo fato de a terra ter sido devolvida aos que anteriormente, estavam de posse dela. Outras, todavia, poderiam também se alegrar por terem a chance de se apropriar de uma terra que legalmente pertencia a alguém que fora exilado.

Ezequiel ouve os líderes da cidade falando em termos realisticamente mais sombrios. Um futuro positivo, a chance de construir novas casas, parece distante. A comunidade é como a carne sendo cozida em uma panela de pressão. O calor está ficando cada vez mais elevado. Todavia, eles não extraem as inferências corretas; em vez de encorajarem a cidade a se voltar para *Yahweh*, eles estão tentando solucionar os próprios problemas, adotando decisões políticas práticas. Suas decisões, no entanto, são perversas, e seus conselhos, **malignos**. Eles são responsáveis por muitas mortes na cidade por meio de sua liderança distorcida e/ou de seu envolvimento em malfeitos praticados por outras pessoas, já criticados por Ezequiel e Jeremias, como o sacrifício de crianças, ou a violência para obter ganhos. Tipicamente, Ezequiel reformula a imagem deles contra eles próprios. As pessoas que foram mortas é que eram como a carne, que esses líderes estavam colocando no fogo. Se a cidade é uma panela, esses líderes não permanecerão nela, mas serão lançados fora para serem mortos de outra maneira. A menção à fronteira de Israel, uma vez mais, sugere como os líderes judaítas foram levados diante das autoridades babilônicas, em Ribla (veja o comentário sobre o cap. 6).

Na visão, a profecia começa a ser imediatamente implementada. Quando um dos líderes cai morto (não há indicação de que ele morreu na vida real), podemos nos surpreender pelo protesto de Ezequiel. Isso reflete, novamente, os dois lados do que *Yahweh* deve fazer. Por um lado, há a necessidade de haver julgamento; do outro, há a necessidade de manter a existência de Israel. Era necessário que um profeta decretasse o juízo, mas também que clamasse por misericórdia pela culpa. Era necessário dispersar o povo; é preciso reuni-los. Era preciso haver um pequeno santuário em sua dispersão; é necessário, novamente, ser Deus para o povo como um todo. Esta e as demais promessas associadas, acerca de um novo espírito e de uma nova mente, serão tema dos comentários nos capítulos 36 e 37.

Na visão, o esplendor de *Yahweh* interrompe o seu movimento ao passar pelo monte das Oliveiras, no lado leste de Jerusalém. É como se ele hesitasse em partir. Ainda há a possibilidade de o esplendor não deixar a cidade, caso os seus residentes retornem para *Yahweh*.

EZEQUIEL **12:1–28**
DEUS NÃO IRÁ DEIXAR AS COISAS PERDURAREM

[1]A mensagem de *Yahweh* veio a mim: [2]"Jovem, você está vivendo no meio de uma casa rebelde, que tem olhos para ver, mas não vê, ouvidos para ouvir, mas não ouve, porque eles são uma casa rebelde. [3]Você, jovem, prepare as coisas para exilar-se e vá para o exílio de dia, diante dos olhos de todos. Vá para o exílio, de seu lugar para outro lugar, diante dos olhos de todos. Talvez eles vejam que são uma casa rebelde. [4]Você deve levar as suas coisas para fora, como as coisas para

o exílio, de dia, diante dos olhos de todos, e você mesmo deve sair à noite, diante dos olhos de todos, como as pessoas que vão para o exílio. ⁵Diante dos olhos de todos, abra um buraco na parede e tire a sua bagagem por ele. ⁶Diante dos olhos de todos, você deve colocá-la sobre o ombro. Deve levá-la para fora no escuro. Cubra o rosto e não olhe para a terra, porque estou fazendo de você um sinal para a casa de Israel."

⁷Fiz tudo conforme ordenado. Levei as minhas coisas para fora de dia, como coisas para o exílio, e, à noite, abri um buraco na parede com a minha mão. No escuro, levei-as para fora. Levantei-as sobre o meu ombro, diante dos olhos de todos.

⁸A mensagem de *Yahweh* veio a mim, pela manhã: ⁹"Jovem, a casa de Israel (uma casa rebelde) não lhe disse: 'O que você está fazendo?' ¹⁰Diga-lhes: 'O Senhor *Yahweh* assim disse: "Esta profecia [é sobre] o governante em Jerusalém e toda a casa de Israel que está entre eles."' ¹¹Diga: 'Eu sou um sinal para vocês. Como fiz, assim será feito a eles. Eles irão para o exílio, para o cativeiro.' ¹²O governante que está entre eles colocará suas coisas sobre o ombro, no escuro. Ele sairá por um buraco no muro. Eles o abrirão para tirá-lo por ele. Ele cobrirá o rosto, porque não olhará para a terra com os seus olhos. ¹³Estenderei a minha rede sobre ele, e ele será apanhado na minha armadilha. Eu o levarei para a Babilônia, para a terra dos caldeus, mas ele não a verá e ali morrerá. ¹⁴Todos os que estão ao redor dele, os seus oficiais e todas as suas legiões, eu espalharei a todos os ventos e desembainharei a espada atrás deles. ¹⁵Saberão que sou *Yahweh* quando eu os espalhar entre as nações e os dispersar entre as terras. ¹⁶Mas pouparei umas poucas pessoas deles da espada, da fome e da epidemia, para que possam recontar todos os seus ultrajes entre as nações para as quais forem, e saberão que eu sou *Yahweh*."

¹⁷A mensagem de *Yahweh* veio a mim: ¹⁸"Jovem, você deve comer a sua comida com tremor, beber a sua água com estremecimento e ansiedade ¹⁹e dizer ao povo da terra: 'O Senhor

Yahweh assim disse acerca dos residentes de Jerusalém na terra de Israel: "Eles comerão o seu pão com ansiedade e beberão a sua água em desolação, pois a sua terra será desolada do que ela contém, por causa da violência de todas as pessoas que vivem nela. ²⁰As cidades habitadas serão arrasadas, e a terra se tornará uma desolação, e vocês saberão que eu sou *Yahweh*.""

²¹A mensagem de *Yahweh* veio a mim: ²²"Jovem, que provérbio é esse que vocês têm em Israel: 'Os dias se prolongam, e toda visão perece'? ²³Portanto, diga-lhes: 'O Senhor *Yahweh* assim disse: "Farei cessar esse provérbio. Eles não mais o pronunciarão em Israel."' Antes, lhes fale: 'Os dias estão se aproximando, e a mensagem em toda visão.' ²⁴Pois não haverá mais visão vazia ou adivinhação enganosa no meio da casa de Israel. ²⁵Porque eu, *Yahweh*, falarei a palavra que falo, e ela será cumprida. Não mais se arrastará. Porque em seus dias, casa rebelde, falarei a palavra e a cumprirei (declaração do Senhor *Yahweh*)."

²⁶A mensagem de *Yahweh* veio a mim: ²⁷"Jovem, eis que a casa de Israel está dizendo: 'A visão que ele vê é para muitos dias, e as profecias para tempos distantes.' ²⁸Portanto, diga-lhes: 'O Senhor *Yahweh* assim disse: "Todas as palavras que eu falo não mais se arrastarão. A palavra que eu falar será feita""' (declaração do Senhor *Yahweh*).

Durante os anos da minha adolescência, o presidente do Egito nacionalizou o canal de Suez, que pertencia a acionistas britânicos e franceses. A ação resultou em tentativas militares, por parte da Grã-Bretanha, França e Israel, para assumir o controle do canal. Tive receio de que esse evento, durante a Guerra Fria, levasse os Estados Unidos (que apoiavam Israel) e a União Soviética (que apoiava o Egito) a iniciarem a Terceira Guerra Mundial. Lembro-me de um

EZEQUIEL 12:1-28 • DEUS NÃO IRÁ DEIXAR AS COISAS PERDURAREM

sermão no qual o pregador declarou que a ação do presidente egípcio foi o cumprimento de uma profecia em Ezequiel 29, na qual o faraó declara: "O Nilo é meu; eu o fiz para mim mesmo" (v. 3, NVI).

Essa é uma das inúmeras passagens em Ezequiel que têm sido vistas como antecipações dos recentes eventos no Oriente Médio. Existem inúmeros fundamentos com os quais é possível questionar se Ezequiel está profetizando eventos políticos, distantes 25 séculos depois de seus dias. Eles não implicam que essa profecia seja impossível. Deus, decerto, podia prever eventos e revelá-los ao profeta. Esse capítulo oferece um exemplo, em suas declarações acerca do rei Zedequias. Cobrir os olhos e não olhar para a terra podia sugerir um sofrimento que não permite olhar para o que se está deixando para trás. No entanto, os ouvintes e leitores das profecias de Ezequiel, à luz dos eventos ocorridos quatro anos depois, inevitavelmente pensariam nas arrepiantes ocorrências em Ribla, às quais me referi, em meu comentário sobre o capítulo 6, quando os **babilônios** capturam o rei Zedequias e lhe tiram a visão, após ele tentar fugir de Jerusalém. O comentário sobre ir a Babilônia, mas não a ver, é ainda mais explícito, embora permanecesse como uma expressão intrigante até o seu terrível cumprimento.

Deus está, uma vez mais, levando Ezequiel a dramatizar eventos vindouros, na tentativa de penetrar na dura mente das pessoas. De novo, a dramatização faz mais do que apenas encenar os fatos; ela os inicia. Deus pode declarar o que irá acontecer porque pretende realizá-los. Outro aspecto da natureza terrível da profecia sobre o **exílio** incluir parentes e companheiros **judaítas**, ainda em Jerusalém, é a de que não são apenas os babilônios que capturam Zedequias, mas também *Yahweh*. Ele tem uma nota sarcástica adicional.

EZEQUIEL 12:1-28 • DEUS NÃO IRÁ DEIXAR AS COISAS PERDURAREM

A vantagem de não simplesmente aniquilar todos os judaítas é que os sobreviventes, nos países para os quais são dispersos, naturalmente serão questionados pelas demais pessoas sobre como acabaram naquele exílio e terão de explicar o motivo pelo qual *Yahweh* os levou àquela catástrofe, oferecendo, assim, uma forma de reconhecimento de *Yahweh*.

Ezequiel, de fato, fala sobre o futuro, mas sugere um motivo para questionar se ele está falando sobre eventos que irão ocorrer 2.500 anos depois. As suas profecias, ele diz, não são referentes a tempos distantes. Deus fala às pessoas no presente. Quando Deus fala sobre o futuro, trata-se do futuro que irá afetar as pessoas a quem o profeta dirige a sua palavra. Pode significar falar acerca de um futuro que se tornará distante, como é o caso do Novo Testamento, quando discorre sobre a segunda vinda de Jesus, mas, mesmo assim, é um futuro crucialmente importante para as pessoas no presente. Os contemporâneos de Ezequiel eram propensos a declarações irônicas quanto às suas profecias serem referentes a um futuro distante. Não se pode culpá-los por isso, pois Jeremias repetira durante anos a fio que o julgamento estava batendo à porta, mas isso não aconteceu. Ezequiel agora está imitando o outro profeta. Os céticos, em Jerusalém, que lograram se desviar da bala anos atrás, enganam-se ao pensar que conseguirão novamente se desviar. Acham que podem se dar ao luxo de desconsiderar as exóticas profecias de Ezequiel. O seu ponto, então, é que a mensagem de *Yahweh* não prevê eventos que irão ocorrer em uma década, um século ou um milênio. A mensagem se cumprirá agora. E assim ocorreu.

As pessoas citadas no capítulo anterior poderiam ter outro motivo para duvidar. Elas não conseguem ver quando serão capazes de reconstruir a sua cidade e são tentadas a se considerarem como a carne no interior de uma panela, prestes a ser cozida. Outros profetas, em Jerusalém e na Babilônia, cujas mensagens contrastam com as profecias de Jeremias e de Ezequiel, estão prometendo que a restauração virá em breve. Mas isso não se cumpre. Assim, as pessoas, compreensivelmente, se tornaram céticas com relação a toda e qualquer profecia. Diziam: "É bom demais para ser verdade!"; "Isso não tem relevância para os nossos dias, somente para algum futuro muito distante." Esse tipo de profecia suscita problemas a profetas como Ezequiel, quando ele tenta levar as pessoas a prestarem atenção em sua mensagem. Mas a sua profecia irá, em breve, se cumprir, e a visão vazia e a adivinhação enganosa, presentes naquelas promessas otimistas, terão um fim e se provarão falsas. Pode-se imaginar que os profetas contemporâneos de Ezequiel se sentiram ofendidos ao serem chamados de adivinhos (a palavra raramente é usada em um bom sentido), da mesma maneira que se ofenderiam ao receberem o adjetivo de enganosos.

Para as pessoas que vivem 2.500 anos depois, a implicação não é de que as advertências de Ezequiel não têm relevância para os nossos dias. Quando as pessoas se esforçaram em preservar as suas mensagens, elas o fizeram na convicção de que o cumprimento delas não elimina a sua importância em tempos futuros. Pelo contrário, elas provaram ser as palavras de Deus e, portanto, também merecem a atenção das futuras gerações. Elas não se referem a eventos futuros de uma forma velada, mas as palavras de Deus, expressas em um contexto particular, não são aleatórias; antes, transmitem algo das consistentes preocupações de Deus. O capítulo lembra aos leitores, de todos os séculos, como é fácil possuir olhos e ouvidos que não usamos, pois não queremos ver nem ouvir o que eles podem tornar conhecido. Somos rebeldes por natureza.

EZEQUIEL 13:1-23
SOBRE CONSTRUIR UM MURO

¹A mensagem de *Yahweh* veio a mim: ²"Jovem, profetize contra os profetas de Israel, que estão profetizando. Diga aos profetas [que falam] de sua própria mente: 'Ouçam a mensagem de *Yahweh*. ³O Senhor *Yahweh* assim disse: "Ai dos profetas tolos que seguem o seu próprio espírito e nada veem. ⁴Os seus profetas são como chacais entre as ruínas, Israel. ⁵Vocês não subiram às brechas e construíram a barreira ao redor da casa de Israel para que pudessem resistir na batalha do dia de *Yahweh*. ⁶Viram vazio e adivinhação mentirosa daqueles que dizem: 'Declaração de *Yahweh*', quando *Yahweh* não os enviou, e esperaram a confirmação de sua mensagem. ⁷Não foi uma visão vazia que vocês viram e uma adivinhação mentirosa que proferiram, dizendo: 'Declaração de *Yahweh*', quando eu mesmo não falei?'"" ⁸Portanto, o Senhor *Yahweh* assim disse: "Porque falaram vazio e viram mentiras, aqui estou eu [agindo] contra vocês" (declaração do Senhor *Yahweh*). ⁹"A minha mão será contra os profetas que veem vazio e que adivinham mentiras. Eles não estarão no conselho do meu povo. Não serão inscritos no registro da casa de Israel. Não virão à terra de Israel. E vocês saberão que eu sou o Senhor *Yahweh*."

¹⁰"Porque, sim, eles enganaram o meu povo, dizendo: 'As coisas ficarão bem', quando as coisas não ficarão bem, e: 'Ele está construindo uma divisão', mas eis que a estão pintando com cal. ¹¹Diga às pessoas que a estão pintando com cal: 'Ela cairá. A chuva torrencial está vindo, e eu mandarei cair granizo e uma tempestade de vento, que a quebrará.' ¹²Eis que o muro está caindo. Não será dito a vocês: 'Onde está a cal com que vocês pintaram?'"

¹³Portanto, o Senhor *Yahweh* assim disse: "Farei uma tempestade de vento irromper em minha ira, e chuva torrencial virá em minha fúria, e pedras de granizo em minha indignação, para um fim completo. ¹⁴Derrubarei o muro que vocês pintaram

com cal, o levarei ao chão, e a sua fundação se tornará visível. Quando ele cair, vocês chegarão ao fim em seu meio e saberão que eu sou *Yahweh*. ¹⁵Consumirei a minha ira no muro e nas pessoas que o pintaram com cal e lhes direi: 'Não há muro nem os seus pintores, ¹⁶os profetas de Israel que profetizam em Jerusalém e veem uma visão de coisas indo bem, quando as coisas não estão indo bem'" (declaração do Senhor *Yahweh*).

¹⁷"E você, jovem, vire o seu rosto contra as mulheres do seu povo, que profetizam de sua própria mente. Profetize contra elas. ¹⁸Você deve dizer: 'O Senhor *Yahweh* assim disse: "Ai das pessoas que costuram faixas em qualquer pulso e fazem véus de qualquer altura para a cabeça de alguém, para aprisionar a vida delas. Deveriam aprisionar a vida do meu povo, mas se manterem vivas? ¹⁹Vocês me trataram como comum ao meu povo por punhados de cevada e migalhas de pão, para levar à morte pessoas que não deveriam morrer e manter vivas pessoas que não deveriam viver, com sua mentira ao meu povo que dá ouvidos a mentiras." ²⁰Portanto, o Senhor *Yahweh* assim disse: "Aqui estou contra as suas faixas, com as quais vocês caçam a vida de seres que voam. Eu as arrancarei dos seus braços e livrarei as vidas de seres que voam, que vocês estão caçando. ²¹Rasgarei os seus véus e salvarei o meu povo das suas mãos. Não mais serão presas em suas mãos, e vocês saberão que eu sou *Yahweh*. ²²Por vocês entristecerem o espírito da pessoa fiel com falsidades, quando eu mesmo não as magoei, e fortalece-rem as mãos da pessoa infiel para que não retroceda de seu caminho maligno e permaneça viva, ²³vocês não mais verão o vazio nem praticarão adivinhação. Eu salvarei o meu povo das suas mãos, e vocês saberão que que sou *Yahweh*."'"

Na maioria dos domingos, eu me coloco diante da minha congregação e prego, dizendo coisas que, creio, expressam o que Deus está dizendo a nós. É certamente uma tarefa assustadora. Sou sincero como pregador, mas ser sincero não significa estar certo. Tenho a impressão de que as pessoas na congregação concordam comigo, mas esse fato pode indicar apenas que ela e eu somos cúmplices de uma pregação agradável aos ouvidos. A cada domingo, os pregadores de outras igrejas afirmam coisas que conflitam com o que eu digo. Outro dia, alguns participantes da nossa reunião sobre genocídio, na qual falei sobre Ezequiel 9, certamente consideraram certas afirmações minhas perigosamente erradas. Às vezes, digo aos meus alunos: "Dez por cento do que eu digo é equívoco — o problema é que não sei identificar esses dez por cento."

Assim, sinto me hesitante em simplesmente me identificar com Ezequiel em vez de com os "falsos profetas". Creio que eles eram sinceros, desejando levar a mensagem de **Yahweh** ao povo e acreditando que estavam fazendo isso. Para um **judaíta**, não seria imediatamente óbvio distinguir entre os verdadeiros profetas e os falsos. Esses outros profetas falavam no **nome** de *Yahweh*, diziam o que ele estava planejando fazer com a vida das pessoas e (considerando o retrato que obtemos em outras passagens) também realizavam ações que incorporavam a sua mensagem.

Ezequiel sabe que, na realidade, a mensagem vem deles, não de *Yahweh*. Talvez isso implique que eles reconheçam, no íntimo, a origem da mensagem. Mas o comentário sobre eles aguardarem o cumprimento de suas promessas sugere, então, que eles eram, de fato, sinceros na sua pregação, embora autoiludidos. Eles tinham uma visão, ainda que fosse autogerada. Quer tivessem consciência disso, quer não, eles deveriam ter essa consciência (ele implica), pois apenas um momento de reflexão na mensagem deles a revelaria como irresponsável. Ezequiel, de novo, faz uso da similaridade entre palavras de significado diferente. O profeta (*nabi*) é tolo, insensato, moralmente estúpido (*nabal*).

A evidência é de que eles estão falhando em contribuir com a proteção da cidade no momento de perigo. O rei busca fortalecer as defesas físicas; talvez seja a "divisão", à qual Ezequiel se refere (talvez ele tenha usado essa palavra justamente para depreciar a tentativa). Seja o que for, essa "divisão" é algo muito frágil, que os profetas estão "embelezando", ato caracterizado como "uma pintura de cal". Por estar acostumados a casas britânicas, sólidas e construídas de tijolos, sinto-me regularmente chocado ao ver casas na Califórnia, construídas com aglomerados e tela de galinheiro. Parecem bonitas quanto recebem revestimento ou pintura, mas são extremamente frágeis (os terremotos são parte do motivo pelo qual elas são construídas assim, embora a arquiteta de casa, a minha esposa, afirme que também é por serem materiais baratos).

A ação dos profetas-pintores se revelará totalmente inútil, caso nada seja feito em relação às defesas morais e religiosas da cidade. Afinal (como nos lembrou o cap. 12), o rei da **Babilônia** é simplesmente o agente usado por *Yahweh* para implementar as suas intenções. *Yahweh* é a pessoa contra a qual Jerusalém precisa se defender. É o dia de *Yahweh* que se aproxima, e Ezequiel 7 já declarou que será um dia da ira de *Yahweh*, não de sua bênção. A cidade pode se desviar da bala, mas a chave para fazer isso é moral e religiosa. Se os seus habitantes se qualificarem nesse sentido, não há nada a ser temido no dia em que *Yahweh* agir com ira. Todavia, os profetas não estão contribuindo para construir essa espécie de proteção. Ao contrário, estão assegurando que as coisas irão melhorar e que eles novamente experimentarão o **bem-estar**, mas a mensagem que transmitem é constituída de um punhado de mentiras vazias. Ela não corresponde a nenhuma realidade. O destino assustador dos profetas é perder o seu lugar em **Israel**. Os seus nomes desaparecerão dos registros; eles perderão a sua partilha na terra.

As profetisas igualmente pregam mensagens que inventaram, quer de forma consciente, quer não. Ezequiel é mais claro sobre como as observâncias religiosas que elas encorajam ameaçam o destino da comunidade. As faixas e os véus são amuletos, objetos para proteger aquele que os usa e/ou prejudicar outras pessoas. Elas, portanto, aprisionam as pessoas como aves em uma rede em vez de deixá-las voar livremente. As profetisas criam que protegiam a vida das pessoas e fortaleciam a sua própria, mas aqueles que elas protegem não deveriam ser protegidos. Ao contrário, aquelas que buscam prejudicar são pessoas inocentes. Na realidade, estão colocando em perigo as pessoas que alegam proteger, pois as encorajam a permanecer em seus caminhos infiéis. Em princípio, não há nenhum erro em serem pagas por seu ministério, mas elas estão recebendo quantias triviais para o que se revelará um ministério extremamente oneroso; custará a vida de outras pessoas, além de custar a própria vida delas. A questão a ser indagada pelo profeta ou pregador não é: "Sou sincero?" Antes, deve perguntar: "Estou construindo o muro de defesa, ao encorajar a **fidelidade** e confrontar a **infidelidade**?"

EZEQUIEL **14:1–23**
NOÉ, DANEL E JÓ

[1]Pessoas dentre os anciãos de Israel vieram e se sentarem diante de mim, [2]e a mensagem de *Yahweh* veio a mim: [3]"Jovem, essas pessoas levaram os seus ídolos à sua mente e colocaram a sua transgressão como um obstáculo diante do seu rosto. Devo, realmente, permitir ser inquirido por eles? [4]Portanto, fale e diga-lhes: 'O Senhor *Yahweh* assim disse: "Qualquer indivíduo da casa de Israel que leva os seus ídolos

à mente e coloca a sua transgressão como um obstáculo diante do seu rosto, e vai ao profeta, eu lhe responderei com isto (com o grande número de seus ídolos), [5]para me apoderar da casa de Israel com sua mente, porque eles se tornaram distantes de mim com os seus ídolos, todos eles.'" [6]Portanto, diga à casa de Israel: 'O Senhor *Yahweh* assim disse: "Voltem, deem as costas para os seus ídolos, desviem o rosto dos seus ultrajes. [7]Pois a qualquer indivíduo da casa de Israel, ou dos estrangeiros, residente em Israel, que se distancia de me seguir, e leva os seus ídolos à sua mente, e coloca a sua transgressão como um obstáculo diante do seu rosto, e vai ao profeta para me inquirir, eu, *Yahweh*, eu mesmo lhe darei resposta. [8]Voltarei o meu rosto contra a pessoa e farei dela um sinal e um provérbio. Eu a cortarei do meio do meu povo. E vocês saberão que eu sou *Yahweh*. [9]Quando o profeta for ludibriado e falar uma mensagem, eu, *Yahweh*, terei ludibriado aquele profeta. Estenderei a minha mão contra ele e o destruirei do meio do meu povo, Israel. [10]Eles carregarão as suas transgressões. A transgressão do inquiridor e a do profeta serão a mesma, [11]para que a casa de Israel não perambule novamente e deixe de me seguir, nem se contamine novamente com todas as suas rebeliões. Eles serão um povo para mim, e eu serei Deus para eles"'" (declaração do Senhor *Yahweh*).

[12]A mensagem de *Yahweh* veio a mim: [13]"Jovem, quando uma terra ofender contra mim ao cometer uma transgressão, e eu estender a minha mão contra ela, quebrar o seu suprimento de pão, enviar a fome contra ela e cortar seres humanos e animais, [14]mesmo que estas três pessoas, Noé, Danel e Jó, estivessem no meio delas, pela sua fidelidade, eles só salvariam a própria vida" (declaração do Senhor *Yahweh*). [15]"Se permitir que criaturas malignas passem pela terra e elas a deixarem sem filhos, e ela se tornar uma desolação, sem ninguém passar por ela por causa das feras, [16]e estivessem essas três pessoas em seu meio, tão certo como eu vivo" (declaração do Senhor *Yahweh*), "eles

não salvariam filhos nem filhas. Salvariam apenas a si mesmos. A terra se tornaria uma desolação. [17]Ou poderia trazer a espada contra aquela terra e dizer: 'A espada passará pela terra, e cortarei dela seres humanos e animais'; [18]essas três pessoas em seu meio, tão certo como eu vivo" (declaração do Senhor *Yahweh*), "não salvariam filhos ou filhas, mas salvariam apenas a si mesmas. [19]Ou poderia enviar uma epidemia àquela terra e despejar a minha ira sobre ela, em um derramamento de sangue, cortando dela seres humanos e animais; [20]Noé, Danel e Jó, em seu meio, tão certo como eu vivo" (declaração do Senhor *Yahweh*), "não salvariam um filho ou uma filha. Essas pessoas apenas salvariam a si mesmas, por sua fidelidade. [21]Pois o Senhor *Yahweh* assim disse: 'Muito pior será quando enviar os meus quatro juízos malignos — a espada, a fome, as feras malignas e a epidemia — contra Jerusalém, para cortar dela seres humanos e animais. [22]Mas eis que sobreviventes serão deixados nela, que levarão filhos e filhas. Lá estão eles, saindo até vocês. Verão o caminho e os feitos deles e serão consolados acerca do mal que eu trouxe sobre Jerusalém, por tudo o que eu trouxe sobre ela. [23]Eles os consolarão, porque vocês verão o caminho e os feitos deles e reconhecerão que não foi sem motivo que fiz tudo o que fiz contra ela'" (declaração do Senhor *Yahweh*).

No topo de cada uma das duas colunas da minha lista de oração estão os nomes de nossos filhos e de nossos netos. Exceto quando ocorre algo de força maior, oro por todos eles a cada dois dias. Para muitos pais, não há nada mais importante do que aquilo que ocorre com os seus filhos. Na monumental tempestade que assolou Nova York na semana passada, a pior história refere-se a uma mãe que tentava escapar da tormenta, com seus dois filhos pequenos; subitamente, eles foram arrastados pela ventania. Caso pudesse consertar as coisas para que tudo corresse bem aos seus filhos, provavelmente não haveria nada que você não fizesse. No entanto, quando os filhos crescem e se tornam adultos, os pais precisam reconhecer que não podem mais resolver todas as coisas para eles.

Ezequiel imagina três pais preocupados com os seus filhos. Eles são importantes figuras do passado, de antes da existência de **Israel**, ou de fora dele, e todos desfrutam da fama de serem justos e/ou sábios. Noé, o justo, certificou-se de que seus filhos estivessem no barco que salvou a família do dilúvio. A história de Jó começa com declarações de sua retidão e de sua oferta de sacrifício por seus filhos, além de sua oração por eles, e termina com a partilha de sua propriedade com eles — as filhas, assim como os filhos. Danel não é Daniel, a conhecida figura do Antigo Testamento, mas um juiz reto, em uma antiga história síria, que ora por um filho e tem a sua oração respondida. Em todos os três casos, a história é sombria — Noé termina amaldiçoando um de seus filhos, o primeiro grupo de filhos de Jó morre, e o filho de Danel também morre. Nenhum dos três é capaz de solucionar os problemas ou preservar os seus filhos.

O motivo de apelar a essas histórias é enfatizar de uma outra forma a magnitude da calamidade que paira sobre **Judá**. Mesmo a presença desses pais, famosos por sua retidão, não será suficiente para salvar os seus filhos, independentemente da **fidelidade** deles, exceto a fidelidade de toda a comunidade. Ela é que deve assumir a própria responsabilidade e não se esconder atrás de ninguém. O encerramento da passagem, então, estabelece o ponto sobre a misericórdia de Deus que deve acompanhar o desafio. A lógica da advertência é a de que Deus destruirá toda a comunidade, exceto se os seus membros forem fiéis como os três heróis citados. Mas a graça normalmente significa a quebra dessa lógica. Os filhos não devem depositar a esperança da própria salvação na fidelidade de seus pais. *Yahweh*, no entanto, cuidará para que algumas pessoas, e seus filhos e suas filhas, sobrevivam para deixar as ruínas de Jerusalém e se unir ao povo já no **exílio**. O versículo derradeiro explicita que eles sobrevivem não por merecimento. Apenas uma olhada na vida delas, típica dos judaítas, mostrará como toda a comunidade merecia esse destino. De uma forma estranha, isso servirá de consolo à comunidade já presente no exílio, pois indicará que os eventos não são moralmente sem sentido e que *Yahweh* não é apenas um Deus arbitrário. A drástica decisão de *Yahweh* era justificada. Mas os filhos de algumas pessoas sobreviverão, por causa do compromisso de *Yahweh* com a comunidade, não porque eles ou os seus pais mereciam.

Talvez a profecia de Ezequiel responda ao questionamento dos exilados, mas a primeira metade do capítulo os adverte de não esperarem muito das respostas às suas indagações. Como seus representantes, os anciãos aparentemente se reuniram para fazer uma pergunta. Mas eles são pessoas que "levaram os seus **ídolos** à mente e colocaram a sua transgressão como um obstáculo diante do seu rosto." Isto é, em seu pensamento e em sua prática religiosa, eles são apegados a imagens de *Yahweh* ou de outros deuses, imagens que são, na verdade, amontoados de madeira ou, pior, que constituem uma ofensa a *Yahweh* e, portanto, serão a causa da queda deles. Assim, como podem pensar que são capazes de consultar ou inquirir *Yahweh*? Está certo, diz *Yahweh*, responderei às suas questões, mas o farei como uma forma de aprisioná-los.

Yahweh pode usar um profeta para fazer isso, o que adiciona outro risco a essa posição. Talvez Ezequiel veja isso como um motivo para ser cauteloso. O mais provável é que ele tenha em mente os demais profetas que facilmente levam ao povo uma mensagem originada em seu próprio espírito. Deus declara a intenção de até mesmo trabalhar por meio desse processo. Caso seja um profeta e as pessoas o consultem, e você considere ter a resposta, reflita três vezes antes de dá-la, pois Deus declarou não estar interessado em responder às questões de uma comunidade como aquela. Deus pode simplesmente estar usando a sua capacidade de encontrar respostas, ou, para ser imaginativo, como um meio de trazer julgamento sobre eles e sobre você. Trata-se de um dilema para o profeta, embora, talvez, um artificial, porque o ponto sobre a profecia é, uma vez mais, tentar acessar o entendimento da própria comunidade, dessa vez pela ênfase no fato de ela não poder esperar nenhuma resposta de *Yahweh*, exceto se mudar os seus caminhos. Todavia, novamente a ameaça real e também a possível ação, no fim, relacionam-se a um propósito de graça. Todas as coisas servem ao objetivo de transformar os israelitas em pessoas que não se desviam, errantes, de *Yahweh*, para serem um povo que pertence a ele, e que *Yahweh* seja o Deus que pertence ao povo.

EZEQUIEL **15:1–8**
ELES SERÃO CONSUMIDOS PELO FOGO

[1]A mensagem de *Yahweh* veio a mim: [2]"Jovem, como a madeira da videira é melhor do que a madeira de qualquer galho que está entre as árvores da floresta? [3]Extrai-se a madeira dela para algum trabalho? Pega-se dela alguma estaca para pendurar um objeto? [4]Eis que é colocada no fogo para ser consumida. Se o fogo consome as duas extremidades e o meio também é queimado, é útil para alguma obra? [5]Ora, quando estava inteira não podia ser usada para qualquer trabalho. Muito menos servirá para ser usada quando estiver consumida e queimada. [6]Portanto, o Senhor *Yahweh* assim diz: 'Como a madeira da videira entre as árvores da floresta que

EZEQUIEL 15:1-8 • ELES SERÃO CONSUMIDOS PELO FOGO

dei para o fogo consumir, assim estou dando os residentes de Jerusalém. ⁷Estou voltando o meu rosto contra eles. Do fogo saíram, mas o fogo os consumirá, e conhecerão que eu sou *Yahweh* quando eu voltar o meu rosto contra eles. ⁸Tornarei a terra uma desolação porque eles cometeram transgressão'" (declaração do Senhor *Yahweh*).

Minha esposa me perguntou, do nada, se eu gostava de azeitonas, e respondi que as apreciava em um *Bloody Mary* (mas isso não conta porque são azeitonas verdes) e em pasta para passar no pão. Além disso, não me importo de encontrá-las em um molho de massas ou acompanhando algum assado e gosto de pão embebido em azeite. O meu consumo de azeitonas, no entanto, não seria suficiente para justificar os muitos acres de oliveiras que vi na Turquia e na Grécia algumas semanas atrás (essa é imagem que ela estava relembrando ao me questionar). O mais intrigante é que aqueles acres pareciam estar negligenciados ou abandonados, e, pelo menos em uma ocasião, vi galhos de oliveira sendo queimados. Não se aproveita a madeira de oliveira para muita coisa, exceto para confeccionar utensílios de cozinha e de mesa; ela não é usada na confecção de móveis ou em construções.

O mesmo é ainda mais verdadeiro com respeito à madeira da videira. A madeira tanto da oliveira quanto da videira não tem muita serventia, exceto como lenha para o fogo. Assim, é conveniente para Ezequiel utilizá-las como imagens-padrão para **Israel**. Isaías 5 relata como *Yahweh* cuidadosa e meticulosamente preparou o solo de uma vinha e plantou ali uma videira. Salmos 80 pressupõe que *Yahweh* tenha, então, negligenciado e abandonado essa vinha, deixando-a ser queimada. O salmista não consegue ver nenhum motivo para Deus ter feito isso e apela para *Yahweh* restaurá-la. Mas Isaías afirmou que em seu contexto havia um bom motivo para essa ação por parte de *Yahweh*. A videira não tinha gerado bons frutos. Ambos, Jerusalém e **Judá** eram caracterizados pelo derramamento de sangue e por gritos de aflição em vez de pelo exercício fiel de **autoridade**. Jeremias 2 discorre, com termos similares, em dias mais próximos de Ezequiel. A forma com que Ezequiel estabelece o ponto é falar em "transgressão". A ideia de "transgredir" é a de uma pessoa possuir direitos e propriedades que as demais deveriam respeitar e não o fazem. Judá ignorou os direitos de *Yahweh* como Deus. Os exilados podem pensar que as pontas de poda da videira foram queimadas (por meio da primeira queda de Jerusalém, em 597 a.C.), mas que a parte principal da videira ainda está intacta; que eles escaparam do fogo. Todavia, o tempo mostrará que esse escape foi apenas temporário; a parte principal da videira também será queimada.

EZEQUIEL **16:1–34**
APENAS UMA PROSTITUTA

¹A mensagem de *Yahweh* veio a mim: ²"Jovem, faça Jerusalém reconhecer seus ultrajes. ³Você deve dizer: 'O Senhor *Yahweh* assim disse, a Jerusalém: "A sua origem e o seu nascimento foram na terra dos cananeus; o seu pai era um amorreu e a sua mãe, uma hitita. ⁴O seu nascimento [foi assim]: no dia em que você nasceu, ninguém cortou o seu cordão, e você não foi lavada em água para que ficasse limpa. Não foi esfregada com sal nem enrolada. ⁵Nenhum olho se importou com você para lhe fazer uma dessas coisas e lhe expressar compaixão. Você foi lançada à superfície do campo por repúdio no dia em que nasceu. ⁶Mas passei por você e a vi esperneando em seu sangue. Disse-lhe, enquanto você estava em seu sangue: 'Viva.' Sim, eu lhe disse em seu sangue: ⁷'Viva, cresça grande.' Eu a fiz como uma planta no campo, e você cresceu grande. Cresceu e chegou

a plena beleza; os seus seios se formaram, os seus cabelos cresceram. Mas você estava despida, exposta, **8**e eu passei por você e olhei — e eis que o seu tempo era um tempo para amar. Sobre você estendi o meu manto e cobri a sua nudez. Por você, fiz um juramento e estabeleci uma aliança com você" (declaração do Senhor *Yahweh*), "e você se tornou minha. **9**Lavei-a em água, limpei-lhe o sangue e derramei óleo sobre você. **10**Vesti-a com bordados e dei-lhe calçados de couro. Eu a envolvi com linho fino. **11**Eu coloquei braceletes em suas mãos e um colar em seu pescoço. **12**Coloquei um anel em seu nariz, brincos em suas orelhas e uma esplêndida tiara em sua cabeça. **13**Assim, você se adornou com ouro e prata, e as suas vestes eram de linho fino, seda e bordados, a sua comida era flor de farinha, mel e azeite, e você se tornou cada vez mais bela e alcançou uma posição real. **14**A fama por sua beleza espalhou-se entre as nações, pois o esplendor que coloquei sobre você a tornou completa" (declaração do Senhor *Yahweh*).

15"Mas você confiou em sua beleza e se tornou imoral com base em sua fama. Derramou as suas imoralidades sobre todo transeunte. Poderia se tornar dele. **16**Pegou algumas de suas roupas, fez para si santuários coloridos e envolveu-se em imoralidades neles (eles não deveriam nem existir). **17**Tomou as suas coisas esplêndidas de ouro e de prata, que lhe dei, e fez para si imagens masculinas e agiu imoralmente com elas. **18**Apanhou as suas roupas bordadas e as cobriu e ofereceu o meu azeite e incenso diante delas. **19**O alimento que lhe dei, a flor de farinha, o azeite e o mel que a capacitei a comer, você ofereceu diante delas como fragrância agradável, e assim se tornou" (declaração do Senhor *Yahweh*). **20**"Tomou os seus filhos e as suas filhas, aos quais gerou para mim, e os sacrificou a elas como alimento: as suas imoralidades foram triviais? **21**Você abateu os meus filhos e os deu a elas, fazendo-os passar pelo [fogo]. **22**Com todas as suas abominações e as suas imoralidades, você não se lembrou dos dias da sua juventude, quando estava despida e exposta, esperneando em seu sangue.

EZEQUIEL 16:1-34 • APENAS UMA PROSTITUTA

²³Depois de todo o seu mal, ai, ai de você" (declaração do Senhor *Yahweh*)! ²⁴"Construiu para si um recinto e fez uma plataforma em cada praça. ²⁵Em cada cruzamento, edificou plataformas e fez da sua beleza um ultraje. Abriu as suas pernas a qualquer transeunte e multiplicou as suas imoralidades. ²⁶Você foi imoral com os egípcios, seus vizinhos com seus grandes membros. Multiplicou a sua imoralidade para me provocar. ²⁷Eis que estou estendendo a minha mão em sua direção e cortando a sua porção. Eu a estou entregando à vontade do povo que a repudiou, às mulheres filisteias, que se envergonharam de seu caminho ardiloso.

²⁸Você foi imoral com os assírios, pois era insaciável. Foi imoral com eles, mas ainda não ficou satisfeita. ²⁹Multiplicou a sua imoralidade com a terra negociante, a Caldeia, mas ainda não se sentiu saciada com isso. ³⁰Quão débil era a sua mente" (declaração do Senhor *Yahweh*) "quando fez todas essas coisas, a ação de uma mulher imoral e poderosa. ³¹Quando construiu o seu recinto em cada cruzamento e fez a sua plataforma em cada praça, você não foi nem mesmo como uma mulher imoral, ao desprezar um presente, ³²você, esposa adúltera, que aceita estranhos em vez de seu marido. ³³A todas as mulheres imorais, os homens dão uma remuneração, mas você — você é que dá uma remuneração a todos os seus amantes e lhes paga para virem até você, de todos os lugares, para as suas imoralidades. ³⁴Com você ocorre o oposto de [outras mulheres com as suas imoralidades. A imoralidade não foi cometida por a seguirem, mas por você lhes dar um presente. Um presente não lhe foi dado. Mas o contrário.""

Tempos atrás, uma jovem mulher, que vivia na vizinhança, foi colocada atrás das grades depois que o seu bebê foi encontrado em uma caçamba de lixo, atrás de um restaurante. Naquele local, ela aparentemente deixou o filho indesejado para ser encontrado por um desabrigado em busca de alimento. Não é a primeira história com esse enredo; mais recentemente, em um bairro não tão próximo do nosso, uma mulher foi enviada à prisão por sufocar o próprio bebê, colocar o corpo dentro de um saco plástico e o abandonar em um depósito de lixo. Na Europa e nos Estados Unidos, abrigos intitulados "Porto Seguro" têm sido abertos, próximos a hospitais ou delegacias de polícia, permitindo que pais deixem um bebê indesejado para ser cuidado em vez de abandoná-lo à morte. É quase impossível imaginar a dor que pode estar envolvendo a mãe, o pai e a própria criança.

Yahweh descreve Jerusalém como uma dessas crianças. Ele foi a pessoa que, então, foi tomada de compaixão e motivada a se tornar o pai adotivo desse bebê abandonado. Mas adotar uma criança, em geral, é uma missão cada vez mais desafiadora, especialmente à medida que a criança cresce. Assim ocorre no caso de Jerusalém. A garota cresce e se torna promíscua. Na alegoria, a sua imoralidade possui dois paralelos: ela estabelece os mesmos pontos que Ezequiel, e outros profetas declaram, em inúmeras passagens, acerca da infidelidade religiosa e política. A primeira significa seguir outras divindades com o objetivo de assegurar que as plantações cresçam e produzam colheita abundante, além da fertilidade em seres humanos e animais. A infidelidade política se manifesta por olhar para outras nações, como o Egito, a **Assíria** e a **Babilônia**, a fim de garantir o apoio delas e capacitar Jerusalém a manter a aparência de liberdade.

A responsabilidade deveria recair, pelo menos de maneira parcial, sobre os homens da comunidade que participavam do poder na vida da cidade. Parte do ponto da alegoria é, portanto, o seu potencial impacto sobre a comunidade dominada por homens. "Vocês são semelhantes à mulher imoral, à adúltera e à prostituta." Os homens tinham opiniões muito fortes em relação a essas mulheres. Talvez jamais tenham se encontrado com uma delas e, decerto, estariam prontos a insultá-las em lugar de se preocupar em indagar o que as levou a escolher essa espécie de vida. É possível até que tenham, de fato, se envolvido com tais mulheres, o que pode torná-los ainda mais reprováveis. Trata-se de uma atitude típica da sociedade ser extremista na condenação a mulheres que, acredita-se, vivem de um modo que não atende ao comportamento sexual nominalmente aceito pela comunidade (embora sua vida real seja bem mais complexa do que a sua reprovação implica). Proclamar a esses homens "VOCÊS SÃO APENAS PROSTITUTAS" constitui uma tentativa radical, extrema e passional de falar ao íntimo deles.

Atribuir a paternidade deles aos cananeus, amorreus e hititas também não seria recebido como um elogio. Nenhum desses povos vivia em derredor, nos dias de Ezequiel, mas, compartilhavam o fato de estarem presentes na lista de povos que *Yahweh* se comprometeu a expulsar para abrir espaço aos israelitas. Em livros como Êxodo, com frequência eles são os primeiros povos a serem citados nessa lista. A base para a expulsão ou realocação deles não é simplesmente por estarem no caminho, mas como uma disciplina de *Yahweh* por suas transgressões, que incluem a prática do sacrifício de crianças. O estilo de vida de Israel, todavia, em muito se assemelha ao desses povos em vez de serem modelos para eles. Ezequiel implica que esse fenômeno não constitui uma surpresa, mas, como dizem, "tal pai, tal mãe, tal filha".

A maioria de nós, ao ouvir o choro de um bebê próximo a uma caçamba de lixo, seria tomada pela compaixão. Seríamos dominados pelo impulso de resgatar o bebê. *Yahweh* é essa pessoa. Ele não consegue resistir à tentação de adotar a criança, limpá-la, vesti-la e lhe dar um lar (esfregar com sal é uma prática tradicional com objetivos antissépticos e purificadores). *Yahweh* vê que a criança tem uma chance de crescer e se tornar uma jovem mulher virtuosa. Então, a alegoria retorna. A **Torá** não diz que um pai não pode desposar uma filha adotiva, mas que esse relacionamento não estaria em conformidade com outros aspectos de sua preocupação em preservar a família. *Yahweh*, contudo, toma a sua "filha" em casamento — isto é, entra em uma relação de aliança com Jerusalém. A lavagem adicional sugere que *Yahweh* está preparando a jovem para o seu casamento; o sangue, talvez, seja uma referência ao fluxo menstrual, o sinal de que ela amadureceu, e o azeite, uma referência à maquiagem. O seu marido, o rei, é capaz de lhe dar adornos apropriados a uma rainha, mas toda essa atenção virou a cabeça dela. A sua infidelidade sexual se torna uma metáfora para a traição religiosa e política por parte de Jerusalém. Até mesmo os **filisteus** seriam capazes de ver quanto ela se comporta de maneira escandalosa, como uma mulher independente, que não tem marido com o qual mantém um compromisso. Na realidade, ela é mentalmente frágil.

EZEQUIEL **16:35–63**
JERUSALÉM, SUA MÃE E SUAS IRMÃS

[35]Portanto, você, prostituta, ouça a mensagem de *Yahweh*. [36]O Senhor *Yahweh* assim disse: "Por derramar o seu suco e expor a sua nudez em suas imoralidades com os seus amantes e com todos os seus ídolos ultrajantes, e, de acordo com o derramamento de sangue de seus filhos que entregou a eles, [37]aqui estou eu e irei reunir todos os seus amantes a quem você agradou, cada um a quem você amou, assim como cada um a quem repudiou. Eu os reunirei contra você de todos os lados e irei expor a sua nudez a eles, que verão toda a sua nudez, [38]e darei a você os julgamentos apropriados a mulheres que cometem

EZEQUIEL 16:35-63 • JERUSALÉM, SUA MÃE E SUAS IRMÃS

adultério ou que derramam sangue. Farei de você sangue, raiva e paixão. ³⁹Eu a entregarei nas mãos deles, e eles derrubarão o seu recinto e destruirão as suas plataformas. Tirarão as suas roupas, tomarão as suas coisas esplêndidas e a deixarão nua e exposta. ⁴⁰Eles trarão uma multidão contra você, atirarão pedras e a cortarão com as suas espadas. ⁴¹Queimarão as suas casas com fogo e executarão julgamentos contra você diante dos olhos de muitas mulheres. Farei cessar a sua imoralidade. Você não mais dará presentes. ⁴²Então, descansarei a minha raiva contra você e desviarei a minha paixão de você, ficarei quieto e não mais me irritarei. ⁴³Pois você não se lembrou dos dias da sua juventude e me enfureceu com todas essas coisas; eu, de fato, trarei o seu caminho sobre a sua cabeça" (declaração do Senhor *Yahweh*).

"Você não implementou os seus esquemas com seus ultrajes? ⁴⁴Eis que todos os que citam provérbios expressarão esse provérbio a seu respeito: 'Tal mãe, tal filha.' ⁴⁵Você é filha de sua mãe, que repudiou o seu marido e os seus filhos. Você é irmã de suas irmãs, que repudiaram os seus maridos e os seus filhos. A sua mãe era uma hitita, e o seu pai, um amorreu. ⁴⁶A sua irmã mais velha era Samaria, ela e as suas filhas, que estavam vivendo ao norte de você. A sua irmã mais nova, que estava vivendo ao sul de você, era Sodoma e as suas filhas. ⁴⁷Você não andou nos caminhos delas e agiu conforme os seus ultrajes? Em muito pouco tempo, você se tornou mais desastrosa do que elas, em todos os seus caminhos. ⁴⁸Tão certo como eu vivo" (declaração do Senhor *Yahweh*), "se Sodoma, a sua irmã, ela e as suas filhas, agissem como você e as suas filhas agiram... ⁴⁹Eis que esta foi a transgressão de Sodoma, a sua irmã: elas e as suas filhas tinham dignidade, alimento em abundância, uma prosperidade tranquila, mas elas não estenderam a mão ao fraco e ao necessitado. ⁵⁰Foram altivas e executaram ultrajes diante de mim. Assim, eu as removi, quando vi isso. ⁵¹Samaria não cometeu a metade das suas ofensas; você multiplicou

EZEQUIEL 16:35-63 • JERUSALÉM, SUA MÃE E SUAS IRMÃS

as suas ofensas mais do que ela. Fez as suas irmãs parecerem fiéis com todos os ultrajes que você cometeu.

⁵²"Sim, você, carregue a sua vergonha, você que implorou por suas irmãs com as suas ofensas, as quais praticou mais ultrajantemente que elas. Elas são mais fiéis do que você. Sim, você, seja desonrada. Carregue a sua vergonha ao fazer as suas irmãs parecerem fiéis. ⁵³Eu restaurarei a sorte delas, a sorte de Sodoma e de suas filhas, e a sorte de Samaria e de suas filhas, e a sorte de seu cativeiro entre elas, ⁵⁴para que você carregue a sua desgraça e seja desonrada por tudo o que tem feito, permitindo que elas tenham consolo. ⁵⁵A sua irmã Sodoma e as suas filhas retornarão ao que eram antes, Samaria e as suas filhas retornarão ao que eram antes, e você e as suas filhas retornarão ao que eram antes. ⁵⁶Sodoma, a sua irmã, não foi ouvida em sua boca nos dias da sua dignidade, ⁵⁷antes que o seu mal se tornasse exposto, o tempo da injúria das filhas da Síria e de todos os povos ao redor dela, as filhas dos filisteus, que zombam de você de todos os lados. ⁵⁸Os seus esquemas e os seus ultrajes, você mesma os está carregando" (declaração do Senhor *Yahweh*).

⁵⁹Pois o Senhor *Yahweh* assim disse: "Sim, agirei com você como você agiu, pois desprezou o juramento ao transgredir a aliança. ⁶⁰Mas eu me lembrarei da minha aliança com você nos dias da sua juventude. Estabelecerei por você uma aliança eterna. ⁶¹Você se lembrará dos seus caminhos e se envergonhará quando receber as suas irmãs, aquelas que são mais velhas do que você e aquelas que são mais novas. Eu as darei a você como filhas, não, porém, com base na sua aliança. ⁶²Estabelecerei a minha aliança com você, e você conhecerá que eu sou *Yahweh*, ⁶³para que se lembre e se envergonhe. Não abrirá a sua boca novamente diante da sua vergonha, quando eu fizer expiação por você por tudo o que tem feito" (declaração do Senhor *Yahweh*).

Uma amiga estava me contando hoje sobre uma ocasião, no país onde ela vivia, em que uma mulher com uma criança nos braços bateu à sua porta pedindo socorro. Ela havia sido vítima de um sequestro ou abdução para se casar, fato que constituía o pano de fundo da maioria dos matrimônios naquela cultura. "É a tradição deles." No entanto, mais da metade das esposas, então, são submetidas a constantes espancamentos por seus maridos, e esse tratamento acabou sendo demasiado e cruel demais para aquela mulher continuar tolerando. No Ocidente, podemos não ter essa situação extrema de sequestro de jovens mulheres para se casar com homens que não escolheram, mas, com certeza, convivemos com abusos. Recentemente, uma aluna me procurou para denunciar maus-tratos por parte de seu marido, que era músico em uma banda de *rock* cristã, e ela não tinha certeza sobre como poderia ou se até mesmo deveria sair daquele casamento. Ela estava usando óculos de sol, segundo ela, por ter caído da cama e batido com o rosto no criado-mudo. Jamais consegui falar com o marido, mas posso imaginar que ele tentaria usar meios para se defender.

O abuso das esposas, por parte dos maridos na comunidade cristã, torna a alegoria de Ezequiel muito perigosa, pois ela poderia validar esse abuso. Havia certamente essa espécie de abuso também em Israel, do mesmo modo que nas demais sociedades. Juízes 19 relata a história mais horrível sobre esse tema. O Antigo Testamento, contudo, relata mais histórias sobre esposas que mantiveram os maridos no relacionamento conjugal (mulheres como Sara, Rebeca, Abigail e Bate-Seba) sem exigirem que as esposas obedeçam ou se submetam ao marido. Talvez esse fato esteja no pano de fundo para **Yahweh** arriscar usar essa alegoria de Ezequiel em sua contínua preocupação de sensibilizar a comunidade — não apenas os homens, os quais, nessa alegoria, devem se identificar com a esposa, não com o marido.

Um proeminente ateísta descreveu o Deus do Antigo Testamento como um valentão ciumento, implacável, vingativo, sedento de sangue, misógino, sadomasoquista e mau. Nessa alegoria, pelo menos, *Yahweh* está assumindo um risco, tanto em relação à revelação de si mesmo quanto à possibilidade de os homens o tomarem como modelo. Aqui também é importante ver essa revelação de *Yahweh* como apenas uma parte da história. Da mesma forma, no Novo Testamento, é fácil compilar evidências quanto a Jesus ser uma pessoa desagradável e implacável. O lado de juiz em Jesus deve ser visto acompanhado de seu lado compassivo e misericordioso. Jesus mostra-se como Filho de Deus em sua mescla de misericórdia e justa severidade.

Na segunda metade do capítulo, Ezequiel, primeiramente, censura **Judá** por seu apetite pela infidelidade a *Yahweh*, nas áreas da política e da religião. Sem mostrar qualquer preocupação com o bom gosto, ele retrata essa atitude como análoga ao entusiasmo de uma mulher promíscua por sexo sem amor. *Yahweh* tornará Judá em sangue, raiva e paixão — isto é, em furiosa ira, ele derramará o sangue de Judá como este tem derramado o sangue de seu próprio povo. Ele ajuntará uma companhia para trazer juízo sobre a nação, munida de pedras, como na história sobre a mulher flagrada em adultério (João 8). Na vida real, essa "reunião" será uma união de forças estrangeiras que atacará a cidade empunhando espadas.

A história do Antigo Testamento fala de Israel trazer o julgamento de Deus sobre os cananeus, mas, mesmo antes de essas palavras terem sido escritas, elas se tornaram uma história recheada de ironia, pois Israel assimilou os cananeus em lugar de modelar para eles um caminho alternativo.

Em termos de alegoria, tal mãe, tal filha. O capítulo, então, sublinha a difamação em duas direções. Ele compara Jerusalém, a capital de Judá, com Samaria, a capital de **Efraim**. Samaria havia caído diante dos **assírios**, e não seria uma surpresa se Jerusalém estivesse despreocupada pelo destino da sua irmã mais velha e que, talvez, sentisse orgulho por sua posição mais elevada no mundo. A comparação com Sodoma e Gomorra foi mais do que um mero insulto. Embora Judá contasse uma história sobre abuso de relacionamentos envolvendo pessoas de mesmo sexo (veja Gênesis 19), a crítica de Ezequiel foca a falha da cidade em negligenciar o cuidado para com os mais fracos e os mais necessitados em sua comunidade e nas áreas circunvizinhas, as quais, com frequência, eram vítimas das políticas econômicas da grande cidade. Assim, Samaria e Sodoma parecem até personificações de **fidelidade** em comparação com Judá! A vida de Judá constitui um apelo a Deus por misericórdia em favor daquelas outras cidades! É simplesmente justo que Jerusalém deva experimentar o tratamento previsto para os cananeus e decretado sobre Sodoma e Samaria. Ezequiel acrescenta o escárnio da Síria (aliada de Efraim na interferência sobre Judá nos dias de Isaías) e da **Filístia** (tradicional rival de Judá pelo controle do território oeste de Judá).

A combinação de fúria e de misericórdia em *Yahweh* eventualmente vem à tona nesse capítulo. O juízo não significará o fim para Samaria, Sodoma e Jerusalém. *Yahweh* restaurará a sorte de todas as três cidades. O fato de Jerusalém abrir mão de sua relação de aliança não significa que *Yahweh* fará o mesmo. Ele seguirá trabalhando por esse relacionamento. Ezequiel fala sobre a aliança da juventude de Jerusalém, possibilitando ver aqui outra menção à relação matrimonial entre *Yahweh* e Jerusalém. A infidelidade da esposa não fez *Yahweh* desistir de seu casamento. Samaria e Sodoma não fazem parte dessa aliança e não podem ser consideradas nos termos da metáfora, mas ainda é possível haver tratativas genuínas e fiéis entre essas cidades e *Yahweh*. De modo típico, Ezequiel acrescenta que mesmo a restauração da aliança enfatizará a vergonha de sua violação. Todavia, ele conclui com uma extraordinária alusão final à misericórdia de *Yahweh*. Normalmente, a expiação é uma ação realizada por seres humanos com o ato de se limparem de suas impurezas e contaminações. Aqui *Yahweh* é o agente da purificação, para possibilitar que o relacionamento prossiga — como uma mãe que banha e limpa o seu bebê para que ele não seja rejeitado pelo mau cheiro.

EZEQUIEL **17:1–24**
UM CONTO SOBRE DUAS ÁGUIAS

[1]A mensagem de *Yahweh* veio a mim: [2]"Jovem, revele um enigma, conte uma parábola à casa de Israel. [3]Diga: 'O Senhor *Yahweh* assim disse: "Uma grande águia, com grandes asas, longas penas, plumagem exuberante e colorida, chegou ao Líbano e pousou no topo de um cedro. [4]Ela quebrou o mais alto dos seus brotos, levou-o a uma terra de mercadores, e colocou-o na cidade de comerciantes. [5]Ela tomou algumas sementes da terra e as colocou em uma sementeira; plantou-as como salgueiro junto a águas abundantes. [6]Elas cresceram e se tornaram uma frondosa videira, baixa em altura, com seus ramos voltados para ela, e suas raízes debaixo dela. Assim, ela se tornou uma videira, produziu galhos e estendeu brotos. [7]Mas havia outra grande águia, de grandes asas e plumagem abundante. Eis que a vinha voltou as suas raízes na direção dessa outra águia e estendeu os seus galhos na direção dela para ser regada por ela, distante do solo no qual fora semeada, [8]embora tenha sido plantada em um solo bom, junto a águas abundantes, para produzir galhos, gerar frutos e se tornar uma videira impressionante."' [9]Diga: 'O Senhor *Yahweh* assim

EZEQUIEL 17:1-24 • UM CONTO SOBRE DUAS ÁGUIAS

disse: "Ela pode florescer, mas [a primeira águia] não arrancará as suas raízes e tirará o seu fruto para que ela definhe? Todas as folhas de seu crescimento murcharão (não por meio de um braço forte ou por meio de uma grande companhia) para destruí-la desde as suas raízes. **¹⁰**Eis que, embora plantada, florescerá? Não murchará totalmente quando o vento oriental a tocar? Ela murchará no solo onde cresceu.'"'

¹¹A mensagem de *Yahweh* veio a mim: **¹²**"Você dirá à casa rebelde: 'Não sabe o que são essas coisas?' Diga: 'Eis que o rei da Babilônia veio a Jerusalém, tomou o seu rei e os seus oficiais, e os levou a ele, na Babilônia. **¹³**Pegou alguém da descendência real e selou uma aliança com ele e o colocou sob juramento, mas tomou as pessoas importantes da terra, **¹⁴**para que fosse um reino humilde e não se exaltasse, guardando a sua aliança para permanecer. **¹⁵**Mas [o rei] rebelou-se contra ele ao enviar os seus ajudantes ao Egito para que este lhe desse cavalos e uma grande companhia. Ele florescerá? Escapará aquele que faz essas coisas? Transgredirá uma aliança e escapará? **¹⁶**Tão certo como eu vivo' (declaração do Senhor *Yahweh*), 'se ele não morrer no lugar pertencente ao rei que o tornou rei, cujo juramento desprezou e cuja aliança ele transgrediu, no meio da Babilônia... **¹⁷**O faraó não agirá a seu favor com uma grande força, uma assembleia numerosa, com batalha, com a construção de uma rampa e a edificação de uma torre, para cortar muitas vidas. **¹⁸**[O rei] desprezou um juramento ao transgredir uma aliança. Eis que deu a sua mão, mas fez todas essas coisas. Ele não escapará.' **¹⁹**Portanto, assim diz o Senhor *Yahweh*: 'Tão certo como eu vivo, se eu não trouxer sobre a sua cabeça o meu juramento, que ele desprezou, e a minha aliança, que ele transgrediu... **²⁰**Lançarei a minha rede sobre ele, e ele será apanhado em minha armadilha. Eu o levarei à Babilônia e ali entrarei em julgamento com ele pela transgressão que cometeu contra mim. **²¹**Todos os fugitivos em todas as suas legiões cairão pela espada, e o restante será espalhado por todo vento, e saberão que eu, *Yahweh*, falei.'"

EZEQUIEL 17:1-24 • UM CONTO SOBRE DUAS ÁGUIAS

²²*Yahweh* assim disse: "E eu mesmo tomarei, do topo de um cedro alto, e colocarei, do mais elevado dos seus brotos, um tenro, que eu mesmo quebrarei e plantarei em uma elevada e altiva montanha. ²³Sobre as altas montanhas de Israel eu o plantarei. Ele gerará ramos, produzirá fruto e se tornará um cedro impressionante. Aves de todas as asas habitarão debaixo dele; na sombra de seus galhos, habitarão. ²⁴Todas as árvores do campo saberão que eu sou *Yahweh*. Rebaixarei a árvore exaltada e exaltarei a árvore humilde, murcharei a árvore verde e farei florescer a árvore murcha. Eu sou *Yahweh*. Eu falei e farei."

Ontem à noite, pela quarta vez, assisti ao filme, classificado como *noir*, *Uma segunda-feira nublada* [título original, *Stormy Monday*], questionando-me se dessa vez eu o "entenderia". Creio que, mais ou menos, atingi o meu objetivo. Em certo sentido, trata-se de uma história simples sobre corrupção e de um espertalhão, finalmente, recebendo a sua merecida punição, e também acerca de pessoas solitárias que se encontram, e de uma tragédia que atinge outro casal. Os pontos são simples; não é necessário um filme complexo para expressá-los. Conhecemos aqueles fatos da vida (bem, em alguns casos, o que esperamos que sejam fatos). A necessidade, no entanto, de lidar com as sequências do enredo e de ter a chance de desfrutar da luz e da cor do filme oferecem a fatos nus e crus um impacto que, de outra maneira, eles não teriam.

Ezequiel conhece essa realidade sobre a arte da comunicação. Ele conta outra história que, a princípio, parece não estar relacionada com nada, embora, a exemplo de outras histórias, seja a espécie de alegoria que funciona apenas quando você tem a chave. Uma vez mais, os seus pontos básicos, que não são muitos, são afirmados. Mas ele necessita tentar todos os meios possíveis para fazer as pessoas entenderem um ou dois de seus pontos. A primeira águia é o rei da **Babilônia**, Nabucodonosor; o Líbano é **Israel**; o cedro é a linha davídica; o broto é o rei Joaquim, a quem o monarca babilônico desarraigou do trono e levou para a Babilônia, para a terra mercante, para a cidade de comerciantes. Trata-se de uma narrativa que descreve a Babilônia. Retratá-la como uma superpotência aponta para a sua força militar, mas grande parte do impulso para criar um império advém da ambição econômica — da ganância, como queira.

A semente, escolhida e plantada por Nabucodonosor, era Zedequias, o governante, na época, em Jerusalém. Ezequiel o descreve como tendo tudo com que jogar. Coopere com o rei da Babilônia, e tudo irá bem. Apenas não seja ambicioso; aceite a sua posição subalterna como uma entidade colonial dentro do império. Ao sul de **Judá**, no entanto, há aquele outro quase império, o Egito, a outra águia da alegoria, que sempre foi uma tentação para Judá. Será que a aliança com o Egito pode ser a chave para florescer com maior independência? Nem tanto, Ezequiel adverte. Nabucodonosor não irá tolerar isso. O fortalecimento da posição de Judá que Zedequias imagina obter, ao aliar-se com o Egito, se mostrará ilusório. O rei babilônico não terá qualquer problema para enfrentar Zedequias e os seus apoiadores. O faraó pode fazer promessas, mas, quando a sorte for lançada, ele não as cumprirá. Zedequias acabará na Babilônia, morto.

Ezequiel, na interpretação de sua alegoria, acrescenta os termos aliança, juramento, transgressão e rebelião. Zedequias tinha "dado a sua mão" a Nabucodonosor — apertado a mão para selar o acordo. Zedequias pagará o preço por falhar em submeter-se ao rei da Babilônia e, portanto, por não cumprir o papel para o qual fora designado pelo monarca babilônico.

Ele está cometendo um erro político terrível e pagará um preço de acordo com ele. Haverá níveis adicionais à alegoria de Ezequiel. Os profetas pensam que os reis deveriam manter a palavra dada e que as relações políticas envolvem fidedignidade. Desprezar um juramento e transgredir uma aliança não são apenas más escolhas ou decisões insensatas, usando as habituais expressões de nossa cultura quando alguém age de forma errada. Envolve muito mais do que isso.

A alegoria possui outro nível. O capítulo anterior fala sobre desprezar um juramento e violar uma aliança, ao descrever a ação de Jerusalém em relação a *Yahweh*. Os sobretons teológicos desse linguajar são expressos aqui. A ação de Zedequias suscita questões acerca de seu próprio relacionamento com *Yahweh*. Portanto, *Yahweh* é quem levará Zedequias para a Babilônia, pois foi o juramento e a aliança de *Yahweh* que ele desprezou e transgrediu. Zedequias está envolvido tanto na transgressão contra *Yahweh* quanto na rebelião contra Nabucodonosor. Fazer o juramento e selar a aliança envolve invocar o **nome** de *Yahweh*.

Ainda, a sua rebelião envolveu uma questão mais profunda. Jeremias descreve o rei da Babilônia como servo de *Yahweh*. O entendimento de Ezequiel quanto à importância de Nabucodonosor é similar. O monarca babilônico está interessado em Judá por ser o rei de uma grande nação mercante, e Judá pode ajudá-lo em suas empreitadas econômicas. *Yahweh*, por outro lado, está fazendo uso dos objetivos imperiais de Nabucodonosor para implementar a sua vontade em relação a Judá, contra a qual Zedequias está resistindo. É *Yahweh* quem irá capturar Zedequias em uma armadilha e o transportará à Babilônia, por meio da ação de Nabucodonosor.

Uma vez mais, esse não é o fim da história. *Yahweh* não dará um fim à linhagem de Davi. No devido tempo, ele pessoalmente agirá para colocar alguém dessa linhagem novamente no trono de Jerusalém. De forma indireta, isso ocorreu com o governo de Zorobabel, descrito no livro de Esdras. Mas a visão de maior alcance de Ezequiel alimenta a esperança de Israel quanto à vinda do Messias, por meio do qual a bênção virá sobre todas as nações. Não podemos nos esquecer de que Ezequiel está falando *sobre* Zedequias, mas ele não está em Jerusalém, onde Zedequias estava. O profeta está pregando aos súditos desse rei destronado, tentando fazê-los olhar da maneira correta para a situação em Jerusalém e se prepararem para a tribulação que certamente virá.

EZEQUIEL **18:1-32**
OBTENHAM UMA NOVA MENTE E UM NOVO ESPÍRITO

¹A mensagem de *Yahweh* veio a mim: **²**"O que vocês querem dizer, povo, ao citarem este provérbio na terra de Israel: 'Os pais comem uvas azedas, mas os dentes dos filhos parecem ásperos'? **³**Tão certo como eu vivo" (declaração do Senhor *Yahweh*), "vocês não terão mais ninguém usando esse provérbio em Israel. **⁴**Eis que todas as vidas são minhas. Tanto a vida do pai quanto a vida do filho são minhas. A pessoa que pecar é que morrerá. **⁵**Quando uma pessoa é fiel e toma decisões com fidelidade **⁶**(ela não come nas montanhas, nem eleva os seus olhos aos ídolos da casa de Israel, nem contamina a esposa do seu próximo, nem se aproxima de uma mulher que é tabu, **⁷**nem faz mal a ninguém, ela devolve o penhor que lhe foi dado por uma dívida, não comete roubo, dá a sua comida à pessoa faminta, cobre os despidos com roupas, **⁸**ela não dá com base no ganho de juros, nem obtém lucro, mas desvia a sua mão do mal, toma decisões justas entre uma pessoa e outra, **⁹**ela caminha pelas minhas leis e guarda as minhas decisões pelo exercício de veracidade): ela é fiel. Certamente, ela viverá" (declaração do Senhor *Yahweh*).

EZEQUIEL 18:1-32 • OBTENHAM UMA NOVA MENTE E UM NOVO ESPÍRITO

¹⁰"Mas ela gerou um filho violento, um derramador de sangue, que faz cada uma dessas coisas, ¹¹quando ela mesma não fez nenhuma dessas coisas: ele comeu nas montanhas, contaminou a esposa do seu próximo, ¹²fez mal aos fracos e necessitados, cometeu roubos, não devolve um penhor, ele eleva os seus olhos aos ídolos, comete ultrajes, ¹³empresta com base no ganho de juros e obtém lucro, e ele deve viver? Ele não viverá. Aquele que comete todos esses ultrajes certamente morrerá. O seu derramar de sangue será contra ele.

¹⁴Mas eis que ele gera um filho, que vê todas as ofensas que seu pai cometeu. Ele vê, mas não age de acordo com elas. ¹⁵Ele não come nas montanhas, não eleva os seus olhos aos ídolos da casa de Israel, não contamina a esposa do seu próximo, ¹⁶não oprime ninguém, não exige garantia para um empréstimo, não comete roubos, dá o pão a uma pessoa faminta, cobre o despido com roupas, ¹⁷desvia a sua mão de fazer o mal, não toma juros ou lucro, coloca em prática as minhas decisões, caminha pelas minhas leis. Ele não morrerá por causa da transgressão de seu pai. Ele certamente viverá. ¹⁸O seu pai por ter praticado fraude, cometido roubo contra o seu irmão e ter feito o que não era certo entre o seu povo: eis que ele certamente morrerá pela transgressão que ele mesmo cometeu.

¹⁹Vocês dizem: 'Por que o filho não carregou nenhuma das transgressões do pai?' Mas o filho tomou decisões com fidelidade, guardou todas as minhas leis e as praticou. Ele viverá. ²⁰A pessoa que ofende morrerá. Um filho não carrega nenhuma das transgressões do pai, e um pai não carrega nenhuma das transgressões do filho. A fidelidade da pessoa fiel pertence a ela, e a infidelidade da pessoa infiel pertence a ela. ²¹Mas a pessoa infiel, quando se volta de todas as ofensas que fez e guarda todas as minhas leis e toma decisões com fidelidade, certamente viverá. ²²Nenhuma das rebeliões que cometeu será guardada na mente por ela; por meio da fidelidade com a qual agiu, ela viverá. ²³Será que, realmente, desejo a morte da

pessoa infiel" (declaração do Senhor *Yahweh*), "e que ela não se desvie de seus caminhos para que viva?

²⁴Mas, quando a pessoa fiel se volta de sua fidelidade e pratica o mal de acordo com todos os ultrajes feitos pela pessoa infiel, deve ela viver? Nenhum dos atos fiéis que ela praticou será guardado na mente, por causa da transgressão que praticou e das ofensas que cometeu. Por meio delas, morrerá. ²⁵Vocês dizem: 'O caminho do Senhor não é justo.' Você ouvirá, casa de Israel? O meu caminho é que não é justo? Não são os seus caminhos que são injustos? ²⁶Quando uma pessoa fiel retrocede da sua fidelidade e faz o mal e morre por isso, ela morre por causa do mal que praticou. ²⁷E, quando uma pessoa infiel retrocede da infidelidade que cometeu e toma decisões com fidelidade, ela se mantém viva. ²⁸Ela viu e retrocedeu de todas as rebeliões que praticou. Ela certamente viverá. Não morrerá.

²⁹A casa de Israel diz: 'O caminho do Senhor não é justo.' Os meus caminhos não são justos, casa de Israel? Não são os seus caminhos que são injustos? ³⁰Portanto, casa de Israel, decidirei sobre você, por cada pessoa de acordo com os seus caminhos" (declaração do Senhor *Yahweh*). "Assim, voltem, retrocedam de todas as suas rebeliões, e elas não se tornarão um obstáculo para vocês. ³¹Livrem-se de todas as rebeliões que cometeram. Obtenham uma nova mente e um novo espírito. Por que deveria morrer, casa de Israel? ³²Pois eu não desejo a morte da pessoa que morre" (declaração do Senhor *Yahweh*). "Assim, voltem-se e vivam!"

Existe um programa em Los Angeles, denominado *Homeboy* Industries, que procura dar um recomeço a membros de gangues e a pessoas que cumpriram sua pena e saíram da prisão. Uma das participantes desse programa, Rasheena, descreve como os seus pais eram viciados em drogas e criminosos de carreira, saindo e voltando da cadeia desde as suas memórias mais remotas. Ela começou a experimentar drogas com a idade de doze anos, foi abusada sexualmente por um de seus irmãos e também passou os anos seguintes enredada em um ciclo de manipulação e de abuso. Rasheena acabou na prisão, deixando sozinha uma filha, assim como a sua mãe fizera com ela. Percebendo o erro de seus caminhos e se cansando de tentar fugir do próprio passado, ela jurou ser mais forte e não mais permitir ser vítima das pessoas ao seu redor.

Ezequiel trabalha com uma comunidade que acredita estar fatalmente oprimida por seu passado, que usa o estilo de vida de seus pais como desculpa para não fazer nenhum esforço para mudar a própria vida, que supõe que Deus não desejaria ter nenhuma relação com ela por causa do estilo de vida da geração anterior. Os Dez Mandamentos lembravam a comunidade de que Deus "visita" a transgressão dos pais nos filhos até a terceira e a quarta gerações. Essa expressão estranha indica que Deus faz que essa transgressão tenha um efeito sobre os filhos e os netos. Não poderia ser diferente, como a história de Rasheena mostra (embora ela tenha tido a felicidade de contar com uma avó que cuidou dela e de seus irmãos na infância; talvez seja esse o único motivo pelo qual Rasheena encontrou alguma capacidade para cumprir o seu voto). Eis como a dinâmica familiar funciona. Felizmente, a graça de Deus alcança até mil gerações, inúmeras centenas de vezes mais do que a sua "visita".

Há, portanto, tanto encorajamento quanto desafio naquilo que a audiência de Ezequiel precisa ouvir. O encorajamento reside no fato de que essa "visita" não significa a punição divina sobre uma geração pelas transgressões cometidas pela geração anterior. A relação de Deus com as pessoas advém do que está acontecendo agora. Que espécie de pessoa *Yahweh* seria caso desejasse a morte das pessoas, não que elas se arrependessem e vivessem? Posso, eu mesmo, punir os infiéis, *Yahweh* indicou em Lamentações 3, mas isso não vem naturalmente; assim, eu agarro a desculpa para ser misericordioso.

O desafio é que os habitantes de **Judá** não podem usar os erros da geração anterior como desculpa para o seu próprio estilo de vida. Mas podem fazer um voto, a exemplo de Rasheena. Os exemplos de Ezequiel demonstram que o profeta não está falando sobre perfeição e isenção de pecados. O seu conceito de guarda-chuva é o princípio regular do Antigo Testamento quanto a uma fiel tomada de decisão. A **autoridade** é exercida na comunidade de uma forma justa? Para esclarecer o ponto, o profeta começa com a **fidelidade** em relação a *Yahweh*. Comer nas montanhas refere-se aos festivais gastronômicos realizados nos tradicionais santuários nos quais as pessoas cultuavam Baal ou mesmo adoravam a *Yahweh* como se ele fosse tão parecido com Baal que isso não faria diferença — assim, trata-se de outra forma de buscar o auxílio dos **ídolos**. Há o exercício da disciplina na vida sexual das pessoas, sobre a qual Ezequiel fala em termos sacerdotais. O adultério não é apenas errado, mas contaminante. Outras transgressões também contaminam, mas há algo no adultério que é particularmente antiético em relação ao que Deus é; o adultério significa não poder ir à presença de Deus. A referência a essa transgressão segue as menções feitas à falsa adoração. O problema com o adultério é o fato de ele envolver a infidelidade, e a fidelidade mútua é a essência das relações entre Israel e *Yahweh*. O sexo durante os ciclos menstruais, da mesma forma, talvez conflite com o que *Yahweh* é, por causa do misterioso significado da menstruação tanto como um sinal de vida (pois significa que uma mulher poderia se tornar mãe) quanto como um sinal de morte (pois a perda de sangue é um símbolo de morte).

Ezequiel prossegue para a necessidade de não ter nenhuma relação com a opressão, expressa quando pessoas assumem uma posição implacável em relação aos pobres da comunidade e estão mais interessadas em usar os seus recursos para obter vantagens do que usá-los em benefício dos mais necessitados. Nenhuma de suas advertências diz respeito a algo muito complexo. O profeta não está falando sobre sempre se sentir amoroso e bem, ou de jamais sentir inveja ou ressentimento, mas sobre algumas expressões externas básicas do viver com Deus e com a comunidade. Faça essas coisas simples, da maneira certa, e você ficará bem. Busque-as da maneira errada e se verá em apuros. "Obtenham uma nova mente e um novo espírito." Unam-se e tomem Rasheena como seu exemplo.

EZEQUIEL **19:1–14**
LAMENTO PELOS GOVERNANTES DA NAÇÃO

¹ E você: eleve um lamento pelos governantes de Israel.

² O que é a sua mãe? —
  uma leoa entre os leões.
Ela se deitou entre os grandes leões,
  criou os seus filhotes.
³ Ela educou um dos seus filhotes,
  e ele se tornou um grande leão.
Ele aprendeu a caçar a presa,
  devorou seres humanos.
⁴ Nações ouviram sobre ele,
  que foi apanhado na cova deles.
Trouxeram-no com ganchos
  para a terra do Egito.

⁵ Ela viu que o que havia esperado,
  que a sua expectativa, havia perecido.
Ela tomou outro de seus filhotes.
  e fez dele um grande leão.

EZEQUIEL 19:1-14 • LAMENTO PELOS GOVERNANTES DA NAÇÃO

⁶ Ele seguiu andando entre os leões;
   tornou-se um grande leão.
Aprendeu a caçar a presa,
   devorou seres humanos.
⁷ Ele fez sexo com as viúvas deles,
   devastou as suas cidades.
A terra e a sua população ficaram desoladas
   ao som de seu rugido.
⁸ Mas nações se levantaram contra ele
   de todas as províncias ao redor.
Estenderam a sua rede sobre ele;
   ele foi apanhado em sua cova.
⁹ Eles o colocaram em uma jaula com ganchos,
   o levaram ao rei da Babilônia.
Eles o levaram sob restrição,
   para que a sua voz não se fizesse ouvir
   mais nas montanhas de Israel.

¹⁰ Sua mãe era uma videira real (com o seu sangue),
   plantada junto às águas.
Ela se tornou frutífera e verdejante
   por causa das águas abundantes.
¹¹ Ela tinha ramos fortes,
   apropriados para os filhotes dos governantes.
A estatura de um deles cresceu elevada,
   entre as nuvens.
Era visível por sua altura,
   pela abundância de seus ramos.
¹² Mas [a videira] foi desarraigada em fúria, lançada por
      terra,
   e o vento oriental murchou o seu fruto.
[Os ramos] quebraram e murcharam, os seus fortes galhos —
   o fogo os consumiu.
¹³ Assim, agora está plantada no deserto,
   em uma terra seca e sedenta.

EZEQUIEL 19:1-14 • LAMENTO PELOS GOVERNANTES DA NAÇÃO

> ¹⁴ Fogo saiu de seus galhos,
> consumiu os seus ramos com o seu fruto.
> Ela não tinha um galho forte,
> um filhote para governar.
>
> Este é um lamento. Tornou-se um lamento.

Este é um bom dia para suscitar um lamento sobre governantes. Acabamos de ouvir sobre a queda de um diretor da CIA, pela revelação de seu caso com sua biógrafa. Nesse contexto, o problema não é o adultério em si, mas o fato de os casos extraconjugais serem uma péssima ideia para quem trabalha na indústria da espionagem. Para complicar, a ação do sucessor desse diretor, como comandante das forças norte-americanas no Afeganistão, está sob investigação, por causa da descoberta de *e-mails* inapropriados, endereçados a uma dama da alta sociedade da Flórida. Lyndon Johnson, aparentemente, disse que há duas coisas que tornam os líderes estúpidos: a inveja e o sexo; pode-se ilustrar essa declaração com as histórias envolvendo os dois primeiros reis de Israel, Saul e Davi.

O lamento de Ezequiel diz respeito a três reis de sua época, embora, como de costume, Ezequiel não os cite como "reis". Os últimos reis no trono de **Judá** foram Josias (640-609 a.C.), Jeoacaz (609 a.C.), Jeoaquim (609-597 a.C.), Joaquim (597 a.C.) e Zedequias (597-587 a.C.). O primeiro rei, no lamento de Ezequiel, é Jeoacaz, que foi deposto e enviado ao exílio no Egito. O último é o rei atual, Zedequias, que sofrerá, na sequência dos fatos, um destino similar. Pode-se, a princípio, imaginar que o segundo rei seja Jeoaquim, mas o relato sobre ele termina com o seu transporte ao exílio, e o ponto do lamento talvez seja de que esse é o destino reservado a todos os três reis citados pelo profeta. O seu alcance, então, se

EZEQUIEL 19:1-14 • LAMENTO PELOS GOVERNANTES DA NAÇÃO

aplica ao rei atual, e declara que ele, de fato, sofrerá o mesmo destino que os seus predecessores.

Um lamento é uma composição expressando o sofrimento pela morte de alguém. Pode ser endereçado, em parte, à pessoa que morreu, a exemplo do lamento de Davi sobre Jônatas, em 2Samuel 1; esses poemas, igualmente, mesclam menções às pessoas que falam sobre elas. Do mesmo modo que inúmeras outras composições que expressam angústia, esse poema difere das composições que proferem louvor na maneira com que, em geral, a segunda metade de uma linha é menor do que a primeira metade. A forma poética espelha como a vida dessas pessoas foi breve, curta. Grande parte do livro de Lamentações segue esse modelo. Embora um lamento como o de Davi se aplique a uma pessoa que, de fato, já morreu, os profetas declaram mais lamentos sobre pessoas ainda vivas, trazendo à tona o destino que as aguarda mais à frente.

Inicialmente, os judaítas que ouvem o lamento de Ezequiel não saberiam sobre quem ele estava falando. A identidade da mãe do rei se tornaria mais clara, no poema, quando ela é identificada com uma videira, pois trata-se de uma imagem comum para **Israel**. É Israel que gera esses três reis. No começo, enaltece excessivamente Jeoacaz, que permaneceu no trono por apenas três meses, antes de ser exilado para o Egito. Talvez o imaginário reflita o fato de ele ser o rei davídico e, assim, por definição, as coisas gloriosas ditas a seu respeito são verídicas. Algo similar se aplica a Joaquim, que também ficou no trono por apenas três meses, antes de ser levado para o exílio na **Babilônia**, com o grupo de pessoas que incluía o profeta Ezequiel. A referência a ter sexo com mulheres que ele tornou viúvas pressupõe como os exércitos matam os homens de uma nação e estupram as suas mulheres.

O ponto real da profecia surge no derradeiro parágrafo. Zedequias ainda está reinando, mas Ezequiel fala sobre ele

EZEQUIEL 20:1-44 • QUANDO VOCÊ NÃO PODE CONSULTAR DEUS

como se esse rei já estivesse (a) no **exílio**; (b) morto. Isso presumivelmente, preocuparia Zedequias, caso ele ouvisse o lamento, mas precisamos nos lembrar de que Ezequiel endereça as suas profecias aos judaítas já exilados na Babilônia. Eles precisam considerar seriamente o fato de que mais tribulação ainda virá sobre Jerusalém. A referência ao sangue de Zedequias talvez indique que ele também estivesse envolvido na violência atribuída aos reis anteriores. Ele é um ramo da videira de Israel, mas o ramo irá causar a morte da videira que, portanto, não mais gerará outro ramo. Em outras palavras, Zedequias será o responsável pela queda da nação e também não será capaz de gerar outro rei.

A nota de rodapé diz: "A profecia se cumpriu. O suposto lamento se tornou um lamento verdadeiro."

EZEQUIEL **20:1-44**
QUANDO VOCÊ NÃO PODE CONSULTAR DEUS

¹No sétimo ano, no quinto mês, no décimo dia do mês, alguns anciãos israelitas vieram consultar *Yahweh* e se assentaram diante de mim. ²A mensagem de *Yahweh* veio a mim: ³"Jovem, fale aos anciãos de Israel. Diga-lhes: O Senhor *Yahweh* assim disse: "É para me consultar que vocês estão vindo? Tão certo como eu vivo, se eu me deixar consultar por vocês"'" (declaração do Senhor *Yahweh*)...

⁴"Você deverá sentenciá-los, deve sentenciá-los, jovem! Faça-os reconhecer os ultrajes dos seus ancestrais. ⁵Diga-lhes: 'O Senhor *Yahweh* assim disse: "No dia em que escolhi Israel, eu levantei a minha mão [para jurar] à descendência da casa de Jacó e, quando eu me fiz conhecer a eles na terra do Egito, levantei a minha mão a eles, dizendo: 'Eu sou *Yahweh*, o seu Deus.' ⁶Naquele dia, levantei a minha mão a eles para tirá--los da terra do Egito para uma terra que busquei para eles, que mana leite e mel; era a mais atraente de todas as terras.

[7]Disse-lhes: 'Lance fora, cada pessoa, as abominações diante dos seus olhos. Não se contaminem com os ídolos do Egito. Eu sou *Yahweh*, o seu Deus.' **[8]**Mas se rebelaram contra mim. Não me ouviram. Nenhuma delas lançou fora as abominações diante dos seus olhos, nem abandonou os ídolos do Egito.

Eu disse que derramaria a minha ira sobre elas, consumiria a minha fúria sobre elas no meio da terra do Egito. **[9]**Mas agi para o bem do meu nome, para que eu não fosse tratado como comum aos olhos das nações em cujo meio estavam, diante dos quais me fiz ser conhecido por eles para tirá-los da terra do Egito. **[10]**Eu os tirei da terra do Egito e os levei ao deserto. **[11]**Dei-lhes as minhas leis e tornei conhecidas as minhas decisões, as quais uma pessoa deveria realizar e viver por elas. **[12]**Também lhes dei os meus sábados, para se tornarem um sinal entre eles e eu, para que reconhecessem que eu sou *Yahweh*, que os santifica. **[13]**Mas rejeitaram as minhas decisões, as quais uma pessoa deveria realizar e viver por elas, e também trataram os meus sábados como comuns.

Eu disse que derramaria a minha ira sobre eles, no deserto, para lhes dar um fim. **[14]**Mas agi pra o bem do meu nome, para que ele não fosse tratado como comum aos olhos das nações diante das quais eu os tirei. **[15]**Mas também levantei a minha mão contra eles no deserto, para não os trazer à terra que eu lhes daria, que mana leite e mel, a mais atraente de todas as terras, **[16]**pois rejeitaram as minhas decisões, não seguiram as minhas leis e trataram os meus sábados como comuns, porque a mente deles estava seguindo os seus ídolos. **[17]**Mas o meu olho se apiedou deles para não os destruir. Não lhes dei um fim no deserto. **[18]**Disse aos seus filhos no deserto: 'Não sigam as leis dos seus pais e não guardem as decisões deles, nem se contaminem com seus ídolos. **[19]**Eu sou *Yahweh*, o seu Deu; ajam conforme os meus decretos e tenham o cuidado de obedecer às minhas leis. **[20]**Santifiquem os meus sábados para que sejam um sinal entre vocês e mim, para que reconheçam que eu sou *Yahweh*, o seu

Deus.' ²¹Mas os filhos se rebelaram contra mim. Não seguiram as minhas leis, não guardaram as minhas decisões para sua implementação, às quais uma pessoa deve implementar e viver por elas. Trataram os meus sábados como comuns.

Eu disse que derramaria a minha ira sobre elas, consumiria a minha fúria sobre elas no deserto. ²²Mas retive a minha mão e agi para o bem do meu nome para que ele não fosse tratado como comum aos olhos das nações diante das quais eu os tirei. ²³Também levantei a minha mão para eles no deserto, para espalhá-los pelas nações e dispersá-los entre as terras, ²⁴porque não implementaram as minhas decisões, mas rejeitaram as minhas leis, trataram os meus sábados como comuns, e os ídolos dos seus pais estavam diante dos seus olhos. ²⁵Também os entreguei a leis que não eram boas e a decisões pelas quais não podiam viver. ²⁶Eu os contaminei por seus presentes, quando fizeram todo o primogênito do ventre passar pelo [fogo], para que eu pudesse desolá-los, para que pudessem reconhecer que eu sou *Yahweh*."' ²⁷Portanto, fale à casa de Israel, jovem, e lhes diga: 'O Senhor *Yahweh* assim disse: "Os seus ancestrais continuaram a me blasfemar com isso, ao cometerem transgressão contra mim. ²⁸Eu os trouxe à terra à qual levantei a minha mão para lhes dar. Mas eles olharam para qualquer colina elevada ou árvore frondosa e abateram os seus sacrifícios ali, produziram a sua fragrância agradável ali, e derramaram as suas libações ali. ²⁹Disse-lhes: 'Qual o santuário para o qual vocês estão indo?' (e o chamam de Ir-Para-O-Quê? até este dia)."'

³⁰Portanto, diga à casa de Israel: 'O Senhor *Yahweh* assim disse: "Vocês estão se contaminando à maneira de seus ancestrais, prostituindo-se com as abominações deles, ³¹e, ao apresentar suas ofertas, fazendo os seus filhos passarem pelo fogo, contaminando-se em relação a todos os seus ídolos, até este dia? E devo deixar-me consultar por vocês, casa de Israel? Tão certo como eu vivo" (declaração do Senhor *Yahweh*), "não me deixarei ser consultado por vocês. ³²O que vem ao seu espírito, simplesmente não acontecerá, o que estão dizendo: 'Seremos

EZEQUIEL 20:1-44 • QUANDO VOCÊ NÃO PODE CONSULTAR DEUS

como as nações, como as famílias da terra, na ministração à madeira e à pedra.' **³³**Tão certo como eu vivo", (declaração do Senhor *Yahweh*), "reinarei sobre vocês com mão forte e um braço estendido, e com ira derramada. **³⁴**Eu os tirarei do meio dos povos e os reunirei das terras entre as quais estão dispersos, com mão forte e braço estendido e ira derramada. **³⁵**Eu os levarei ao deserto dos povos e ali entrarei em juízo com vocês, face a face. **³⁶**Assim como entrei em juízo com os seus ancestrais no deserto da terra do Egito, também entrarei em juízo com vocês" (declaração do Senhor *Yahweh*). **³⁷**"Eu os farei passar debaixo de vara e os farei entrar no vínculo da aliança. **³⁸**Expurgarei dentre vocês as pessoas que são rebeldes e se revoltam contra mim; embora eu tire da terra na qual permanecerão, não as levarei à terra de Israel. E vocês saberão que eu sou *Yahweh*.

³⁹Vocês, casa de Israel: o Senhor *Yahweh* assim disse: 'Cada pessoa, vá e sirva aos seus ídolos. Mas, depois, se não me ouvirem, então não mais tratarão o meu sagrado nome como comum, com suas dádivas e os seus ídolos. **⁴⁰**Pois na minha sagrada montanha, sobre a elevada montanha de Israel' (declaração do Senhor *Yahweh*), 'ali toda a casa de Israel, toda ela, me servirá na terra. Ali eu os favorecerei e ali pedirei pelas suas doações e pelo melhor de suas ofertas com todas as suas coisas sagradas. **⁴¹**Com sua fragrância agradável, eu os favorecerei quando os tirar dos povos e os reunir dentre as terras às quais eu os espalhei. Eu me santificarei por meio de vocês diante dos olhos dos povos. **⁴²**Vocês saberão que eu sou *Yahweh* quando eu os trouxer à terra de Israel, à terra à qual levantei a minha mão para dar aos seus ancestrais. **⁴³**Ali vocês se lembrarão dos seus caminhos e de todos os seus feitos pelos quais se contaminaram. Serão repugnantes à própria vista por toda as maldades que têm feito. **⁴⁴**Saberão que eu sou *Yahweh* quando lidar com vocês pelo bem do meu nome, não de acordo com os seus caminhos maus e os seus desastrosos feitos, casa de Israel'"" (declaração do Senhor *Yahweh*).

Ontem, certo amigo me perguntou o que eu pensava sobre a mensagem que havia sido pregada por um de seus pastores auxiliares. O pregador em questão, refletira sobre como a congregação deveria reagir ao furacão Sandy, que já tinha devastado grande parte de Nova York, Nova Jersey e outros estados. O pastor comentou que a sua própria reação instintiva foi expressar: "Que droga!", mas ele mesmo acrescentou que não deveria reagir dessa maneira, porém aceitar todos os eventos, pois eles resultam da soberania divina. Todavia, ele também expressou que não era um profeta e, portanto, não poderia, de fato, comentar sobre o motivo de a calamidade ter ocorrido. Meu amigo não estava certo sobre essas observações do pregador.

Alguns dos anciãos de **Judá**, os membros *seniores* da comunidade, os quais detinham a responsabilidade pela liderança, vieram consultar Ezequiel à luz do que lhes havia ocorrido e por sentirem que precisavam saber o que aconteceria a seguir. Ele, afinal de contas, é um profeta. Será que ele não pode lhes dizer por quanto tempo mais o **exílio** irá durar? Terão que se estabelecer por um longo período (Jeremias 29 afirma que sim)? Ou podem alimentar a esperança de um retorno mais breve?

Yahweh não irá lhes fornecer esse tipo de informação. Nesse sentido, todavia, a recusa de *Yahweh* em ser consultado não significa uma recusa em dizer algo. A questão resulta em uma das mais longas profecias no livro. Pode-se imaginar o semblante dos anciãos ficando cada vez mais sombrio e aflito, desejando nunca terem perguntado. Essa reação seria intensificada pelo capítulo abordar outra repetição de uma interpretação de sua história, com a qual já estão familiarizados pelo discurso de Ezequiel. Parece que ainda não compreenderam que a história deles é constituída de rebelião e de infidelidade. *Yahweh* amplia a descrição deles como viciados em infidelidade ("ultrajes", "**ídolos**") mesmo em seus primórdios como povo, no Egito. Mais tarde, ele acrescenta um comentário acerca da palavra para "santuário", o termo *bamah*. Se dividirmos essa palavra em duas sílabas, *ba* significa "indo", e *mah* quer dizer "o quê". Dessa forma, sempre que os **israelitas** falam sobre ir a um santuário, implicitamente, estão suscitando a questão: "Para o que vocês estão indo?"

Ao mesmo tempo, *Yahweh* apresenta sutilezas ao contar a história. Desde o começo, *Yahweh* age pelo bem do seu **nome**. Esse princípio subjaz à série de ocasiões nas quais ele não aniquilou o povo em sua irada reação por eles seguirem outros, assim chamados, deuses. Isso o faria parecer estúpido aos olhos do mundo. Trata-se de uma importante base para a segurança e preservação do povo de Deus — ele não nos abandonará, por fim, pois pareceria insensato. Seria, contudo, um motivo para Israel, sabiamente, deixar a sua propensão à **infidelidade**, pois essa compulsão também significaria tratar o nome de *Yahweh* como **comum** e o faria parecer tolo. Israel, certamente, não irá escapar ileso. A preocupação de *Yahweh* com a sua reputação até mesmo reforça e assegura a promessa divina quanto à restauração da comunidade. Mas isso também leva *Yahweh* a não tolerar a adoração a outras divindades. Os israelitas se submeterão a ele, de forma voluntária, ou o farão sob imposição.

Yahweh enfatiza o dom do sábado como um sinal do relacionamento entre ele e Israel. Embora outros povos observassem dias de descanso, somente Israel tinha o sábado semanal, e, assim, em um período e em uma situação como aquela de Ezequiel, isso se tornou um grande marco de distinção para Israel. Caso os israelitas falhem em guardar o sábado, eles regredirão em sua posição característica como povo de Deus. Não há nada errado com os demais dias da semana serem comuns, mas Israel não deve tratar o sábado como mais um dia, a exemplo dos demais. Deve tratá-lo como pertencente, de modo distinto, a *Yahweh*; deve santificá-lo, deve permitir que seja muito especial e distintivo.

O comentário mais extraordinário de *Yahweh* é com respeito a ele ter dado leis ruins a Israel. A referência é acerca da lei sobre oferecer o primogênito a *Yahweh*. Eles deviam sacrificar o primogênito de seus animais, mas deveriam fazer uma oferta substitutiva com respeito ao primogênito humano. Outros povos, contudo, sacrificavam os próprios filhos e, por seu turno, Israel, às vezes, seguia essa prática, como Ezequiel já observou. Com efeito, *Yahweh* está admitindo a responsabilidade por eles fazerem isso. Caso *Yahweh* não tivesse exigido que os israelitas fizessem ofertas, talvez não teriam se envolvido com essa prática repugnante. Na realidade, *Yahweh* está reconhecendo a sua responsabilidade por fazer isso. Esse foi um ato de juízo.

O Antigo Testamento, com frequência, fala sobre *Yahweh* como o pastor do seu povo, uma imagem mais desafiadora do que, às vezes, ela possa parecer. Um pastor exerce a sua **autoridade** sobre as ovelhas; elas fazem o que ele diz, mediante o mover do seu cajado. Os israelitas serão como ovelhas que se submetem ao cajado do Pastor. Dessa maneira, eles restabelecerão a sua aliança com *Yahweh*, a não ser que escolham se autoexcluir. Eles sentirão repulsa por si mesmos, mas essa repulsa será, estranhamente, positiva; será parte de um processo por meio do qual eles se voltarão para *Yahweh* e começarão a viver com fidelidade, não infielmente. Então, estarão capacitados a consultar Deus.

EZEQUIEL 20:45—21:32
A ESPADA AFIADA E POLIDA

⁴⁵A mensagem de *Yahweh* veio a mim: ⁴⁶"Jovem, volte o seu rosto na direção de Temã, pregue contra Dedã, profetize contra a floresta aberta na terra do sul. ⁴⁷Você deve dizer para a floresta da terra do sul: 'Ouça a mensagem de *Yahweh*. O Senhor *Yahweh* assim disse: "Aqui estou eu e irei acender um fogo em você. Ele consumirá cada árvore verde e cada árvore seca em você. A chama ardente não se apagará. Todos os rostos, de sul a norte, serão queimados por ele. ⁴⁸Toda a humanidade verá que eu, *Yahweh*, o acendi; ele não se apagará."' ⁴⁹Mas disse eu: 'Ah, Senhor *Yahweh*, eles estão dizendo de mim: Não é ele um contador de parábolas?'"

CAPÍTULO 21

¹A mensagem de *Yahweh* veio a mim: ²"Jovem, volte o seu rosto contra Jerusalém. Pregue contra os santuários, profetize contra a terra de Israel. ³Você dirá à terra de Israel: 'Aqui estou eu, [agindo] em relação a você, e irei tirar a minha espada da bainha e cortarei de você a pessoa fiel e a infiel. ⁴Uma vez que irei cortar de você a pessoa fiel e a infiel, a minha espada sairá da bainha contra toda a humanidade, desde o Sul até o Norte, ⁵e toda a humanidade saberá que eu, *Yahweh*, tirei a minha espada da bainha; e ela não voltará para lá.'"

⁶"Você, jovem, suspire. Com coração quebrantado e com angústia, você deve gemer diante dos olhos deles. ⁷Quando lhe disserem: 'Por que você está gemendo?', deve lhes dizer: 'Por causa das notícias, porque está vindo. Todo o espírito desmaiará. Todas as mãos ficarão frouxas. Todo o coração desfalecerá. Todos os joelhos se tornarão em água. Eis que está vindo, e acontecerá'" (declaração de *Yahweh*).

⁸A mensagem de *Yahweh* veio a mim: ⁹"Jovem, profetize e diga: 'O Senhor *Yahweh* assim disse: "A espada. A espada está afiada, sim, está polida. ¹⁰Está afiada para que possa trazer matança,

está polida para que possa ser um relâmpago. Caso contrário, poderíamos nos regozijar, cetro do meu filho, que rejeita cada árvore? **11**Alguém a deu para ser polida e para ser agarrada pela mão. A espada está afiada e polida, para ser colocada na mão de um matador.'" **12**Grite e uive, jovem, pois isso acontecerá entre o meu povo, entre todos os governantes de Israel. Eles serão lançados à espada, com o meu povo. Portanto, bata em sua coxa. **13**Porque haverá um teste, mas e se ela desprezar o cetro? Isso não ocorrerá?" (declaração do Senhor *Yahweh*).

14"Assim, você, jovem, profetize, bata mão contra mão. A espada virá duas vezes, uma terceira vez será a espada da matança, uma espada da grande matança, que os cerca, **15**de maneira que o espírito se derreterá e as quedas serão muitas. Em todas as suas portas, coloquei a matança da espada. Ai! Ela é feita para ser o clarão de um relâmpago, empunhada para a matança. **16**Corte para a direita, coloque-se à esquerda, para onde os seus gumes estiverem apontados. **17**Eu, também, baterei palmas e farei descansar a minha fúria. Eu, *Yahweh*, falei."

18A mensagem de *Yahweh* veio a mim: **19**"Você, jovem, estabeleça para você mesmo duas estradas para a espada do rei da Babilônia vir. Eles sairão de uma terra. Escolha um lugar; escolha-o no começo da estrada para a cidade. **20**Você deve estabelecer uma estrada para a espada que virá a Rabá dos amonitas, e uma para Judá, contra a fortificada Jerusalém. **21**Porque o rei da Babilônia está posicionado na encruzilhada, no começo das duas estradas, para realizar adivinhação. Ele está agitando as flechas, está consultando as efígies, está olhando para um fígado. **22**Em sua mão direita surge a adivinhação para Jerusalém, para prepararem aríetes, para darem a espada à matança, para elevarem a sua voz no grito de batalha, para colocarem os aríetes contra as portas, para construírem uma rampa, para edificarem uma torre. **23**A eles, será como uma adivinhação vazia, aos olhos das pessoas que têm feito juramentos. Mas ele é aquele que se lembra da transgressão, de maneira que elas serão levadas." [24]Portanto, o Senhor *Yahweh* assim disse: "Porque vocês fizeram a sua transgressão ser lembrada, as suas rebeliões se revelam, e as suas ofensas se tornam visíveis, em todos os seus feitos — porque fizeram isso ser lembrado, serão apanhados com a mão." [25]"E você, governante infiel e comum de Israel, cujo dia virá no tempo da transgressão, [26]o Senhor *Yahweh* assim disse: 'Remova o diadema, levante a coroa. Isso não [continuará] assim. Exalte o humilde, rebaixe o exaltado. [27]Ruína, ruína, ruína, eu a farei (na verdade, isso não aconteceu [portanto, antes]), até vir aquele a quem pertence a autoridade, e eu a darei a ele.'"

[28]"E você, jovem, profetize e diga: 'O Senhor *Yahweh* assim disse acerca dos amonitas e de seus insultos.' Você deve dizer: 'Espada, espada, desembainhada para a matança, polida para consumir, para reluzir como relâmpago, [29]por verem profecia vazia para vocês, por suas falsas adivinhações para vocês, eles a darão para o pescoço das pessoas comuns e infiéis, cujo dia virá no tempo da transgressão final.

[30]Retornem-na à sua bainha. No lugar no qual foram criados, na terra da sua origem, eu decidirei sobre vocês. [31]Derramarei a minha ira sobre vocês. Com o meu fogo ardente, soprarei sobre vocês. Eu os entregarei nas mãos de um povo brutal, artífices em destruição. [32]Serão para o fogo consumir. O seu sangue estará no meio da terra. Não serão lembrados. Porque eu, *Yahweh*, falei.'"

A Igreja Copta, no Egito, elegeu, neste mês, o seu novo papa. O complexo processo de nomeação por bispos e pessoas leigas, por fim, resulta na identificação de três possíveis candidatos. Os seus nomes são escritos em pedaços de papel e inseridos em uma caixa junto ao altar da catedral, no Cairo, durante o Domingo da Eucaristia. Nessa cerimônia, uma criança de cinco anos de idade, da congregação, retira da caixa o papel com o nome do novo patriarca. Em meu seminário, recentemente, procedemos à indicação de um novo presidente. Será que ousaríamos usar esse expediente?

A última parábola encenada por Ezequiel envolve um passo ousado de fé. A sua apresentação retrata o rei da **Babilônia**, Nabucodonosor, refletindo sobre a próxima ação militar. O seu exército está posicionado em um entroncamento na estrada. Deveria ele seguir a estrada para Jerusalém ou para Amom, do outro lado do rio, o moderno reino da Jordânia? Ele busca orientação à maneira tradicional das sociedades. Agitar ou sacudir as flechas envolve identificar as flechas com os nomes de "Jerusalém" ou "Amom", sacudi-las dentro de uma aljava e, então, sortear uma delas. As efígies eram, talvez, imagens representando familiares mortos, os quais eram consultados com vistas a obter conselho, pois eram consideradas pessoas com mais discernimento e informação do que os vivos (Gênesis 31 relata Raquel roubando efígies de seu pai). A adivinhação podia envolver a análise de partes de um animal morto, especialmente o fígado, buscando certas características. Os adivinhos tinham registros de como essas características e marcas distintas haviam se relacionado, previamente, a eventos, que podiam ser usados como base para prever eventos futuros. A consulta resulta em um claro conselho: o rei Nabucodonosor deveria atacar Jerusalém. Os habitantes da cidade são céticos quanto a essa forma de obter direção. Ironicamente, a atitude deles é apropriada a pessoas que sabem que somente *Yahweh* é o verdadeiro Deus e a única fonte confiável para se obter tal orientação (eis o motivo de os **israelitas** não terem permissão de se envolverem com as diversas práticas de adivinhação; elas eram proibidas, mesmo que funcionassem). *Yahweh*, no entanto, pode dizer que esse método de obter orientação havia levado o rei Nabucodonosor a tomar uma decisão que atendia aos propósitos divinos.

Pelo fato de o rei babilônico ser o meio de *Yahweh* implementar a sua terrível decisão para Jerusalém, Ezequiel começa com uma advertência à terra que jaz ao sul, ao próprio **Judá** (os três nomes, Temã, Dedã e terra do sul, são formas de expressar "sul"). Não fica, diretamente, ao sul da Babilônia, mas o exército desse império alcança Judá vindo do norte — daí a imagem do inimigo do norte, nos Profetas. Os babilônios chegarão à terra como um fogo consumidor, mas Ezequiel expressa a advertência apenas em forma de parábola, e, assim, é fácil ela ser desconsiderada pelas pessoas. A profecia seguinte é mais explícita. Talvez os três termos (Jerusalém, os santuários, a terra) correspondam, exatamente, às três referências anteriores e diretamente as interpretem. A profecia ainda é expressa em uma imagem; ela retrata *Yahweh* como um guerreiro desembainhando a espada, que está afiada, polida e reluzente. Assim, não há como ignorar o significado dessa "parábola".

Antes de utilizar, novamente, a imagem da espada, o profeta é comissionado a gemer. Talvez seja tanto um gemido expressando a sua aflição acerca do que irá ocorrer quanto uma antecipação do gemido que subjugará o próprio Judá. A profecia da espada é enigmática nos detalhes, mas o seu ponto geral é cristalino. No meio dela, Ezequiel é instruído a gritar e a uivar, pois Judá está destinado a fazer o mesmo.

A sua referência aos governantes surge, mais tarde, na seção em que Ezequiel confronta "o governante infiel e **profano** de Israel", Zedequias, que será deposto do mesmo modo que o seu predecessor. *Yahweh* rebaixa o exaltado e exalta o insignificante. Esse é o princípio incorporado na exaltação do pequeno Davi para ser rei, mas não se pode ter apenas a metade do princípio, sem a sua contrapartida. A repetição tripla da palavra "ruína" traça um paralelo assustador a

EZEQUIEL 22:1-31 • INFIDELIDADE AO POVO E A DEUS

"santo, santo, santo", em Isaías 6. Isso sugere não apenas a ruína à potência de um ou dois, mas a ruína à potência de três. Essa ruína tripla, no entanto, não será o fim. Zedequias será deposto, mas virá outro a quem a **autoridade** davídica adequadamente pertencerá (compare com a promessa enigmática a Judá, em Gênesis 49).

Por fim, Ezequiel retorna a Amom, em outra profecia obscura em seus detalhes, porém clara em seu ponto geral. O escape de Amom por meio da adivinhação praticada por Nabucodonosor não será de grande auxílio no longo prazo. Chegará o dia em que a espada será devolvida à sua bainha, e aquele que a desembainhou (Nabucodonosor) pagará o preço por ter feito isso.

EZEQUIEL **22:1-31**
INFIDELIDADE AO POVO E A DEUS

[1]A mensagem de *Yahweh* veio a mim: [2]"Você, jovem, exercerá autoridade, exercerá autoridade sobre a cidade do derramamento de sangue, e a fará reconhecer todos os seus ultrajes. [3]Você deve dizer: 'O Senhor *Yahweh* assim disse: "Cidade que derrama sangue em seu meio, de modo que o seu tempo está chegando, e faz ídolos para si mesma, para se tornar contaminada! [4]Por causa do sangue que derramou, você é culpada, e pelos ídolos que fez, você se contaminou. Trouxe os seus dias para mais perto; aproximou-se dos seus anos. Portanto, farei de você um objeto de insulto para as nações, a tornarei em objeto de escárnio para todas as terras. [5]Aqueles próximos e os distantes escarnecerão de você, profanarão o seu nome, abundarão em tumulto. [6]Eis que os governantes de Israel estavam em você, cada um com o seu poder, para derramarem sangue. [7]As pessoas, em seu meio, têm menosprezado pai e mãe. Em relação ao estrangeiro, praticaram fraude em seu meio. Oprimiram o órfão e a viúva. [8]Vocês desprezaram os meus

EZEQUIEL 22:1-31 • INFIDELIDADE AO POVO E A DEUS

santuários e trataram os meus sábados como comuns. ⁹Pessoas que espalham mentiras estavam em seu meio para derramar sangue. Em seu meio, comeram nas montanhas. Implementaram esquemas entre vocês. ¹⁰Um homem, entre vocês, expôs a nudez de seu pai. Estupraram uma mulher contaminada por tabu. ¹¹Um homem praticou um ultraje com a esposa de seu vizinho, e outro homem contaminou a sua nora por esquemas. Em seu meio, um homem estuprou a sua irmã, a filha de seu pai. ¹²Em seu meio, aceitaram suborno para derramar sangue. Vocês cobraram juros e tiveram lucros. Saquearam o seu próximo por meio de fraudes e me desprezaram" (declaração do Senhor *Yahweh*). ¹³"Eis que irei bater palmas contra a pilhagem que cometeram e pelo derramamento de sangue em seu meio. ¹⁴A sua mente permanecerá firme ou as suas mãos serão fortes durante os dias em que lidarei com vocês? Eu, *Yahweh*, falei e agirei. ¹⁵Eu a espalharei entre as nações e a dispersarei entre as terras. Consumirei toda a sua contaminação de seu meio. ¹⁶Será tratada como comum em si mesma aos olhos das nações e saberá que eu sou *Yahweh*.""'

¹⁷A mensagem de *Yahweh* veio a mim: ¹⁸"Jovem, a casa de Israel se tornou escória para mim. Todos eles são o cobre, o estanho, o ferro e o chumbo no interior de uma fornalha. A prata se torna em escória. ¹⁹Portanto, o Senhor *Yahweh* assim disse: 'Porque todos vocês se tornaram em escória, assim aqui estou e os reunirei no meio de Jerusalém. ²⁰[Como] o ajuntamento da prata, do cobre, do ferro e do chumbo dentro da fornalha, para soprar fogo sobre eles e os derreterem, assim os reunirei em minha ira e no meu furor; eu os depositarei e os derreterei. ²¹Eu os recolherei e soprarei sobre vocês com o meu fogo ardente e os derreterei dentro dela. ²²Como a fundição da prata dentro da fornalha, assim vocês serão fundidos dentro dela e saberão que eu, *Yahweh*, derramei a minha ira sobre vocês.'"

²³A mensagem de *Yahweh* veio a mim: ²⁴"Jovem, diga isto: 'Você é uma terra que não foi purificada, que não recebeu chuva, no

EZEQUIEL 22:1-31 • INFIDELIDADE AO POVO E A DEUS

dia da ira. ²⁵A conspiração dos profetas em seu meio é como um leão rugidor despedaçando a presa. Eles consomem seres humanos, tomam riquezas e fortunas e fazem muitas viúvas em seu meio. ²⁶Os seus sacerdotes violam o meu ensino e tratam os meus santuários como comuns. Eles não distinguem o sagrado e o comum. Não capacitam as pessoas a saber a diferença entre o puro e o impuro. Eles fecharam os olhos aos meus sábados. Sou tratado como comum em seu meio. ²⁷Os seus oficiais no meio dela são como lobos despedaçando a presa, derramando sangue para destruir vidas pelo benefício de obter pilhagem. ²⁸Os seus profetas os têm pintado com tinta, têm visto vazio e adivinhado mentiras para eles, dizendo: "O Senhor *Yahweh* assim disse", quando *Yahweh* não falou. ²⁹O povo da terra têm praticado fraudes e cometido roubos. Eles tratam mal os humildes e necessitados e defraudam o estrangeiro sem um julgamento justo. ³⁰Busquei dentre eles alguém que estivesse construindo o muro ou ficasse na brecha diante de mim em favor da terra, para que eu não a destruísse, mas não encontrei ninguém. ³¹Por isso, estou derramando a minha ira sobre eles. Em fogo ardente estou dando um fim a eles. Estou trazendo o seu próprio caminho à cabeça deles'" (declaração do Senhor *Yahweh*).

No jantar do Dia de Ação de Graças, nesta semana, conversei com o irmão do meu enteado, um capelão prisional. Ele consegue ser tanto angustiado quanto otimista acerca das situações que enfrenta no cotidiano. Os Estados Unidos, proporcionalmente, enviam mais pessoas à prisão do que qualquer outro país, mas, por outo lado, os seus cidadãos não são, caracteristicamente, mais perversos. A maioria da população carcerária está na cadeia por crimes sem vítimas diretas, como delitos relacionados a drogas, embriaguez ou imigração ilegal. Infelizmente, entretanto, o aprisionamento leva os encarcerados a se tornarem criminosos habituais. Também discutimos como poucas pessoas veem a si mesmas como perversas. Todos nós temos justificativas para as nossas ações. Roubar no ambiente de trabalho justifica-se pelo fato de meu chefe ser desonesto.

A longa lista de transgressões compiladas por Ezequiel abrange crimes com vítimas e ofensas contra Deus. Enfatiza crimes envolvendo derramamento de sangue e, sem dúvida, assassinatos na cidade. Mas, quando o profeta elabora as suas referências ao derramar de sangue, Ezequiel fala de fraudes, mentiras e subornos em lugar de pessoas brandindo um taco. Os profetas, com frequência, fazem menção a pessoas poderosas e ricas que ludibriam pessoas comuns, expulsando-as de suas terras, ou que se aproveitam da vulnerabilidade de pessoas idosas, de órfãos e de viúvas. Perder a terra era quase o mesmo que perder a vida. Esses ofensores não viam a si mesmos como assassinos ("as pessoas que perderam as suas terras deveriam ser mais eficientes na administração de suas fazendas, ou deveriam ter trabalhado com mais afinco; o destino que as alcançou é resultante da própria falha delas"). Ezequiel vê esses aproveitadores como assassinos. Menosprezar pai e mãe envolveria não somente insultos, mas privá-los da possibilidade de viverem do sustento de sua terra. Transformar o empréstimo em um meio de obter lucro, igualmente, é aproveitar-se dos mais vulneráveis e empurrá-los mais ainda para o fundo do poço.

A cidade também é infiel a **Yahweh**. Ezequiel, primeiramente, coloca a confecção de **ídolos** ao lado do derramamento de sangue. As duas ofensas estão relacionadas. Servir a outros deuses ou servir a *Yahweh*, da mesma forma que as pessoas serviam a outros deuses, podia envolver o sacrifício infantil. Aqui, igualmente, as pessoas não se consideravam como assassinas. Na visão delas, no fim das contas, elas estavam fazendo uma oferta onerosa a Deus. Mas, de fato, o que elas praticam é assassinato. A fidelidade a Deus e a fidelidade a pessoas (ou o contrário) estão relacionadas. A sua forma de pensar sobre Deus e sobre o que ele deseja de você faz diferença em sua vida. Será estranho caso estejam em compartimentos separados, pois estarão inter-relacionados, quer para fins positivos, quer para negativos.

Os dois reinos, simplesmente, não deveriam estar identificados. Confeccionar imagens é errado não apenas por ser facilmente vinculado com o derramamento de sangue, mas pelo próprio ato configurar profanação. Ainda que não restasse mais ninguém no mundo para ser sacrificado, confeccionar imagens ainda seria errado, ainda seria desonrar Deus e acarretaria contaminação para aquele que o fizesse. Da mesma forma, o pecado sexual ofende em mais de uma conexão. Os relacionamentos ilícitos que o profeta condena resultam no colapso das relações familiares e comunitárias; além disso, as relações sexuais e o casamento podem ser outros meios de anexar propriedades.

Alguns ouvintes do parágrafo final dessa seção reconheceriam nela termos já citados em mensagens anteriores dos profetas. Há uma adaptação de uma série de sentenças de Sofonias 3 — essas mensagens procedem de cinquenta anos antes; de um período um pouco mais tardio, Jeremias 5 usa a imagem de procurar um indivíduo fiel, mas não encontrar nem mesmo um. Essa profecia, em Ezequiel, implica que nada mudou. Apesar de haver profetas, como Sofonias e Jeremias, que transmitiram a mensagem de *Yahweh* e com os quais Ezequiel podia se identificar, além de sacerdotes que também eram fiéis, a maioria dos profetas e dos sacerdotes se identificava com uma liderança que fazia uso de sua posição para derramar sangue e desonrar *Yahweh*. Na verdade, eles encorajavam essas transgressões, concedendo a elas um selo de (suposta) aprovação divina, a exemplo de pessoas que pintam um muro para ocultar as suas rachaduras.

EZEQUIEL 23:1–27
VOCÊ SÓ PODE SERVIR A UM ÚNICO SENHOR

¹A mensagem de *Yahweh* veio a mim: ²"Jovem, havia duas mulheres, as filhas de uma mulher. ³Elas viviam imoralmente no Egito. Viviam imoralmente em sua juventude. Ali os seus seios foram pressionados. Ali homens apertaram os seus mamilos de moça. ⁴Os seus nomes: Oolá, era a mais velha, e Oolibá, a sua irmã. Elas se tornaram minhas e tiveram filhos e filhas. Os seus nomes: Oolá era Samaria, e Oolibá era Jerusalém. ⁵Oolá era imoral, apesar de estar debaixo de mim. Ela enamorou-se de seus amantes, dos assírios, guerreiros ⁶vestidos de azul, governadores e supervisores, todos eles jovens desejáveis, cavaleiros montados a cavalo. ⁷Ela entregou as suas imoralidades a eles, a todos eles, a elite dos assírios, e com cada um ao qual se enamorou, com todos os seus ídolos, ela se contaminou. ⁸Ela não abandonou as suas imoralidades do Egito, porque homens haviam dormido com ela em sua juventude, quando apertaram os seus mamilos de moça e derramaram a imoralidade deles sobre ela. ⁹Por isso, a entreguei nas mãos de seus amantes, à terra dos assírios com os quais ela se enamorou. ¹⁰Quando eles expuseram a sua nudez, tomaram os seus filhos e as suas filhas e a mataram à espada, ela se tornou bem conhecida entre as mulheres, quando implementaram decisões contra ela.

¹¹Oolibá, a sua irmã, viu, mas a sua paixão foi mais catastrófica do que [Oolá], e as suas imoralidades mais do que as da sua irmã. ¹²Ela se enamorou dos assírios, governadores e supervisores, guerreiros vestidos com perfeição, cavaleiros montados a cavalo, todos eles jovens desejáveis. ¹³Vi que ela se contaminou. As duas tinham um único caminho, ¹⁴mas ela aumentou as suas imoralidades. Ela viu homens gravados na parede, imagens de caldeus pintados de vermelhão, ¹⁵cingidos com um cinto em sua cintura, turbantes sobre a cabeça, todos eles com a aparência de oficiais, a forma dos babilônios, Caldeia, a terra de seu nascimento. ¹⁶Ela enamorou-se pela aparência deles aos

seus olhos. Enviou ajudantes à Caldeia. [17]Assim, os babilônios foram até ela, ao seu leito de amor. Eles a contaminaram com a sua imoralidade. Ela contaminou-se com eles e, então, se afastou deles. [18]Assim, ela expôs as suas imoralidades e revelou a sua nudez, e eu me afastei dela, do mesmo modo que me afastei de sua irmã. [19]Ela multiplicou as suas imoralidades ao se lembrar dos dias de sua juventude, quando foi imoral na terra do Egito. [20]Enamorou-se do concubinato deles, cuja carne era a carne de jumentos, e a emissão deles, a emissão de cavalos. [21]Revisitou os esquemas de sua juventude, quando homens do Egito apertaram os seus mamilos para o bem dos seus jovens seios.

[22]Portanto, Oolibá, o Senhor *Yahweh* assim disse: 'Aqui estou eu e irei levantar os seus amantes contra você, aqueles dos quais se afastou. Eu os trarei contra você de todos os lados: [23]os babilônios, todos os caldeus, Pecode, Soa e Coa, todos os assírios com eles, jovens desejáveis, governadores e supervisores, todos eles oficiais e homens de renome, todos eles montados a cavalo. [24]Virão contra você, com arsenal, charretes e rodas, e com uma assembleia de pessoas. Eles posicionarão escudos, pequenos e grandes, e capacetes contra você, de todos os lados. Cederei à decisão dos olhos deles, e eles decidirão sobre você com as suas decisões. [25]Entregarei a minha paixão em relação a você, e eles lidarão com você em fúria. Removerão o seu nariz e as suas orelhas, e o último de vocês cairá à espada. Aquele povo tomará os seus filhos e as suas filhas, e o último de vocês será consumido pelo fogo. [26]Despirão você de suas roupas e tomarão as suas coisas majestosas. [27]Colocarei um fim aos seus esquemas, e à sua imoralidade da terra do Egito. Você não levantará os seus olhos para eles. Não se lembrará mais do Egito.'"

Hoje é a festa de Cristo Rei, que segue o Dia de Ação de Graças e é celebrada no último domingo antes do Advento. Refletindo sobre o meu sermão para o dia, perguntei-me por que o último domingo antes do Advento deveria ser uma celebração a Cristo, o Rei, e descobri que essa data foi estabelecida por um papa, menos de um século atrás, em uma época na qual ele imaginava que as nações se mostravam cada vez mais propensas a viver a sua vida e conduzir as suas políticas de forma autônoma, dando menos atenção ao fato de que Cristo é Rei e precisa ser reconhecido como tal.

Ezequiel tem falado muito sobre a infidelidade das pessoas e usado muitas imagens de infidelidade sexual como uma metáfora para essa falha, mas o profeta, com frequência, faz referência à propensão delas de se relacionar com outros deuses. Aqui o foco reside na tendência de entrar em relacionamento com outras nações, a exemplo do capítulo 16. Fidelidade a *Yahweh* significa tratá-lo como chave para o destino político do povo. O que o Antigo Testamento fala acerca de relacionamentos de aliança ajuda a esclarecer o ponto. A palavra hebraica para "aliança" também significa "tratado" ou "pacto". A relação de aliança de Israel com *Yahweh* exclui a entrada em tratados ou pactos com outros povos. Ezequiel começa a partir do tempo de **Israel** no Egito, porque essa nação é o "amante" atual de **Judá**. Por mais de um século, Judá tem estabelecido alianças com os grandes poderes regionais ao sul. Não se deve pressionar os detalhes da alegoria: o Êxodo não fala da infidelidade de Israel no Egito; e Samaria e Jerusalém não são irmãs, ou nem mesmo irmãos (Judá era o tio de **Efraim**). O foco repousa na relação de Israel com a **Assíria** e a **Babilônia**, os dois grandes poderes políticos durante os 150 anos anteriores aos dias de Ezequiel. Reconhecidamente, deveríamos compreender os limites entre a política e a religião com clareza. Um tratado com outra nação envolve certo reconhecimento de seus deuses. Enamorar-se da Assíria significa reconhecer os seus **ídolos**.

A primeira parte do nome das duas irmãs deriva de um termo hebraico para tenda. Assim, os dois nomes significam "a sua/dela tenda" e "a minha tenda está nela", com referência a uma tenda familiar ou uma tenda de adoração ou mesmo conjugal. Há certa ambiguidade quanto a ser uma boa tenda ou que implique infidelidade. O ponto principal, todavia, é o nome pertencer às duas cidades irmãs, Samaria e Jerusalém, as respectivas capitais de Efraim e de Judá. Efraim caiu primeiro, diante do encanto da Assíria; era mais próximo, geograficamente, dessa nação e, portanto, mais exposto. Efraim foi infiel a *Yahweh* ao se aliar com o Egito e pagou o preço por sua infidelidade de ambas as partes, quando os assírios conquistaram Samaria e transportaram a sua população, em 722 a.C. O fato estranho (como os profetas viram) é que Judá falhou em aprender a lição, ao seguir o exemplo de sua irmã mais velha. De fato, agiu pior ainda, ao deixar o seu caso com a Assíria para se enamorar da Babilônia. Judá, da mesma forma, tentou estabelecer compromissos pactuais e, então, não os cumpriu. Trata-se de pagar a mesma penalidade, o que a fará deixar de ser tão atraída pelo Egito como potencial aliado.

Os **caldeus** eram o grupo dominante na Babilônia, portanto o termo, normalmente, refere-se aos babilônios como um todo. Aqui o termo geral é seguido pelos nomes de outras três tribos da Mesopotâmia, dentro do Império Babilônico. O povo do qual Judá declarou independência não deixará os judaítas se comportarem como se fossem senhores do próprio destino. As forças que pareciam tão impressionantes como potenciais aliados serão agora vingadores temíveis. *Yahweh* irá ceder à Babilônia os seus sentimentos fortes em relação a Judá, bem como o seu poder para decidir quanto ao que deveria ser feito aos judaítas. Trata-se de uma terrível advertência. Em 2Samuel 24, Davi reconhece que, quando estamos em tribulação por causa de nossos malfeitos, é melhor se render às mãos de *Yahweh* do que a mãos humanas, que pode resultar em misericórdia.

EZEQUIEL 23:28–49
EZEQUIEL ESCREVENDO PARA A IMPRENSA MARROM

[28]Pois o Senhor *Yahweh* assim disse: "Aqui estou eu e irei entregá-la nas mãos do povo que você repudia, nas mãos do povo do qual você se afastou. [29]Agirão em relação a você com repúdio e tomarão tudo pelo que você trabalhou, e a abandonarão despida e nua. A sua nudez imoral será visível, os seus esquemas e a sua imoralidade. [30]Eles lhe farão essas coisas por causa da sua prostituição com as nações, por conta da maneira com que se contaminou com os seus ídolos. [31]Você andou no caminho de sua irmã, de modo que colocarei o cálice dela em suas mãos."

[32] O Senhor *Yahweh* assim disse:
"Você irá beber o cálice de sua irmã,
   profundo e amplo.
Isso lhe trará risos e escárnio,
   por conter muito.
[33] Você se encherá de embriaguez e tristeza,
   o cálice da desolação e da devastação,
o cálice de Samaria, sua irmã,
[34]   mas você o beberá e o drenará.
E o quebrará em cacos
   e rasgará os seus seios.
Pois eu falei"
   (declaração do Senhor *Yahweh*).

[35]Portanto, o Senhor *Yahweh* assim disse: "Porque me desconsiderou e me deu as costas, você carregará os seus esquemas e a sua imoralidade."

36Yahweh me disse: "Jovem, você passará julgamento a Oolá e Oolibá. Conte-lhes os seus ultrajes. **37**Pois cometeram adultério e há sangue em suas mãos. Cometeram adultério com os seus ídolos. Além disso, fizeram os seus filhos, a quem geraram para mim, passarem pelo [fogo] como comida para eles. **38**Também fizeram isto a mim: contaminaram o meu santuário e trataram os meus sábados como comuns. **39**Quando mataram os seus filhos para os seus ídolos, vieram ao meu santuário, naquele dia, para tratá-lo como comum. Eis o que fizeram dentro da minha casa. **40**Ainda, mandaram vir homens de longe, aos quais um ajudante foi enviado. Eis que eles vieram, homens pelos quais vocês se banharam, pintaram os olhos e usaram joias. **41**Sentaram-se em um elegante sofá, tendo à frente uma mesa, e sobre ela colocou incenso e o meu óleo. **42**O som de uma horda despreocupada estava ali, com homens da horda humana trazidos para dentro, bêbados do deserto. Colocaram braceletes nos braços das mulheres, e uma majestosa coroa na cabeça delas. **43**Disse sobre uma desgastada pelo adultério: 'Mesmo agora agem imoralmente, ela e a sua imoralidade, **44**e tiveram sexo com ela. Como homens têm sexo com uma mulher imoral, assim eles tiveram sexo com Oolá e Oolibá, mulheres lascivas.' **45**Mas homens fiéis passarão julgamento sobre elas, o juízo sobre mulheres que cometem adultério e o juízo sobre mulheres que derramam sangue, pois são mulheres que cometem adultério e há sangue em suas mãos."

46Porque o Senhor *Yahweh* assim disse: "Tragam uma multidão contra elas, entreguem-nas ao terror e ao saque. **47**A multidão deve apedrejá-las e cortá-las com suas espadas. Devem matar os seus filhos e as suas filhas e queimarem suas casas no fogo. **48**Darei um fim à lascívia na terra, e todas as mulheres aceitarão a disciplina e não agirão de acordo com a lascívia delas. **49**Trarão sobre vocês a sua própria lascívia. E saberão que eu sou o Senhor *Yahweh*."

Quase todos os dias, verifico no *The Onion*, um jornal satírico, uma coletânea de notícias fantasiosas e fictícias, levemente mais curiosas do que os eventos noticiados na mídia real. Na última Black Friday, o *The Onion* reportou que vinte mil pessoas haviam sido sacrificadas na oferta anual de sangue em honra à América Corporativa, cumprindo o longevo rito anual para garantir lucros abundantes no próximo ano fiscal. Um ou dois dias antes, o periódico reportou que por causa do crescente número de vítimas entre a população civil em meio ao conflito na Faixa de Gaza, um menino palestino, com oito anos de idade, expressou tanto alegria quanto surpresa por ainda não ter sido morto por um ataque militar israelense. Em outra edição, o jornal noticiou que a taxa de suicídios, nos Estados Unidos, estava crescendo em meio à crise econômica ("nada aumenta o seu moral ou afasta a sua tristeza mais do que um emprego em tempo integral"). Decerto, a veiculação dessas notícias satíricas e irônicas é de gosto muito duvidoso, mas estabelece pontos importantes e, às vezes, atinge o âmago da questão.

Ezequiel não teria dificuldades em conseguir um emprego no *The Onion*. É possível sentir-se ofendido com o péssimo gosto e a forma depreciativa com que o profeta fala acerca das mulheres em sua alegoria, mas a sua preocupação está em outro ponto. De algum modo, ele precisa sensibilizar a comunidade **judaíta** que se encontra exilada na **Babilônia**, especificamente os homens. Ele retoma a tática que tentou no capítulo 16. Talvez elas tenham recebido por sexo, embora seja equivocado pensar em Oolá e Oolibá como prostitutas. A palavra usada para descrevê-las denota simplesmente uma mulher que não vive segundo os padrões de comportamento reconhecidos (oficialmente) pela sociedade. Não necessariamente implica receber pagamento por sexo, mas carrega certas conotações do termo "prostituta". Se os homens não conhecem alguém envolvido no comércio sexual, podem conhecer alguém com a reputação de ser "fácil", sexualmente falando. Oficialmente, podem até desaprovar com veemência mulheres assim, mas as suas fantasias e as suas ações podem ser muito diferentes de sua posição pública.

"Sabe aquela mulher a quem chamam de prostituta?", pergunta Ezequiel. "Ela é você!" Acha que é muito superior em comparação a **Efraim**, a sua nação irmã, do Norte, cuja existência os **assírios** eliminaram? Você é igual ou pior, e o seu destino será o mesmo. A nação de Judá será tratada da mesma forma que os homens, lascivamente, se imaginam tratando as mulheres flagradas em imoralidades (compare com a história em João 8). A ação imoral envolve entrar em relações políticas com povos como a Assíria, a Babilônia e o Egito. Eles tentaram sair de seus **compromissos**, mas descobrirão que não podem fazer isso impunemente. Com certa ironia, nações como a Assíria e a Babilônia se revelarão como os "homens fiéis" que implementarão o juízo de *Yahweh* sobre as duas irmãs. (A Assíria já havia agido contra Oolá, muito tempo atrás, porém Ezequiel pisa fora da linha cronológica da história de **Israel** e fala como se olhasse para a história dos dois povos como um todo.)

O profeta, uma vez mais, afirma que as infidelidades política e religiosa andam juntas. O compromisso sério com *Yahweh* significa não cultuar outros deuses e não buscar salvaguardar o futuro mediante o estabelecimento de alianças e tratados com as demais nações. Se o povo não for seriamente comprometido com *Yahweh*, viverá uma política e uma espiritualidade alternativas. Significa que não se renderam formalmente a *Yahweh*, crendo que poderiam ter os dois: envolvimento com as formas de adoração associadas aos outros deuses, incluindo o sacrifício infantil, e, então, participarem da adoração no templo. Ofereciam sacrifícios e ofertas no templo, mas, então, conduziam a sua vida política como se *Yahweh* não existisse.

EZEQUIEL **24:1-27**
A PANELA FERVENTE E O LUTO

[1]A mensagem de *Yahweh* veio a mim no nono ano, no décimo mês, no décimo dia do mês: [2]"Jovem, escreva para você a data de hoje, este dia. O rei da Babilônia coloca-se contra Jerusalém neste mesmo dia. [3]E conte uma parábola à casa rebelde. Você deve lhes dizer: 'O Senhor *Yahweh* assim disse:

> "Ponha a panela no fogo, coloque-a,
>   e ponha água nela também.
> [4] Coloque pedaços nela,
>   todo bom pedaço.
> Perna e ombro,
>   o melhor dos ossos, encha-a.
> [5] Apanhe o melhor do rebanho,
>   empilhe os ossos debaixo dela, também
> faça-a ferver;
>   os ossos devem cozinhar dentro dela também.'"
> [6] Portanto, o Senhor *Yahweh* assim disse:
>   "Ai da cidade de sangue,
> panela na qual há ferrugem,
>   cuja ferrugem não sai dela!
> Tire [o conteúdo], pedaço por pedaço;
>   sem escolher.
> [7] Pois o seu sangue estava dentro dela;
>   ela o colocou sobre a superfície de um penhasco.
> Ela não o derramou sobre a terra,
>   a fim de cobri-lo com pó.
> [8] Para despertar a fúria,
>   para obter reparação,

ela colocou o seu sangue sobre a superfície do penhasco,
para que não fosse coberto."

9 Portanto, o Senhor *Yahweh* assim disse:
"Ai da cidade de sangue!
Eu farei a pilha grande também.

10 Apanhe muita lenha, acenda o fogo,
cozinhe bem a carne.
Misture os temperos;
os ossos devem queimar.

11 Coloque-a vazia sobre as brasas,
para que fique quente e o seu cobre queime,
a sua contaminação derreta dentro dela
e a sua ferrugem seja consumida.

12 É vigor inútil;
a abundância de sua ferrugem não sai dela,
a ferrugem no fogo."

13"A sua lascívia é a sua contaminação, porque eu a teria purificado, mas você não estaria limpa de sua contaminação. Não estará purificada novamente até eu consumir a minha fúria sobre você. 14Eu, *Yahweh*, falei. Isso acontecerá. Eu o farei. Não voltarei atrás. Não pouparei. Não abrandarei. De acordo com os seus caminhos e os seus feitos, eles estão decidindo a seu respeito" (declaração do Senhor *Yahweh*).

15A mensagem de *Yahweh* veio a mim: 16"Jovem, aqui estou eu e irei tirar de você o deleite dos seus olhos por meio de uma epidemia. Mas você não irá lamentar nem chorar, as suas lágrimas não virão. 17Gema silenciosamente. Não faça luto pelos mortos. Coloque o seu chapéu. Calce as suas sandálias em seus pés. Não cubra os seus lábios. Não coma a comida das pessoas."

18Falei ao povo de manhã, e a minha esposa morreu à tarde. Fiz, de manhã, como me havia sido ordenado, 19e o povo me disse: "Você não irá nos contar o que essas coisas, que está fazendo, significam para nós?" 20Disse-lhes: "A mensagem de

Yahweh veio a mim: **²¹**"Diga à casa de Israel: "O Senhor *Yahweh* assim disse: 'Aqui estou eu, e irei tratar o meu santuário como comum, o forte objeto de seu orgulho, o deleite dos seus olhos, o objeto da piedade do seu coração. Os seus filhos e as suas filhas, a quem abandonaram, cairão à espada. **²²**Vocês farão como eu fiz. Não cobrirão os seus lábios. Não comerão a comida das pessoas. **²³**Com o chapéu sobre a sua cabeça, as sandálias em seus pés, vocês não lamentarão e não prantearão. Definharão por causa dos seus atos rebeldes e gemerão uns com os outros. **²⁴**Assim, Ezequiel deve ser um sinal para vocês. De acordo com tudo o que ele fizer, vocês farão, quando isso acontecer. E saberão que eu sou o Senhor *Yahweh*.'"""

²⁵"Jovem, acontecerá que no dia em que eu tomar a fortaleza deles, o objeto esplêndido de celebração, o deleite dos seus olhos, o anseio do seu coração, os seus filhos e as suas filhas,- **²⁶**naquele dia um sobrevivente virá para que ouça isso com os seus ouvidos. **²⁷**Naquele dia, a sua boca se abrirá ao sobrevivente. Você falará e não mais ficará mudo. Você será um sinal para eles, e saberão que eu sou *Yahweh*."

Sei o que a morte da esposa significa para o casamento e também o fato de ele ser um sinal. Eu não soube antever quando a minha primeira esposa estava prestes a falecer, e isso não ocorreu repentinamente, embora o fim tenha sido, de certa maneira, súbito. Durante anos, Ann viveu incapacitada fisicamente e sofreu com inúmeras pneumonias. A cada nova crise, as pessoas diziam: "Chegou a hora", mas isso não se confirmava. Assim, não pensei que a derradeira infecção fosse levá-la à morte. De certa forma, o sinal foi ter de viver, por todos esses anos, compartilhando a sua enfermidade — o sinal de que isso era possível, de que não havia necessidade de viver com medo, de que a vida podia seguir sendo válida de ser vivida, de que Deus poderia nos acompanhar por uma estrada tão acidentada.

Não deduzo, da nossa história, que Deus tenha causado a enfermidade de Ann com a intenção de gerar esse sinal. Do mesmo modo, não devemos concluir da história de Ezequiel que Deus tenha causado a morte de sua esposa para gerar um sinal (embora, com base em sua firme declaração sobre a soberania divina, não imagino Ezequiel tendo restrições a essa ideia, como nós, ocidentais). Em uma sociedade tradicional, como a da **Babilônia** e de **Judá**, as pessoas contraíam infecções e morriam. O relato precisa apenas implicar que a esposa do profeta ficou doente e Deus lhe falou que ela não iria se recuperar. O sinal reside não na morte, mas na reação que Ezequiel deve ter. O profeta não deve lamentar segundo a maneira natural. Normalmente, um homem iria lamentar em alta voz, não se vestiria com as roupas habituais e cobriria o seu rosto. As pessoas lhe trariam comida, e ele a comeria. Ezequiel não deverá seguir essas práticas naturais, instintivas e culturais.

As pessoas desejarão perguntar o motivo de ele agir assim. Pelo conhecimento que elas têm do profeta, imaginarão que as suas ações estranhas, provavelmente, contenham uma mensagem. Mas, às vezes, um evento pode ser tão devastador que simplesmente a pessoa se sente atordoada e paralisada, a exemplo do comportamento de Ezequiel. Ele é um sinal, pois o terrível evento, que está prestes a atingir Jerusalém, será tão devastador que as pessoas ficarão chocadas e incapazes de agir.

Embora as duas partes do capítulo sejam diferentes pelo fato de uma delas abranger três profecias relacionadas com Jerusalém, enquanto a outra envolver Ezequiel e a sua experiência pessoal, ambas se relacionam com o momento citado no início do capítulo. De volta a Jerusalém, Nabucodonosor inicia o cerco final. Os seus registros fornecem a data, isto é, 15 de janeiro de 588 a.C., segundo o nosso calendário. Levaria dias ou até semanas para que a notícia do evento chegasse à Babilônia, mas Deus revela esse fato a Ezequiel. Ele escreve a data, a exemplo do que, às vezes, fazem os profetas. Quando a notícia chegar à Babilônia pelas vias normais, ela será uma incontestável evidência de que ele é um verdadeiro profeta, de que não inventa essas coisas.

As sucessivas profecias usam a figura de uma panela fervente para retratar Jerusalém, o que já ocorreu anteriormente, no capítulo 11. Trata-se de uma imagem perturbadora. A "carne" na panela representa a família e os amigos que os judaítas no **exílio** deixaram para trás. A segunda profecia usa a imagem em uma direção diferente. Agora a panela está enferrujada, de maneira que a carne é retirada dela. A ferrugem sugere o sangue que mancha a cidade. O sangue deve ser tratado com certa reverência, pois simboliza a vida (quando o sangue é derramado, a vida se esvai). Os habitantes de Jerusalém não se preocupam com tais princípios, pois têm derramado sangue de forma despreocupada e flagrante. O sangue derramado impropriamente clama do solo e está clamando em Jerusalém. Assim, quando o cozimento terminar, a panela com a ferrugem (i.e., a mancha de sangue) irá ser, de fato, aquecida, para descontaminá-la. Essa é a ação necessária, considerando que todos os esforços para retirar a "ferrugem" se mostraram inúteis.

A queda de Jerusalém será um ponto de virada para o próprio Ezequiel, do mesmo modo que a morte de sua esposa em sua vida pessoal. O profeta permaneceu mudo durante cinco anos. Na verdade, expressou as suas profecias e, talvez, falasse em sua casa, mas não tomou parte da vida regular da comunidade; Ezequiel permaneceu calado, exceto quando tinha uma mensagem de **Yahweh** para ser transmitida. Todavia, quando a queda da cidade ocorrer, em alguns meses, *Yahweh* diz que o profeta será capaz de falar normalmente. O evento confirmará a mensagem que ele, incansável e consistentemente, transmitiu por cinco anos. E Ezequiel terá algo novo a dizer.

EZEQUIEL **25:1–17**
A VINGANÇA É MINHA

[1]A mensagem de *Yahweh* veio a mim: [2]"Jovem, volte o seu rosto contra os amonitas e profetize contra eles. [3]Diga aos amonitas: 'Ouçam a mensagem do Senhor *Yahweh*. O Senhor *Yahweh* assim disse: "Porque disseram 'Ah! Ah!' acerca do meu santuário quando ele foi tratado como comum, e acerca da terra de Israel quando ela se tornou desolada, e acerca da casa de Judá quando ela foi levada ao exílio, [4]portanto aqui estou eu e irei entregá-los como posse aos quedemitas. Eles levantarão os seus acampamentos e colocarão as suas habitações em vocês. Aquele povo comerá o seu fruto. Aquele povo beberá o seu leite. [5]Farei de Rabá um pasto para camelos, e dos amonitas, um curral para ovelhas, e saberão que eu sou *Yahweh*". [6]Pois o Senhor *Yahweh* assim disse: "Porque bateram palmas e bateram os pés e celebraram com todo o desprezo em seu coração acerca da terra de Israel, [7]aqui estou eu e irei estender a minha mão contra vocês e os entregarei como despojo às nações; eu os cortarei dentre os povos, os apagarei dentre as nações, os destruirei, e vocês saberão que eu sou *Yahweh*."

[8]O Senhor *Yahweh* assim disse: "Porque Moabe e Seir disseram: 'Eis que a casa de Israel é como todas as nações', [9]aqui estou eu e irei abrir o flanco de Moabe desde as cidades, desde as suas cidades nas extremidades, a glória da terra — Bete--Jesimote, Baal-Meom e Quiriataim — [10]até os quedemitas,

EZEQUIEL 25:1-17 • A VINGANÇA É MINHA

com os amonitas. Eu os darei como uma possessão, de modo que os amonitas não sejam mais lembrados entre as nações, **¹¹**e implementarei decisões contra Moabe, e eles saberão que eu sou *Yahweh*."

¹²O Senhor *Yahweh* assim disse: "Por causa da ação de Edom em exigir reparação sobre a casa de Israel e incorrer em culpa quando fez reparação contra eles, **¹³**o Senhor *Yahweh* assim disse: 'Estenderei a minha mão contra Edom e cortarei dele os seres humanos e os animais. Farei dele uma ruína, desde Temã até Dedã. Eles cairão à espada. **¹⁴**Infligirei a minha reparação sobre Edom pela mão de meu povo, Israel. Eles agirão contra Edom de acordo com a minha ira e a minha fúria e conhecerão a minha reparação'" (declaração do Senhor *Yahweh*).

¹⁵O Senhor *Yahweh* assim disse: "Por causa da ação dos filisteus em exigir reparação e por realizarem reparação com desprezo em seu coração, ao destruírem com inimizade antiga, **¹⁶**o Senhor *Yahweh* assim disse: 'Aqui estou eu e irei estender a minha mão contra os filisteus, cortarei os queretitas e eliminarei o que restar do litoral. **¹⁷**Implementarei grandes atos de reparação contra eles, com atos de furiosa reprovação, e saberão que eu sou *Yahweh* quando infligir a minha reparação sobre eles.'"""

Há algumas semanas, Mahmoud Abbas, o presidente da Autoridade Nacional Palestina, falou sobre o seu apego pela cidade de Safed, na Galileia, local de seu nascimento. A sua família fugiu para a Síria durante a guerra de 1948, quando a cidade foi anexada a Israel. Ele sabe que jamais poderá viver ali novamente, mas, para ele, ainda é o seu lar. Na semana passada, novas hostilidades irromperam entre o Estado de Israel e o povo na Faixa de Gaza. Isso gerou pânico por parte dos israelenses, que agora têm consciência de que os foguetes lançados de Gaza podem alcançar Telavive, além de causar algumas mortes em Israel. Por outro lado, também causaram um número muito superior de mortes e maior destruição em Gaza. É muito difícil, para as pessoas que estão fora desse conflito, não tomarem partido por um lado ou por outro, mas é importante entender essa tragédia, na qual os dois povos têm um grande apego ao mesmo território, bem como a história daquela terra como o lar de ambos.

Assim, então, é irônico ler essas profecias que incluem a **Filístia**, da qual a faixa de Gaza faz parte (com maior ironia ainda, as outras quatro principais cidades dos filisteus, Asdode, Ascalom, Ecrom e Gate, estão hoje em território israelense). Amom, Moabe e Edom, por outro lado, estão, majoritariamente, fora dos limites do moderno Estado de Israel e, principalmente, no reino da Jordânia, no lado leste do rio Jordão. Mas as relações entre Israel e Jordânia são muito melhores que as relações entre Israel e Gaza, ainda que muitos cidadãos jordanianos vivessem, outrora, na área que hoje pertence a Israel e à Palestina, ou sejam descendentes imediatos do povo que vivia ali.

Em certo nível, a hostilidade entre Israel e Gaza espelha a inimizade existente entre **Israel** e Amom, Moabe, Edom e a Filístia, no Antigo Testamento. Os cristãos podem, portanto, deixar de se identificar com o Israel do Antigo Testamento para se identificar com o moderno Estado de Israel ("Você crê que Jerusalém é a legítima capital de Israel? A Bíblia crê. Apoie Israel. Assine a petição", li em um anúncio, outro dia). Podemos, alternativamente, deixar de nos identificar com os palestinos pela identificação com Amom, Moabe, Edom e a Filístia. Assim, precisamos tentar pensar dentro da estrutura de Ezequiel.

Inúmeros profetas incluem mensagens sobre o destino de outros povos, mas cada um possui um motivo diferente

EZEQUIEL 25:1-17 • A VINGANÇA É MINHA

para fazê-lo. Ezequiel é singular na colocação deles. Em termos de quantidade de capítulos, estamos exatamente no meio do livro. A metade inicial focou, resolutamente, nas más notícias para a comunidade **judaíta**, porém o capítulo 24 anunciou um momento de transição. A queda de Jerusalém significa a passagem de Ezequiel de um profeta que profere más notícias para um que proclama boas notícias. (Mas a maneira com que esse capítulo segue o cap. 24 encoraja a reflexão sobre como a esposa de Ezequiel jamais conheceu essa transição e sobre o contraste nessa mudança para boas notícias na mensagem do profeta que não possui paralelo em qualquer outra transição em sua vida pessoal.)

As profecias acerca do julgamento de *Yahweh* sobre outros povos constitui o primeiro estágio nessa transição. Embora Judá esteja na extremidade receptora do juízo divino, outros povos também devem ter a mesma experiência, particularmente aqueles que são contumazes causadores de problemas para Judá.

Há dois motivos, moral ou teologicamente falando. Ezequiel lida com Amom, Moabe, Edom e a Filístia em ordem horária, da perspectiva de Jerusalém, isto é, do nordeste para o leste e, então, do sudeste para o oeste. Iniciar com Amom, igualmente, corresponde ao seu lugar na parábola encenada das duas estradas (cap. 21). Ali o seu fortuito escape simplesmente faz os amonitas congratularem-se e rirem-se do infortúnio de Judá. Ezequiel pode estar se referindo à derrota de Jerusalém que levou ao seu próprio **exílio**, em 597 a.C., ou a profecia pode ter vindo após a queda final da cidade, em 587 a.C. A base para a ação de *Yahweh* não é apenas pela atitude de Amom em relação a Judá, mas em relação à Judá de Deus. Em 597 e 587 a.C., o santuário de *Yahweh* foi tratado como **comum**, e *Yahweh* não fica de braços cruzados quando isso acontece. (Essa consideração sugere outra reflexão sobre o Oriente Médio contemporâneo. O povo palestino inclui uma considerável comunidade cristã, mas um dos aspectos da tragédia do Oriente Médio é o nível extra de perda que as comunidades cristãs têm experimentado, por serem negligenciadas ou marginalizadas. É fácil pensar nas questões que envolvem o Oriente Médio de uma forma que ignore a nossa relação familiar com a igreja ali presente.)

Ezequiel acusa Moabe de uma reação cínica similar à de Amom com respeito à queda de Jerusalém, e o comentário dos moabitas acerca de Judá sofrer um destino como o de qualquer outra nação implica outra forma de irreverência, pois eles estão se referindo ao povo de *Yahweh*! Assim, o profeta adverte Moabe quanto a um destino similar ao de Amom. Cerca de cinco anos após a queda de Jerusalém, Nabucodonosor invadiu e devastou Amom e Moabe.

A base para o julgamento sobre Edom e a Filístia é sugerida pelas oito ocorrências da palavra "reparação" (nove vezes no original em hebraico). Duas vezes cada, Ezequiel fala dos dois povos exigindo reparação sobre Judá; duas vezes cada, o profeta fala de *Yahweh* exigindo reparação em resposta à ação desses dois povos. Não temos nenhuma informação, quer das histórias do Antigo Testamento, quer de fontes exteriores, que nos relatam o que Edom e a Filístia fizeram, embora houvesse más relações de longa data ou "uma antiga inimizade" entre Edom e a Filístia, de um lado, e Israel, de outro. Esse fato tornaria perfeitamente plausível que os dois povos vissem a ação de Nabucodonosor como uma oportunidade justificada de causarem mais tribulação a Judá. O princípio moral ou teológico presumido por Ezequiel é aquele já conhecido, de que a reparação ou vingança é assunto de Deus, embora aqui, excepcionalmente, Israel seja o instrumento da reparação de

Deus; os profetas, raramente, fizeram menção quanto a Israel ter um papel nessa conexão. Por outro lado, jamais ouvimos ou soubemos que Israel, de fato, adotou qualquer ação contra Edom após os dias de Ezequiel.

"Queretitas" é outro termo para designar os filisteus, talvez uma referência à origem deles, em Creta. O uso dessa designação estabelece uma ligação clara com o termo hebraico para "cortar". É quase como se o nome deles já propagasse o destino a eles reservado.

EZEQUIEL **26:1–21**
O (AMOR AO) DINHEIRO É A RAIZ DE TODOS OS MALES?

[1]No décimo primeiro ano, no primeiro dia do mês, a mensagem de *Yahweh* veio a mim: [2]"Jovem, porque Tiro disse acerca de Jerusalém: 'Ah! Ah! A porta dos povos se quebrou, voltou-se para mim, eu serei pleno, pois está devastada', [3]o Senhor *Yahweh* assim disse: 'Aqui estou eu contra você, Tiro; e trarei muitas nações contra você, como o mar traz as suas ondas. [4]Elas destruirão os muros de Tiro e demolirão as suas torres. Rasparei o seu solo e o transformarei na superfície de um penhasco. [5]Irá se tornar um lugar para estender redes no meio do mar. Porque eu falei' (declaração do Senhor *Yahweh*). 'Irá se tornar em despojo para as nações. [6]As suas cidades, que estão no campo, serão mortas à espada. E saberão que eu sou *Yahweh*.'

[7]Porque o Senhor *Yahweh* assim disse: 'Aqui estou eu; irei trazer do Norte, contra Tiro, Nabucodonosor, rei da Babilônia, o rei dos reis, com cavalos, carruagens, cavaleiros, uma multidão e uma grande companhia. [8]As suas cidades no campo, ele aniquilará à espada. Ele edificará uma torre, construirá uma rampa e armará uma barreira de escudos contra você. [9]Ele estabelecerá a força de seus aríetes contra os seus muros e com seus machados demolirá as suas torres. [10]A poeira da

profusão dos seus cavalos os cobrirá. Com o som da cavalaria, das rodas e das carruagens, os seus muros tremerão, quando ele entrar por seus portões, como pessoas adentrando uma cidade violada. ¹¹Com os cascos de seus cavalos, ele pisoteará todas as suas ruas. Matará o seu povo à espada. As suas fortes colunas cairão por terra. ¹²Saquearão a sua riqueza e pilharão as suas mercadorias. Destruirão os seus muros e demolirão as suas casas. As suas pedras, a sua madeira e o seu solo, eles lançarão no meio das águas. ¹³Darei um fim ao clamor de suas canções, e o som das suas harpas não mais se fará ouvir. ¹⁴Farei de você a superfície de um penhasco. Você se tornará um lugar para estender redes. Não mais será construída. Porque eu, *Yahweh*, falei' (declaração do Senhor *Yahweh*).

¹⁵O Senhor *Yahweh* assim disse a Tiro: 'Ao som da sua queda, ao gemido dos seus mortos, à matança realizada em seu meio, não tremerão as costas estrangeiras? ¹⁶Todos os governantes do mar descerão de seus tronos. Removerão os seus mantos, se despirão de suas roupas bordadas e se vestirão de grande tremor. Eles se assentarão no chão e tremerão a todo instante e estarão desolados por sua causa. ¹⁷Entoarão um lamento sobre você e lhe dirão:

"Oh! Você pereceu, você, que era povoada dos mares,
　　renomada cidade,
que era poderosa sobre o mar,
　　ela e os seus habitantes,
pessoas que impunham o seu terror
　　sobre todos os habitantes [do mar].
¹⁸ Agora as costas estrangeiras tremem
　　no dia da sua queda.
As costas estrangeiras que estão junto ao mar
　　entram em pânico com a sua passagem."'

¹⁹Porque o Senhor *Yahweh* assim disse: 'Quando eu fizer de você uma cidade arruinada, como as cidades que são desabitadas,

EZEQUIEL 26:1-21 • O (AMOR AO) DINHEIRO É A RAIZ DE TODOS OS MALES?

> quando trouxer o abismo sobre você e poderosas águas a cobrirem, ²⁰eu a farei descer com as pessoas que descem ao Poço, às pessoas de antigamente, e farei você viver na profundidade do mundo abaixo, como as ruínas de antigamente, com as pessoas que descem ao Poço, assim você não será habitada. Farei do "esplendor na terra dos viventes" — ²¹farei de você um horror. Nada haverá de você. Será procurada, mas não será mais encontrada, para sempre' (declaração do Senhor *Yahweh*)."

A edição de hoje do *The Onion*, o periódico que mencionei em meu comentário sobre o capítulo 23, traz uma mensagem de seu principal anunciante (não tenho certeza se é legítimo, mas isso não faz nenhuma diferença), implorando aos leitores que leiam os anúncios ao lado dos "novos" itens. Afinal, ele explica, esse é o motivo de toda a indústria jornalística existir: vender propaganda. A única razão pela qual qualquer mídia deseja que as pessoas prestem atenção em seu conteúdo é que os seus olhos vejam um anúncio ou uma propaganda nas proximidades. Os leitores, sem perceber, tomam parte "de um golpe no qual são induzidos a ver anúncios para que alguma grande e onipotente corporação nos dê uma grande soma em dinheiro". Esse é o alvo de qualquer jornal, revista e programa de televisão. "Somos simples peças de uma grande e abrangente empresa comercial que existe, de uma forma ou de outra, bem antes de você nascer e que seguirá existindo muito tempo depois de sua morte."

Tiro compreenderia essa sentença, pois ela existia para ser um grande empreendimento comercial. A cidade está situada a cerca de oitenta quilômetros ao sul de Beirute e mesmo nos dias de hoje é uma das maiores cidades portuárias do Líbano. Nos tempos antigos, Tiro, em si, abrangia a pequena ilha localizada perto da costa. Suas áreas "suburbanas" ficavam no continente e eram elementos-chave na provisão de seus suprimentos. A cidade oferecia um dos melhores portos na região oriental do Mediterrâneo, sendo um estratégico ponto para alcançar a Mesopotâmia, no leste, o norte da África, ao sul e sudoeste, Grécia, Itália e Espanha, do outro lado do Mediterrâneo, na direção ocidental, onde possuía colônias. A cidade era bem fortificada para assegurar o seu papel como grande polo comercial.

A sua posição era fundamental para desempenhar o seu papel de importante centro mercantil, a exemplo de um grande núcleo de distribuição, como o Aeroporto de Heathrow, em Londres, ou Singapura. Eis o motivo de Ezequiel declarar que os invasores "saquearão a sua riqueza e pilharão as suas mercadorias". A única questão a ser feita por Tiro em relação a qualquer evento mundial seria: "Como isso afeta a nossa posição comercial?" Os habitantes de Tiro, certamente, fariam essa indagação com respeito à queda de Jerusalém. Embora a profecia de Ezequiel, estranhamente, omita o mês, a queda da cidade ainda não havia ocorrido e, assim, talvez Ezequiel estivesse imaginando os habitantes de Tiro refletindo sobre as consequências daquele evento, cuja ocorrência parecia certa. A queda significará que Jerusalém deixará de ter importância para a economia e o comércio da Síria-Palestina e, assim, Tiro poderia aumentar o seu domínio comercial naquela região. Isso é tudo o que importa. Em períodos posteriores, Tiro se viu em meio a uma contínua tensão com a Galileia acerca dos alimentos, pois a Galileia fornecia grande parte dos alimentos a Tiro, o que resultava em escassez para a própria Galileia. Não seria surpresa se houvesse uma dinâmica similar nos tempos do Antigo Testamento.

Há, portanto, inúmeros motivos pelos quais *Yahweh* pode determinar a queda de Tiro. A cidade que parece incorporar o "esplendor na terra dos viventes" se tornará palco de horrores. Um princípio regularmente assumido pelos profetas é o de que qualquer nação que se torne muito grande deve ser derrubada, simplesmente porque é quase impossível a uma poderosa nação evitar pensar que é Deus. Outra consideração é a atitude que Tiro compartilha com Amom, Moabe, Edom e a **Filístia**: o seu desprezo em relação a Jerusalém, a cidade de *Yahweh*. Tiro possui algo mais em comum com Amom, Edom e a Filístia. Jeremias 27 relata como esses quatro povos mandam emissários a Zedequias, aparentemente para propor uma rebelião contra a **Babilônia**. Foi uma ideia que contou com a simpatia de Zedequias. Jeremias e Ezequiel foram contrários a ela. A sua profecia sobre Tiro é para ser ouvida pelos **judaítas**. Eles não deveriam estabelecer nenhuma aliança com Tiro.

A consideração específica com Tiro se deve ao fato de que, quando uma nação vê o comércio como a única coisa que importa, ela se desvia do seu caminho. Karl Marx descreveu o dinheiro como "o agente universal de separação". Ele divide as nações entre si, nos aliena de nossa verdadeira humanidade e dos demais seres humanos. A cidade de Tiro se tornara alienada dessa maneira. O dinheiro não é a raiz de todos os males, mas o amor a ele é a raiz de todo o mal (1Timóteo 6:10); mas talvez haja uma diferença mínima entre as afirmações. Deus almeja que desfrutemos as boas coisas da vida como comida e roupas, o que, no contexto ocidental, o dinheiro pode comprar. Mas é fácil para o comércio se transformar em uma atividade designada a beneficiar apenas os comerciantes.

Nabucodonosor chegou em Tiro e a sitiou poucos anos após Ezequiel ter proferido essa profecia; o cerco babilônico à cidade durou treze anos. No fim, os dois lados beligerantes estavam cansados; os habitantes de Tiro se renderam a Nabucodonosor, e o rei babilônico não destruiu a cidade. Ezequiel e seus compatriotas judaítas, no entanto, preservaram essa profecia em seu livro; eles não inferem que a falha de Nabucodonosor em destruir a cidade de Tiro tenha invalidado a profecia. Talvez considerassem que a profecia não deveria receber uma interpretação totalmente literal. As ameaças proferidas por *Yahweh* usam a mesma linguagem e imagens presentes nas advertências expressas contra Jerusalém, o que sugere que não devemos ser literais nos dois contextos. O cerco devastador e a consequente rendição de Tiro bastam para considerar o cumprimento da profecia de *Yahweh*.

EZEQUIEL 27:1-36
O NAUFRÁGIO DO *TITANIC*

[1]A mensagem de *Yahweh* veio a mim: [2]"Você, jovem, entoe um lamento sobre Tiro. [3]Deve dizer a Tiro, que vive na entrada para o mar, que negocia com os povos de muitas costas estrangeiras: 'O Senhor *Yahweh* assim disse:

"Tiro, você disse:
'Sou perfeita em beleza.'
[4] As suas fronteiras estão no coração dos mares;
os seus construtores aperfeiçoaram a sua formosura.
[5] Com zimbro de Senir
eles construíram todo o seu madeiramento.
Pegaram cedros do Líbano
para lhe fazerem mastros.
[6] Com carvalhos de Basã
fizeram os seus remos.
Fizeram o seu convés de marfim engastado em cipreste
das costas de Chipre.
[7] Sua vela foi feita de linho com bordados do Egito,
para ser um estandarte para você.
Azul e púrpura das costas de Elisá
se tornaram a sua cobertura.

EZEQUIEL 27:1-36 • O NAUFRÁGIO DO TITANIC

8 Os habitantes de Sidom e de Arvade
   eram os seus remadores.
Os seus peritos, Tiro, estavam em seu meio;
   eles eram os seus marinheiros.
9 Os anciãos de Gebal e seus peritos estavam em seu meio,
   consertando as suas rachaduras.
Todos os navios do mar e os seus marinheiros estavam
      em você
   para negociar as suas mercadorias.
10 Pérsia, Lídia e Líbia estavam em suas forças,
   os seus homens guerreiros.
Eles penduravam escudos e capacetes em você;
   aqueles homens lhe davam o seu esplendor.
11 Pessoas de Arvade e de Heleque
   estavam em todos os seus muros ao redor.
Gamaditas estavam em suas torres,
   eles penduravam as suas aljavas em todos os seus muros
      ao redor;
   esses homens completavam a sua beleza."

12"Társis era o seu negociante por causa da abundância de toda a sua riqueza; recebiam as mercadorias em troca de prata, ferro, estanho e chumbo. 13Javã, Tubal e Meseque eram os seus comerciantes; recebiam as suas mercadorias em troca de vidas humanas e coisas de cobre. 14De Bete-Togarma, davam cavalos, cavaleiros e mulas em troca de seus produtos. 15Os dedanitas eram os seus comerciantes. Muitas costas estrangeiras eram negociantes sob o seu controle. Retornavam-lhe presas de marfim e ébano como seu pagamento. 16Arã era seu negociante por causa da abundância de seus produtos; davam-lhe turquesa, púrpura, bordados, linho fino, coral e rubis em troca de suas mercadorias. 17Judá e a terra de Israel eram seus comerciantes; em troca de seus produtos, eles lhe davam trigo de Minite e Panague, mel, azeite e bálsamo. 18Damasco era seu negociante por causa da abundância de seus produtos, por causa da abundância de toda a sua riqueza, em troca de vinho de Helbom e lã branca. **19**Vedã e Javã davam fios em troca de suas mercadorias; havia ferro forjado, cássia e cana entre os seus produtos. **20**Dedã era seu negociante em mantos de sela para cavalgadas. **21**A Arábia e todos os governantes de Quedar eram comerciantes sob o seu controle em cordeiros, carneiros e bodes, como seus representantes nisso. **22**Os negociantes de Sabá e Raamá eram seus; eles davam os seus produtos em troca do melhor de todas as especiarias e de todas as pedras preciosas e do ouro. **23**Harã, Cane e Éden, os comerciantes de Sabá, da Assíria e de Quilmade eram seus. **24**Eram seus comerciantes em coisas finas, panos azuis bordados e em tapetes coloridos, trançados com cordas e preservados com cedro, em seu mercado. **25**Os navios de Társis eram os seus ministros para as suas mercadorias.

> Estavam cheios e muito pesados
>> no coração dos mares.
> **26** Para as poderosas águas
>> os remadores a levavam.
> O vento oriental a quebrou
>> no coração dos mares.
> **27** A sua riqueza e os seus produtos, as suas mercadorias,
>> os seus marujos e os seus marinheiros,
> os homens que consertavam as suas rachaduras
>> e as pessoas que manuseavam as suas mercadorias,
> todos os seus homens guerreiros que estavam com você,
>> e toda a sua assembleia que estava em seu meio,
> cairão no coração dos mares
>> no dia da sua queda.
> **28** Ao som do clamor de seus marinheiros,
>> as terras litorâneas tremerão.
> **29** Todos os remadores
>> descerão de seus navios.
> Os marujos, todos os marinheiros do mar,
>> permanecerão em terra.

EZEQUIEL 27:1-36 • O NAUFRÁGIO DO TITANIC

³⁰ Eles deixarão as suas vozes serem ouvidas a seu respeito
   e gritarão em angústia.
   Lançarão poeira sobre a própria cabeça
   e se cobrirão de cinzas.
³¹ Por você, rasparão a cabeça
   e se enrolarão em pano de saco.
   Lamentarão por você com aflição de espírito,
   com angustiado lamento.
³² Por você, entoarão um lamento enquanto gemem
   e lamentarão por você:
   'Quem era como Tiro,
   como aquela silenciada no meio do mar?
³³ Quando as suas mercadorias saíam para o mar,
   você abastecia muitos povos.
   Com a abundância da sua riqueza e das suas mercadorias,
   você enriqueceu os reis da terra.
³⁴ Quando você quebrou por causa dos mares,
   nas profundezas das águas,
   as suas mercadorias e toda a sua assembleia
   caíram no meio delas.
³⁵ Todos os habitantes das costas estrangeiras
   estão desolados por você.
   Os seus reis arrepiaram-se de horror,
   os seus semblantes se tornaram sombrios.
³⁶ Os comerciantes entre os povos assobiam contra você;
   você se tornou um horror e não mais existirá,
      para sempre.'""""

Entre as cidades romanas na Turquia, às quais João escreveu
as cartas presentes no livro de Apocalipse, aquela cuja visita
é a mais espetacular é Éfeso, um local monumental, com
uma população de centenas de milhares nos dias de Jesus
Cristo. Ela ainda contém a enorme e reconstruída fachada

da biblioteca que é um monumento ao imperador romano Tibério Júlio Celso Polemeano. O templo de Ártemis, nas proximidades, era o santuário mais importante da cidade. O teatro, no qual os cidadãos se reuniram para discutir a prisão ou execução de Paulo e seus companheiros é maior do que o Hollywood Bowl. Mas a cidade foi destruída (e todos os livros da biblioteca foram queimados) pelos godos no século III. Foi reconstruída parcialmente e, depois de algum tempo, abandonada. Nos dias de Paulo, seria difícil imaginar esse destino, mas todas as sete cidades compartilham o mesmo fim. Estão totalmente abandonadas ou sobrevivem como pequenos aglomerados difíceis de encontrar dentro de uma cidade moderna.

A destruição de Tiro seria tão inimaginável quanto a destruição de Éfeso, mas Ezequiel a imagina. O profeta fornece aqui mais detalhes sobre a poderosa posição de Tiro no mundo do Mediterrâneo e do Oriente Médio. O primeiro poema retrata o grande poderio marítimo, como se a própria cidade fosse um navio. Materiais selecionados de todas as partes do mundo foram usados na construção daquela magnífica "embarcação". A realidade literal aflora à medida que Ezequiel descreve as forças militares de Tiro e os seus "marinheiros". O parágrafo intermediário cataloga as mercadorias comercializadas pela cidade e os seus parceiros de negócios. Eles incluem povos do Extremo Ocidente (Társis, na Espanha), do Extremo Oriente (**Assíria**), do Norte (Bete-Togarma, Armênia) e do Sul (Sabá, na Arábia). A lista de produtos é de uma variedade desconcertante.

Por fim, Ezequiel volta a retratar Tiro como um navio, explorando todo o potencial contido nessa imagem. Ao viajarmos da Grécia até Éfeso, atravessamos o mar Egeu; mesmo nos dias de Paulo, essa era uma rota marítima muito utilizada (tanto quanto a rota aérea de Nova York a Chicago, ou a linha férrea de Londres a Birmingham, pode-se dizer, com certo exagero). Era mais rápida e segura do que ir pela rota terrestre, como é hoje. Paulo, todavia, também descobriu que viajar por mar pode ser muito perigoso, e o povo de Tiro estava acostumado com alguns naufrágios e com famílias de marinheiros enlutadas. Esse destino aguarda o próprio navio chamado Tiro, declara *Yahweh*. A abertura da última parte do capítulo talvez indique que os negócios geram a tentação de encher cada vez mais o navio, sobrecarregando-o. O vento oriental lança carga e tripulação ao fundo do oceano. Apenas metaforicamente as pessoas na costa ouvem os gritos dos marinheiros, mas em uma realidade literal eles uivam em desespero ao perceber que nem o navio nem a tripulação voltarão para casa. De maneira mais discreta, os comerciantes que foram sábios o bastante para permanecerem seguros em terra firme apressam-se em calcular as suas perdas.

Trata-se de uma imagem para a destruição vindoura dessa "embarcação" chamada Tiro. O vento oriental é a causa do naufrágio. Sem dúvida, há causas meteorológicas por trás do desastre, porém não é mera coincidência que o vento oriental destruindo os navios de Társis forneça uma imagem para a destruição imposta por *Yahweh* aos agressores de Jerusalém, no salmo 48. O vento é um agente de *Yahweh*. O salmo começa com um comentário acerca da beleza de Jerusalém, e, por seu turno, Ezequiel inicia o capítulo mencionando a autodeclaração de Tiro sobre ser "perfeita em beleza". Sentenças similares aparecem em mais duas ocasiões no poema. Elas aparecem duas vezes antes, no Antigo Testamento, em Lamentações 2 e Ezequiel 16, aplicadas a Jerusalém — embora em ambas com certa ironia. Essa posição pertencia a Jerusalém, não por possuir uma arquitetura magnífica (não possuía), mas por causa da importância que *Yahweh* havia concedido a ela como a sua cidade, um lugar-chave no mundo, como sua morada.

Assim, quando Jerusalém falhou em viver segundo as implicações de sua importância, pagou o preço por isso. Mas, quando outra cidade, como Tiro, reivindicava ter igual significância, ela assumia o risco. **Israel** nada tinha a fazer em relação a isso, como atacar Tiro em **nome** de *Yahweh*, mas poderia estar certa de que *Yahweh* faria algo a respeito (e, portanto, seria tolice começar a acreditar na publicidade de Tiro).

EZEQUIEL **28:1–26**
A QUEDA DE UM REI

[1]A mensagem de *Yahweh* veio a mim: [2]"Jovem, diga ao governante de Tiro: 'O Senhor *Yahweh* assim disse: "Porque a sua mente tem sido altiva e você disse: 'Eu sou Deus, entronizado como uma divindade — eu me assento no coração dos mares', quando é um ser humano, não Deus, mas você tornou a sua mente como a de uma divindade:

[3] Eis que você é mais astuto que Danel;
   nada oculto o engana.
[4] Por meio de sua astúcia e do seu entendimento,
   conseguiu riqueza para você.
   Acumulou ouro e prata em seus tesouros
[5]   mediante a abundância da sua astúcia e por meio do
     seu comércio.
   Tornou grande a sua riqueza;
     mas tornou a sua mente altiva por causa da sua riqueza.
[6] Portanto, o Senhor *Yahweh* assim disse:
   'Porque tornou a sua mente
     como a mente de uma divindade,
[7] aqui estou eu e irei trazer contra você
     estrangeiros, a mais violenta das nações.
   Eles desembainharão as suas espadas contra a sua
     beleza astuta
     e perfurarão o seu esplendor.

EZEQUIEL 28:1-26 • A QUEDA DE UM REI

⁸ Para o Poço eles o levarão;
  você morrerá a morte dos traspassados
  no coração dos mares.
⁹ Você realmente dirá: "Eu sou uma divindade",
  diante dos seus assassinos,
  dado que você é um ser humano, não Deus —
  nas mãos das pessoas que o perfuram?
¹⁰ Você morrerá a morte dos incircuncisos
  nas mãos de estrangeiros,
  porque eu falei'"'"
  (declaração do Senhor *Yahweh*).

¹¹A mensagem de *Yahweh* veio a mim: ¹²"Jovem, entoe um lamento acerca do rei de Tiro. Você deve lhe dizer: 'O Senhor *Yahweh* assim disse:

"Você era o selo exato,
  cheio de astúcia, perfeito em beleza.
¹³ Estava no Éden, o jardim de Deus,
  com todas as pedras preciosas como sua
    cobertura:
  cornalina, topázio e diamante,
    berilo, ônix e jaspe,
  safira, turquesa e esmeralda,
    e ouro, o ornamento dos seus tamborins,
  e instrumentos de sopro que estavam em você,
    preparados no dia da sua criação.
¹⁴ Você era um querubim,
  ungido como o protetor, e eu o coloquei —
  você estava na montanha sagrada de Deus.
  Quando andava em meio a pedras flamejantes,
¹⁵ você era uma pessoa de integridade em todos os seus
    caminhos,
  desde o dia da sua criação,
    até que o erro apareceu em você.

EZEQUIEL 28:1-26 • A QUEDA DE UM REI

¹⁶ Por meio da abundância do seu comércio,
as pessoas encheram o seu meio com violência.
Você cometeu ofensas, e eu o estou profanando
para fora da montanha de Deus e destruindo-o,
querubim, o protetor,
do meio das pedras flamejantes.

¹⁷ A sua mente tornou-se altiva por causa da sua beleza;
você arruinou a sua astúcia por conta do seu esplendor.
Estou lançando você à terra;
diante de reis, o estou tornando em algo a se mirar.

¹⁸ Por causa da abundância de seus atos rebeldes,
pelas transgressões do seu comércio,
você tratou o seu grande santuário como comum.
Estou fazendo o fogo sair do seu meio,
e ele o está devorando.
Farei de você cinzas sobre a terra
diante dos olhos de todos os que o contemplam.

¹⁹ Todos os que o conhecem entre os povos
estão desolados por você.
Você se tornará um horror,
e não existirá mais, para sempre.""""

²⁰A mensagem de *Yahweh* veio a mim: ²¹"Jovem, volte o seu rosto na direção de Sidom e profetize contra ela. ²²Diga: 'O Senhor *Yahweh* assim disse:

"Aqui estou eu contra você, Sidom;
e obterei honra em seu meio.
Saberão que eu sou *Yahweh*,
quando implementar decisões contra você.
Eu me mostrarei santo em você
²³ e enviarei epidemia, e o sangue correrá em suas ruas.
Os mortos cairão em seu meio
pela espada que virá contra você de todos os lados,
e saberão que eu sou *Yahweh*."

EZEQUIEL 28:1-26 • A QUEDA DE UM REI

²⁴"Não haverá mais contra Israel a sarça espinhosa ou espinho perfurante de todos os povos ao redor que os tratam com desprezo, e eles saberão que eu sou o Senhor *Yahweh*."""

²⁵O Senhor *Yahweh* assim disse: "Quando reunir a casa de Israel dentre os povos para os quais eles foram dispersos, e me mostrar santo entre eles diante dos olhos das nações, eles viverão na terra que eu dei a Jacó, o meu servo, ²⁶e viverão ali em segurança. Construirão casas, plantarão vinhas e viverão em segurança quando eu implementar decisões sobre todos os povos que os tratam com desprezo, que estão ao redor deles. E eles saberão que eu sou *Yahweh* e o Deus deles."

Em nosso estudo bíblico na quarta-feira, alguns participantes perceberam coisas em Gênesis que não haviam notado antes, como a diferença no relato da criação entre o capítulo 1 e o 2. Então, uma das pessoas perguntou: "Onde era o jardim do Éden?" Engoli em seco, pois as pessoas podem se sentir perturbadas pelos desdobramentos que tais questões suscitam, mas me recompus para explicar como eu vejo esse tema. Os capítulos 1 e 2 de Gênesis falam sobre eventos reais: Deus criou o mundo e o providenciou para a humanidade; esta teve a oportunidade de viver em um relacionamento com Deus, mas escolheu seguir o seu próprio caminho. Gênesis, todavia, conta essa história de uma forma mais parecida com uma parábola ou uma pintura do que com uma fotografia. Os seus pontos geográficos ilustram os dois aspectos. O relato de Gênesis fala sobre quatro rios, o que sugere um lugar com uma geografia real, mas não podemos comparar a sua geografia com a geografia literal.

Depois de Gênesis, Ezequiel é o livro com a maioria das referências ao Éden (há a citação de um lugar comum, chamado Éden, no capítulo 27, mas a grafia é levemente diferente). Essa profecia ao rei de Tiro, igualmente, fala sobre um evento real, embora sua ocorrência ainda seja futura. Nessa conexão, ela recicla a imagem do jardim do Éden em uma nova direção, com um novo perfil. Essa passagem tem sido compreendida como uma descrição da queda de Satanás, mas, no contexto, trata-se de uma advertência acerca da queda vindoura do rei de Tiro. Nos dias de Ezequiel, o rei em questão era Etbaal, mas na profecia o nome do rei não é revelado; o foco da profecia não está em um rei específico ou em um rei particularmente ímpio, mas na linhagem real de Tiro. Profetizar sobre a queda do rei é profetizar sobre a queda da própria cidade.

Nessa advertência, o jardim se torna um retrato da magnificente posição da cidade no mundo dos dias de Ezequiel — não em terra, mas no mar. Adão se torna o rei de Tiro. O **querubim** que protege o jardim de mais usurpação, igualmente, se torna uma figura para o rei em sua posição como protetor de sua cidade e de seu povo. O entendimento torna-se algo que ele já possui em vez de ser algo que ele deseje e que se torna a causa da sua queda. Ele é tão astuto e sábio quanto Danel, o herói mítico, citado em Ezequiel 14, que aparece apropriadamente aqui, à luz do fato de que a sua história foi contada por pessoas não distantes de Tiro, em uma cidade chamada Ugarite — mediante descobertas nessa cidade é que conhecemos a história. O jardim é um lugar com ouro e pedras preciosas, mas elas se tornam o próprio rei. Não é, simplesmente, o jardim de Deus, mas a montanha **sagrada** de Deus, e a lista de pedras preciosas traça um paralelo com a lista das pedras presentes no peitoral usado pelo sumo sacerdote. O rei está em uma posição quase sacerdotal, assim como, real (no Oriente Médio, o rei de uma cidade também exercia a função de sacerdote). Enquanto o desejo

EZEQUIEL 28:1-26 • A QUEDA DE UM REI

que desviou Adão foi o de tomar as suas próprias **decisões**, o anseio que levou o rei ao desvio está relacionado a coisas materiais. Assim como a violência emergiu na família de Adão, a violência torna-se uma característica da cidade do rei. Do mesmo modo que Adão aspirou a ser como Deus, ser igual a Deus é algo que o rei reivindica, com base em no discernimento e nas suas realizações. A exemplo de Adão, que foi ameaçado com a perda de sua vida, mas a ameaça não foi imediatamente implementada, a ameaça feita a Adão será uma realidade para esse rei. Em lugar de ser capaz de viver na montanha sagrada de Deus, ele será removido do reino do sagrado porque o profanou.

Ao descrever o destino que ameaça o rei, Ezequiel se torna mais literal e repete a sua advertência anterior quanto a um ataque inimigo, mas o faz com mais precisão ao elaborar as suas implicações para o rei. Ao contrário de uma série de reis **judaítas**, nos derradeiros anos da vida independente de Judá, esse rei não será meramente deposto por um poder estrangeiro, mas também perderá a sua vida. O rei, provavelmente, seria circuncidado, uma prática comum no Oriente Médio; ser incircunciso é igual a ser bárbaro, incivilizado. Descrevê-lo como incircunciso é dizer que ele terá uma morte desonrada; morrer no campo de batalha, nas mãos de estrangeiros, provavelmente, significa ser privado de um sepultamento digno.

Sidom é outra importante cidade portuária, situada a cerca de quarenta quilômetros ao norte de Tiro e, portanto, na metade do caminho até Beirute. A breve advertência sobre a sua queda fornece um cenário para a promessa de alívio para **Israel**, e, por seu turno, essa promessa conduz a outra promessa mais positiva para Israel, que olha além do **exílio**, para a restauração do povo e a sua libertação a fim de retomar uma vida tranquila e segura.

EZEQUIEL **29:1–21**
"MEUS FILHOS ME DERROTARAM"

¹No décimo ano, no décimo mês, no décimo segundo dia do mês, a mensagem de *Yahweh* veio a mim: ²"Jovem, volte o seu rosto contra o faraó, rei do Egito, e profetize contra ele e contra todo o Egito. ³Fale o seguinte: 'O Senhor *Yahweh* assim disse:

"Aqui estou eu contra você,
    faraó, rei do Egito,
grande monstro se esticando
    no meio dos seus canais,
que disse: 'O Nilo é meu;
    eu sou aquele que o fez.'
⁴ Colocarei anzóis em suas mandíbulas
    e farei os peixes em seus canais grudarem às suas
        escamas.
Tirarei você do meio dos seus canais,
    com todos os peixes em seus canais grudados em suas
        escamas.
⁵ Eu o abandonarei no deserto,
    você e todos os peixes em seus canais.
Cairá em campo aberto;
    não será recolhido nem reunido.
Darei você como alimento às criaturas da terra
    e às aves dos céus.
⁶ E todos os habitantes do Egito
    saberão que eu sou *Yahweh*.
Porque foram um bordão feito de junco
    para a casa de Israel.
⁷ Quando eles o agarraram com as mãos, você se fraturou
    e rasgou os ombros deles.
Quando se inclinaram sobre você, você se quebrou
    e fez colapsar todo o lado deles."

EZEQUIEL 29:1-21 • "MEUS FILHOS ME DERROTARAM"

⁸Portanto, o Senhor *Yahweh* assim disse: "Aqui estou eu e irei trazer uma espada contra você. Cortarei de você seres humanos e animais. ⁹A terra do Egito se tornará em desolação e ruína. E saberão que eu sou *Yahweh*. Porque [o faraó] disse: 'O Nilo é meu; eu sou aquele que o fez', ¹⁰portanto aqui estou eu em direção a você e em direção aos seus canais. Farei da terra do Egito uma total ruína e desolação, desde Migdol a Sevene, até a distante fronteira com o Sudão. ¹¹Pés humanos e patas de animais não passarão por ali. Por quarenta anos, permanecerá desabitada. ¹²Farei da terra do Egito uma desolação no meio de terras desoladas, e as suas cidades em meio a cidades arruinadas serão uma desolação por quarenta anos. Espalharei os egípcios entre as nações e os dispersarei entre as terras."

¹³Pois o Senhor *Yahweh* assim disse: "Ao fim dos quarenta anos, reunirei os egípcios dentre os povos para os quais foram espalhados. ¹⁴Restaurarei a sorte dos egípcios e os trarei de volta da terra de Patros, para a terra de sua origem. Ali eles serão um reino humilde. ¹⁵Serão o mais humilde dos reinos; não mais se levantarão sobre as nações. Eu os farei pequenos para que não tenham domínio sobre as nações. ¹⁶Não serão mais um objeto de confiança para a casa de Israel, fazendo-a recordar de suas transgressões ao se voltar para eles. E saberão que eu sou o Senhor *Yahweh*.'"

¹⁷No vigésimo sétimo ano, no primeiro dia do primeiro mês, a mensagem de *Yahweh* veio a mim: ¹⁸"Jovem, Nabucodonosor, rei da Babilônia, fez as suas forças atuarem com grande servidão contra Tiro. Toda cabeça foi esfregada até ficar nua. Todo ombro ficou esfolado. Mas ele e as suas forças não receberam pagamento de Tiro pela servidão com que atuaram sobre ela. ¹⁹Portanto, o Senhor *Yahweh* assim disse: 'Aqui estou eu e irei dar a Nabucodonosor, rei da Babilônia, a terra do Egito. Ele carregará a sua riqueza, tomará espólio dela e se apoderará dela, e este será o pagamento por suas forças. ²⁰Como compensação por seu serviço, estou lhe dando a terra do Egito,

> porque agiram contra mim" (declaração do Senhor *Yahweh*).
> ²¹"Naquele dia, farei crescer um chifre para a casa de Israel, e
> para você, permitirei que abra a sua boca entre eles, e saberão
> que eu sou *Yahweh*.""'"

Há duas grandes, porém solenes, histórias envolvendo o rabino Eliezer, um mestre judeu que atuou antes e depois da queda de Jerusalém, no ano 70 d.C. Ele viveu em uma época na qual o povo judeu precisava discernir o significado da fé judaica, quando não mais era possível centralizá-la no templo. O rabino, então, adotou uma posição conservadora acerca de possíveis mudanças. Outros teólogos discordaram dele: Moisés havia dito que a **Torá** "não está lá em cima nos céus" (Deuteronômio 30:12); então, eles concluíram que a Torá havia sido dada para a interpretação dos eruditos, e as suas implicações seriam definidas pelas decisões dos estudiosos. Assim, podiam contradizer não somente o rabino Eliezer, mas o próprio Deus! Diz-se que Elias, o profeta, relatou que Deus riu-se e disse: "Os meus filhos me derrotaram!" Mais tarde, já perto de sua morte, conta-se que o rabino Eliezer posicionou os braços sobre o seu coração e, angustiado, declarou: "Ai de vocês, meus braços, que são como dois rolos da Torá que foram amarrados. [...] Ensinei muito sobre a Torá, mas os meus alunos absorveram de mim menos do que cabe em um conta-gotas."

Posso imaginar Ezequiel concordando com as duas histórias. Em seu livro, o profeta citou até aqui praticamente cinquenta vezes em que as pessoas saberiam quem *Yahweh* é, mas ele mesmo não tem visto evidências de isso ocorrer e, até onde sabemos, Ezequiel jamais viu. A julgar pela data que ele fornece, a sua mensagem sobre Nabucodonosor, registrada

EZEQUIEL 29:1-21 • "MEUS FILHOS ME DERROTARAM"

nesse capítulo, é a sua última (ela aparece aqui, antes de mensagens que, na realidade, foram recebidas anteriormente, porque diz respeito ao Egito, assunto do cap. 29). A data é 571 a.C., dois ou três anos após Nabucodonosor suspender o cerco a Tiro e três ou quatro anos antes de o rei babilônico, de fato, invadir o Egito e começar uma batalha que ele, pelo menos, reivindica ter vencido. É possível que Ezequiel tenha visto o evento e pudesse ter coisas a dizer após o ocorrido, mas, se isso aconteceu, essas palavras não foram preservadas. O ponto que o profeta estabelece nessa passagem diz respeito a uma questão que pode ser levantada por suas palavras acerca de uma espécie de obrigação que *Yahweh* sente em relação a Nabucodonosor, por este ser o seu agente na implementação do juízo divino. Aqui, em seu comentário final, Ezequiel reafirma que o julgamento não é a última palavra de *Yahweh*, pois ele fará crescer um chifre para **Israel**. O povo de Deus é como um touro cujo chifre é um símbolo de sua força; pode parecer que *Yahweh* cortou o seu chifre, mas ele crescerá novamente. No devido tempo, *Yahweh*, de fato, cumpre essa palavra, embora não (até onde sabemos) nos dias de Ezequiel. A exemplo de Jeremias, o profeta encerra o seu ministério e morre com os **judaítas** ainda no **exílio**, vivendo esperançoso e expressando palavras de esperança, mas não vendo a promessa se tornar realidade.

A história de Nabucodonosor e Tiro, igualmente, fornece um exemplo da disposição de Deus em permitir que os seus filhos o derrotem. Pode-se imaginar que havia uma íntima relação entre as declarações da intenção de Deus e os eventos que ocorriam no mundo, mas basta apenas um olhar sobre como as coisas ocorrem no mundo para ver que isso não é verdade. A soberania divina e a tomada de decisão humana estão entretecidas na forma com que os eventos acontecem. Não há dúvidas de que Deus poderia assegurar que apenas a sua vontade se tornasse realidade, mas ele não atua dessa maneira. Deus cumpre o seu propósito, mas ele está sempre disposto a adotar a visão de longo alcance. Ele até mesmo permitiu que o seu Filho fosse crucificado e transformou aquele evento em algo que poderia contribuir para o cumprimento do propósito divino em lugar de frustrá-lo.

Ao falar sobre o Egito, nesse capítulo, Ezequiel muda o foco de um poder regional do Norte (Tiro) para um poder regional ao Sul, que o deixará ocupado nos quatro capítulos seguintes. Apesar de ainda estar na **Babilônia**, o profeta não dá a mesma atenção a esse império que Isaías e Jeremias dão. Dificilmente ele o faz por estar com medo. O que leva Ezequiel a mudar o foco para o Egito é o fato de este poder ser visto pelos judaítas como a sua salvação, esperança que é compartilhada pelos exilados na Babilônia. O Egito é como um junco que se quebra quando você se apoia nele e o leva para baixo com ele.

Ezequiel discorre sobre as pretensões vazias do Egito a fim de desencorajar os judaítas a crer na publicidade egípcia, resultante da própria ilusão daquela nação. Como se o Egito pudesse, realmente, reivindicar ter criado o Nilo! Dificilmente há um exemplo mais impressionante de bênção do que um povo ter em seu meio um recurso tão fantástico, que eles não criaram ou obtiveram. Os egípcios, implicitamente, reconheciam o ponto em outros contextos, quando contrastavam favoravelmente o Egito, em detrimento de Canaã, região na qual as pessoas eram obrigadas a depender das chuvas incertas, uma espécie de substituto de segunda classe para o rio Nilo, caso desejassem ter esperança na abundância de suas colheitas.

Após *Yahweh* prever um futuro sombrio para o Egito, as suas promessas, no terceiro parágrafo, constituem uma surpresa.

Uma vez mais, precisamos ver as suas palavras no contexto dos pontos que ele está buscando mostrar a Judá, isto é, que os judaítas não devem tratar o Egito como a sua salvação. Todavia, por outro lado, *Yahweh* se preocupa com os egípcios tanto quanto se preocupa com os judaítas. Ele utiliza os mesmos termos em relação ao Egito que usa para Judá — fala sobre reunir o povo disperso e restaurar a sorte deles (Patros é o nome para o Alto Egito). *Yahweh* não mais permitirá que o Egito se torne um poder regional, pois isso ilustra o princípio de que o poder corrompe, e o poder absoluto corrompe absolutamente. A nação precisa ser protegida de si mesma, e Judá precisa ser protegido de confiar no Egito como sua salvação no futuro.

EZEQUIEL **30:1–26**
O DIA DO SENHOR PARA O EGITO

[1]A mensagem de *Yahweh* veio a mim: [2]"Jovem, profetize e diga: '*Yahweh* assim disse:

> "Uivem: 'Ai! Aquele dia!',
> [3]   pois o dia de *Yahweh* está próximo.
> Um dia de nuvens,
>   um tempo das nações, ele será.
> [4] A espada virá sobre o Egito,
>   a angústia cairá sobre o Sudão,
> quando os mortos caírem no Egito, e tirarem a sua riqueza,
>   e as suas fundações colapsarem.

[5]O Sudão, a Líbia e a Lídia, todo o grupo estrangeiro, Cirenaica, e os membros da terra da aliança, cairão à espada com eles."

[6] *Yahweh* assim disse:
> "Os povos que apoiam o Egito cairão;
>   a sua forte majestade afundará.
> Desde Migdol até Sevene,

eles cairão à espada"
(declaração do Senhor *Yahweh*).

[7]"Serão desolados em meio a terras desoladas, e as suas cidades estarão em meio a cidades arruinadas. [8]E saberão que eu sou *Yahweh* quando eu incendiar o Egito e todos os seus apoiadores forem quebrados. [9]Naquele dia, ajudantes sairão de diante de mim em navios, para aterrorizar o confiante Sudão. A angústia estará sobre eles, no dia do Egito, porque eis que está chegando."

[10]O Senhor *Yahweh* assim disse: "E eu colocarei um fim à horda do Egito pelas mãos de Nabucodonosor, rei da Babilônia. [11]Ele e sua companhia com ele, a mais violenta das nações, serão enviados para arruinar a terra. Desembainharão as suas espadas contra o Egito e encherão a terra com os mortos. [12]Transformarei os canais em solo seco e venderei a terra para as mãos de um povo perverso. Desolarei a terra e tudo o que há nela pela mão de estrangeiros. Eu, *Yahweh*, falei."

[13]O Senhor *Yahweh* assim disse: "Destruirei os ídolos e cessarei as nulidades de Mênfis. Não haverá mais um governante da terra do Egito. Espalharei o medo na terra do Egito. [14]Desolarei Patros. Incendiarei Zoã. Implementarei decisões em Tebas. [15]Derramarei a minha ira sobre Pelúsio, a fortaleza do Egito. Cortarei a horda de Tebas. [16]Porei fogo no Egito. Pelúsio se contorcerá e retorcerá. Tebas será despedaçada. Mênfis terá adversários, diariamente. [17]Os jovens de Heliópolis e de Pi-Besete cairão à espada. Elas irão para o exílio. [18]Em Tafnes, o dia escurecerá quando eu quebrar os jugos do Egito ali, e a sua forte majestade irá cessar nela. As nuvens a cobrirão, e os seus povoados irão para o cativeiro. [19]Implementarei decisões no Egito, e saberão que eu sou *Yahweh*.""

[20]No décimo primeiro ano, no primeiro mês, no sétimo dia do mês, a mensagem de *Yahweh* veio a mim: [21]"Jovem, estou quebrando o braço do faraó, rei do Egito. Eis que não está

EZEQUIEL 30:1-26 • O DIA DO SENHOR PARA O EGITO

atado para se curar, nem foi colocada uma bandagem para fortalecê-lo o suficiente para empunhar uma espada." [22]Portanto, o Senhor *Yahweh* assim disse: "Aqui estou eu contra o faraó, rei do Egito. Quebrarei os seus braços, o forte e o que já foi quebrado. Farei a espada cair de sua mão. [23]Espalharei os egípcios entre as nações e os dispersarei entre as terras. [24]Fortalecerei os braços do rei da Babilônia e colocarei a minha espada em suas mãos. Eu quebrarei os braços do faraó. Ele gemerá diante dele com os gemidos dos mortos. [25]Fortalecerei os braços do rei da Babilônia, mas os braços do faraó cairão. E saberão que eu sou *Yahweh*, quando colocar a minha espada nas mãos do rei da Babilônia e ele estendê-la contra a terra do Egito. [26]Espalharei os egípcios entre as nações e os dispersarei entre as terras, e saberão que eu sou *Yahweh*."

Ontem foi o domingo do Advento; então, na igreja, começamos a refletir sobre "o dia do Senhor". Na passagem do Evangelho em Lucas 21, Jesus nos encoraja a não termos medo ou ficarmos ansiosos com os conflitos entre as nações e nos adverte de não nos sobrecarregarmos com dissoluções e bebedeiras, para que "aquele dia", o dia no qual o Filho do Homem aparecerá, não nos pegue de surpresa, desprevenidos, como se fosse uma armadilha. A oração do Advento, portanto, fala da ligação e do contraste entre o tempo de nossa vida mortal no qual Jesus veio para nos visitar em humildade e daquele dia no qual ele virá em gloriosa majestade para julgar os vivos e os mortos. Lembrei-me de um filme ao qual assistimos dias atrás, *Procura-se um amigo para o fim do mundo*, cuja premissa era sobre um asteroide prestes a se colidir com o nosso planeta. O roteiro retratava formas distintas de lidar com esse evento iminente. O ponto de Jesus é que não iremos receber um aviso antecipado. Na realidade, os discípulos de

Jesus do presente século não estão propensos a se manter em temor por sua vinda. Deveríamos ser encorajados a estar mais ansiosos.

Com efeito, Ezequiel fornece um aviso prévio ao Egito e a seus aliados, exceto pelo fato de que, até onde sabemos, eles jamais ouviram a profecia e, mesmo que a tivessem ouvido, decerto lhe dariam pouca ou nenhuma atenção. Os **judaítas** no **exílio** são o público-alvo de Ezequiel. No começo de seu ministério, o profeta, a exemplo de Amós, reverteu as implicações do "dia de *Yahweh*". A audiência de Amós o imaginou como um dia de bênção, quando os seus inimigos seriam colocados em seu devido lugar, mas Amós os advertiu de que esse seria um dia de escuridão e aflição, quando seus inimigos seriam usados por Deus para lhes trazer tribulação; essa palavra recebeu a concordância de Ezequiel.

O profeta está aqui revertendo aquela reversão? De forma alguma. O dia de *Yahweh* está, de fato, sendo retratado como más notícias para as nações (especialmente o Egito), mas o Egito é um aliado de Judá e considerado um recurso a ser utilizado contra os **babilônios**; assim, as más notícias para o Egito também significam más notícias para Judá. Os Profetas têm a recorrente tarefa de reenquadrar o pensamento de Israel acerca das nações de seu mundo, e uma das importâncias dessas profecias sobre as nações é permitir que judeus e cristãos reestruturem o pensamento acerca das nações em seus respectivos mundos.

Uma das maneiras de Ezequiel fazer isso reside na natureza radical de sua crença na soberania de *Yahweh*. Ele é sincero em sua certeza de que *Yahweh* faz as coisas acontecerem neste mundo. É possível pensar e falar sobre a soberania divina de uma forma que não pareça implicar que essa soberania tenha muito peso no mundo. Todavia, o tem para Ezequiel.

Há, nesse capítulo, cerca de 28 verbos cujo sujeito é *Yahweh*: "Eu desolarei, exterminarei, incendiarei", e assim por diante.

Ezequiel, no entanto, não está pensando em termos de uma intervenção divina no mundo que não envolva agentes humanos. Não existem milagres no cenário do profeta. O rei da Babilônia é que, fisicamente, brandirá a espada e colocará fogo no Egito. A exemplo de outros profetas, Ezequiel compreende os eventos em dois níveis. Em nosso mundo, nos acostumamos a perguntas como "Meus neurônios me fizeram fazer isso?" (esse é o título de um livro escrito por colegas e amigos meus, no original, "Did my neurons make me do it?"). Na verdade, como sugere a minha esposa, é possível reverter a declaração — "Eu faço os meus neurônios", eu os modelo. Da mesma forma, afirmar que "Nabucodonosor fez isso" (movido por sua própria vontade) não é incompatível com dizer que "*Yahweh* fez isso".

Da declaração de Ezequiel sobre o faraó e Nabucodonosor, não devemos supor que a mão de Deus está em todos os bastidores da mesma maneira. Existe um significado especial acerca desses eventos por causa da sua ligação com a história de **Israel**, na qual Deus está envolvido com o propósito de alcançar determinados fins. Isso abre a possibilidade de questionar o envolvimento de Deus nos eventos de nosso tempo. Mas alguns eventos são apenas coisas que acontecem. Quando Jesus falou sobre conflitos entre as nações, sobre guerras e rumores de guerras, ele falava de eventos que não possuíam nenhum significado supremo.

Há outro sentido no qual Ezequiel nos convida a reestruturar a nossa compreensão em relação aos eventos na história. Ao falar acerca da chegada do dia de *Yahweh* para o Egito, o profeta não está discorrendo a respeito do fim da história, mas sobre um evento dentro dela. No caminho para o dia de *Yahweh*, que conduzirá a história a uma transformação radical, o dia de *Yahweh* ocorre inúmeras vezes, quando ele age de uma forma particularmente significativa, para trazer tribulação ou bênção.

EZEQUIEL **31:1–18**
ONDE O SOL NUNCA SE PÕE

¹No décimo primeiro ano, no terceiro mês, no primeiro dia do mês, a mensagem de *Yahweh* veio a mim: ²"Jovem, diga ao faraó, rei do Egito e à sua horda:

'A quem vocês se assemelham em sua grandeza? —
³ eis que a Assíria era um cedro no Líbano,
belo em ramos,
e um frondoso arbusto,
altivo em altura,
e o seu topo estava entre as nuvens.
⁴ As águas o tornavam grande, as profundezas o
faziam elevado,
seguindo com os seus rios em torno de sua
plantação.
Enviava os seus canais
a todas as árvores do campo.
⁵ Como resultado, a sua altura era mais elevada
do que todas as árvores do campo.
Os seus ramos abundavam, os seus galhos se
estendiam,
por causa das águas abundantes em seu canal.
⁶ Todas as aves dos céus
se aninhavam em seus ramos.
Todos os animais do campo
davam à luz debaixo de seus galhos.
Todas as grandes nações
viviam à sua sombra.

EZEQUIEL 31:1-18 • ONDE O SOL NUNCA SE PÕE

⁷ Era belo em seu grande tamanho, no comprimento de
  seus galhos,
    pois sua raiz estava junto a águas abundantes.
⁸ Os cedros no jardim de Deus não o ofuscavam,
    os zimbros não se equiparavam aos seus ramos.
  Nenhuma árvore no jardim de Deus
    igualava-se à sua beleza.
⁹ Eu o fiz belo
    na abundância de sua ramagem.
  Todas as árvores do Éden tinham inveja dele,
    aquelas no jardim de Deus.'

¹⁰"Portanto, o Senhor *Yahweh* assim disse: "Porque a sua altura era elevada e colocou o seu topo no meio das nuvens, e a sua atitude se tornou altiva em sua altura, ¹¹eu o entreguei nas mãos do líder das nações para que lide, definitivamente, com ele. De acordo com a sua infidelidade, eu o desapropriei. ¹²Estrangeiros, a mais violenta das nações, o cortaram e o abandonaram. Os seus ramos caíram sobre as montanhas e em todos os vales. Os seus galhos se quebraram em todas as ravinas da terra. Todos os povos da terra saíram de sua sombra e o deixaram. ¹³Sobre ele, caído, todas as aves dos céus vieram habitar, e para os seus galhos vieram todos os animais do campo — ¹⁴para que nenhuma árvore junto às águas se tornasse elevada em sua altura ou alçasse o seu topo entre as nuvens, nem qualquer outra poderosa, bebedora de água, se levantasse em sua altivez, porque todas elas foram entregues à morte, para a terra abaixo, em meio a todos os seres humanos, com as pessoas que descem ao Poço."

¹⁵O Senhor *Yahweh* assim disse: "No dia em que ele desceu ao Sheol, eu causei pranto, fechei o abismo sobre ele. Retive os seus rios; as abundantes águas foram detidas. Fiz o Líbano sofrer por causa dele. Todas as árvores do campo definharam por causa dele. ¹⁶Ao som de sua queda, fiz as nações estremecerem, quando o fiz descer ao Sheol com as pessoas que descem

ao Poço. Debaixo da terra, todas as árvores do Éden, as seletas e as melhores do Líbano, todas as bebedoras de água, encontraram consolação. **¹⁷**Também desceram com ele ao Sheol, para as pessoas mortas à espada, e seus aliados, aqueles que viviam sob a sua sombra entre as nações.

¹⁸A quem você se assemelha dessa maneira, em honra e grandeza, entre as árvores do Éden? Mas será derrubado com as árvores do Éden e irá para debaixo da terra. Entre os incircuncisos você deitará, com as pessoas mortas à espada. Este é o faraó e toda a sua horda"'" (declaração do Senhor *Yahweh*).

Recentemente, li a história sobre a vida cotidiana na Grã-Bretanha após a Segunda Guerra Mundial, o que me transportou de volta à minha infância, com memórias sobre racionamento de comida e de brincadeiras em crateras resultantes de bombas. Aqueles anos vieram após uma grande vitória, todavia foram anos de muita escassez e penúria. Então, quando a Grã-Bretanha começou a emergir de sua austeridade pós-guerra, vieram anos de rebelião em diferentes partes do império. O primeiro-ministro britânico reconheceu que "um vento de mudança" estava soprando na África e em outras regiões também. Um secretário de Estado norte-americano afirmou que a Grã-Bretanha "perdeu um império e ainda não encontrou um papel". A boa notícia é que agora, sem papel, o país parecia se tornar tão feliz quanto qualquer outro.

O comentário de Ezequiel significa que o grande poder no mundo de **Judá** precisa estar preparado para aprender as lições ensinadas pela história de uma grande potência anterior. "Lembram-se da **Assíria**?", pergunta o profeta. Ela não se autodescrevia como o império no qual o sol jamais iria se pôr, expressão aplicada à Espanha, então à Grã-Bretanha e, depois, aos Estados Unidos, pela posição dessas nações no mundo. Poderia facilmente fazê-lo, mas, ainda dentro do período de vida de muitos leitores de Ezequiel, o Império Assírio colapsou. O profeta segue citando o faraó, porém a sua audiência continua sendo constituída de judaítas exilados na **Babilônia**. A mensagem é recebida poucas semanas depois daquela do último parágrafo, no capítulo anterior, ainda durante o cerco a Jerusalém. Os hierosolimitas, na Babilônia, ainda nutrem esperanças acerca da libertação da cidade, de acordo com as promessas feitas pelos profetas do passado e os atuais. Eles não estão esperando por um milagre divino, mas apenas aguardam que o Egito cumpra com as suas obrigações como nação aliada de Judá. Isso não irá ocorrer, afirma Ezequiel.

A imagem da árvore é recorrente na descrição de um rei ou de um império. Ela sugere benevolência — o rei é bom para você, o império é bom. Ele o protege, é grande e imponente; motivo de orgulho para os seus. A "árvore" assíria cresceu junto a águas abundantes, como a árvore descrita no salmo 1. Nenhuma outra "árvore" era comparável a ela. Mesmo as árvores no próprio jardim de Deus a invejavam. Segundo autores posteriores, foi durante os dias de Ezequiel que o rei Nabucodonosor construiu os Jardins Suspensos da Babilônia, com suas inúmeras árvores, procurando imitar os jardins que a sua esposa conhecera na **Pérsia**. Se Nabucodonosor, de fato, construiu os jardins, decerto a audiência do profeta faria a conexão com essa obra.

O líder da nação a quem *Yahweh*, então, concede o poder sobre a Assíria, não era outro senão Nabucodonosor (Nabopolassar, o seu pai, era o rei quando a Assíria colapsou nos braços da Babilônia, mas foi o seu filho, Nabucodonosor, que obteve a vitória final na batalha de Carquemis, em 605 a.C., e que reinou durante os dias de Ezequiel e a sua comunidade).

O motivo da sua queda é a mesma recorrente nos Profetas. Embora eles critiquem a autoindulgência e a violência dos impérios, a nota dominante é o próprio fato de serem impérios. Eles são concentrações de poder humano que rivalizam com Deus e passam a se considerar Deus. Assim, para o próprio bem deles, para o bem de outros povos, de Deus e para estabelecer a verdade, esses impérios humanos devem ser colocados em seu devido lugar.

É estranho que as nações dentro do império lamentem a sua passagem, mas há certa segurança em estar sob a autoridade de um grande poder (além das vantagens materiais nos mercados disponíveis e a utilização das rotas comerciais protegidas pelo império). Em retorno pelo preço literal pago mediante impostos e tributos, e do poder subjetivo que é entregue ao império, este fornece proteção e ordem. Em contraste ao lamento dos povos dominados, os representantes de outras nações, que já estão presentes no Sheol, sentem satisfação pela queda do império. A passagem sobre o sentimento de uma árvore e a descida ao Sheol mescla dois motivos que são aplicáveis a um grande rei no Antigo Testamento. Daniel 4 retrata Nabucodonosor como uma árvore que é quase derrubada. Isaías 14 descreve a queda de um rei babilônico, a sua descida ao Sheol e a "recepção" que recebe dos demais reis que já estão lá. O "Poço" é apenas outra palavra para Sheol. A cova literal, na qual os corpos das pessoas são enterrados (ironicamente, isso seria especialmente para os pobres, não para reis) fornece uma imagem para o local do sepultamento do rei.

O último e breve parágrafo do capítulo retorna ao ponto estabelecido no início; a longa recordação quanto ao destino da Assíria é para que o Egito aprenda as lições dessa história. E o alvo secundário na conclamação ao Egito para aprender as lições da queda da Assíria é levar Judá a também aprendê--las. O povo de Deus é realmente insensato, caso acredite na existência de um império mundial duradouro capaz de auxiliá-los e protegê-los.

EZEQUIEL **32:1–32**
O GRANDE NIVELADOR

¹No décimo segundo ano, no décimo segundo mês, no primeiro dia do mês, a mensagem de *Yahweh* veio a mim: ²"Jovem, entoe um lamento acerca do faraó, rei do Egito. Você deve lhe dizer:

'Você se imagina como o leão das nações,
    mas é como o dragão nas águas.
Você se contorce em seus rios,
    agita as águas com os seus pés,
    e revolve a lama dos rios.
³ O Senhor *Yahweh* assim disse:
    "Estenderei a minha rede sobre você;
em uma assembleia de muitos povos,
    eu o levantarei para fora na minha rede.
⁴ Eu o deixarei sobre a terra;
    o lançarei sobre a superfície do campo.
Farei todas as aves dos céus pousarem em você;
    farei todos os animais da terra se fartarem de você.
⁵ Estenderei a sua carne sobre as montanhas
    e encherei os vales com a sua altura.
⁶ Encharcarei a terra com o fluxo
    do seu sangue sobre as montanhas,
    e as ravinas se encherão de você.
⁷ Cobrirei os céus quando eu o extinguir,
    farei escurecer as suas estrelas,
    e a lua não dará a sua luz.
⁸ Todas as luzes brilhantes nos céus,
    escurecerei sobre você.

Trarei escuridão sobre a sua terra"
(declaração do Senhor *Yahweh*),

⁹ "e perturbarei a mente de muitos povos,
quando eu o levar quebrado entre as nações,
para terras que você não conhece.

¹⁰ Farei muitos povos desolados por sua causa;
os seus reis se arrepiarão de horror por sua causa.
Quando eu brandir a minha espada no rosto deles,
eles tremerão sem parar, cada qual por sua própria vida,
no dia da sua queda."

¹¹ Pois o Senhor *Yahweh* assim disse:
"A espada do rei da Babilônia virá contra você.

¹² Pelas espadas dos guerreiros farei cair a sua horda,
a mais violenta entre as nações, todos eles.
Destruirão a majestade do Egito;
toda a sua horda será eliminada.

¹³ Aniquilarei todo o seu gado
junto a águas abundantes.
Pés humanos não mais as enlamearão,
nem cascos de animais as enlamearão.

¹⁴ Então, assentarei as suas águas,
farei os seus rios correrem como azeite"
(declaração do Senhor *Yahweh*).

¹⁵ "Quando eu fizer da terra do Egito uma desolação
e a terra estiver desolada do que a enchia,
quando abater todos os habitantes nela,
então saberão que eu sou *Yahweh*.

¹⁶ Este é um lamento, e as pessoas o entoarão;
as filhas das nações lamentarão com ele.
Sobre o Egito e sobre toda a sua horda,
lamentarão com ele"
(declaração do Senhor *Yahweh*).'"

¹⁷No décimo segundo ano, no décimo quinto dia do mês,
a mensagem de *Yahweh* veio a mim: ¹⁸"Jovem, lamente pela

EZEQUIEL 32:1-32 • O GRANDE NIVELADOR

horda do Egito. Deve fazê-los descer, ele e as cidades das nações poderosas, para as profundezas debaixo da terra, com as pessoas que descem ao Poço. [19]'A quem você supera em beleza? Desça e deite-se com os incircuncisos.' [20]Cairão entre pessoas mortas à espada. À espada foram entregues. Eles o estão arrastando com todas as suas hordas. [21]Os guerreiros mais poderosos falam com ele do meio do Sheol, com seus apoiadores. Os incircuncisos, pessoas mortas à espada, desceram e se deitaram. [22]A Assíria está ali, e toda a sua assembleia, ao redor dela, todos os seus sepulcros, todos eles mortos, pessoas que caíram à espada, [23]cujos túmulos foram colocados nas partes distantes do Poço, e a sua assembleia estava ao redor do seu túmulo, todos eles mortos, derrubados à espada, pessoas que haviam espalhado o terror na terra dos viventes. [24]O Elão está ali, e toda a sua horda, ao redor de sua tumba, todos mortos, derrubados à espada, pessoas que desceram incircuncisas às profundezas da terra, pessoas que haviam espalhado o terror na terra dos viventes, mas que vieram carregar a sua vergonha com as pessoas que descem ao Poço. [25]Entre os mortos, recebe uma cama, com todos os seus túmulos ao redor dele, todos eles incircuncisos, mortos à espada. Por causa do terror que espalharam na terra dos viventes, carregaram a sua vergonha com as pessoas que descem ao Poço; entre os mortos ele é colocado.

[26]Meseque e Tubal e toda a sua horda estão ali. Os seus túmulos ao redor deles. Todos eles são incircuncisos, perfurados à espada, porque espalharam o terror na terra dos viventes. [27]Não se deitam eles com os guerreiros dos incircuncisos que caíram, que desceram ao Sheol com seu equipamento de batalha, e colocaram as suas espadas sob a cabeça? Os seus atos rebeldes estão sobre os seus ossos, porque o terror dos guerreiros havia estado na terra dos viventes. [28]E vocês também serão quebrados entre os incircuncisos e se deitarão com pessoas mortas à espada. [29]Edom está ali, os seus reis e todos os seus governantes, que, apesar de todo o poder deles,

são colocados com pessoas mortas à espada. Aquelas pessoas repousam com os incircuncisos e com as pessoas que descem ao Poço. [30]Os líderes do Norte, todos eles, estão ali, e todos os sidônios, que desceram com os mortos apesar do terror provocado por seu poder, desonrados, e jazem incircuncisos com pessoas mortas à espada, e carregam a sua vergonha com o povo que desce ao Poço. [31]A estes, o faraó verá, e será consolado por toda a sua horda, homens do faraó que foram mortos à espada, e todas as suas forças" (declaração do Senhor *Yahweh*). [32]"Pois estou espalhando o meu terror na terra dos viventes. Ele se deitará entre os incircuncisos, com pessoas mortas à espada, o faraó e toda a sua horda" (declaração do Senhor *Yahweh*).

A cada celebração de ano-novo, a conhecida "Parada das Rosas" passa diante da nossa casa, em Pasadena, com a "Rainha", entronizada com grande destaque. Nancy, prima da minha esposa, foi eleita rainha da Parada das Rosas em 1952. Ela ainda acompanha quem das antigas rainhas ainda vive e não anseia pelo momento em que será a rainha mais idosa ainda viva. O ano em que Nancy foi coroada, 1952, também foi o ano em que a rainha Elizabeth II chegou a um trono diferente. Tanto em idade quanto em duração de reino, ela ultrapassou a rainha Vitória. Não sei se ela pensa nessas questões. Refletindo sobre as minhas próprias projeções de aposentadoria, descobri, pouco tempo atrás, que, estatisticamente, um homem da minha idade poderia viver até a idade de 85 anos. Assim, estou menos preocupado quanto a ser capaz de viver até concluir a série *O Antigo Testamento para todos*, agora que necessito apenas de mais quatro meses para concluí-la.

Nenhum ser humano normal deseja pensar muito sobre tais questões. Ezequiel, contudo, deseja que o faraó encare a morte, embora fale sobre isso para o bem dos exilados, seus

EZEQUIEL 32:1-32 • O GRANDE NIVELADOR

compatriotas, na **Babilônia**. A data, novamente, avança mais de um ano, de um modo mais significativo do que podemos, a princípio, imaginar. Não somente Jerusalém caiu; o capítulo seguinte nos revelará que as notícias sobre a queda da cidade, na realidade, alcançaram os **judaítas** na Babilônia algumas semanas antes. Agora não há mais sentido em esperar que Jerusalém seja salva e que os egípcios possam ser os prováveis libertadores. Não seria mais inapropriado ler Lamentações antes de ler este capítulo; Jerusalém está aniquilada. À luz das esperanças que os judaítas depositavam no Egito, talvez leiam o capítulo como uma consolação; pelo menos, também é verdade que o Egito irá colapsar. Mas o livro de Ezequiel faz uma transição de falar sobre a morte do povo de *Yahweh* para falar sobre a sua ressureição, e um dos efeitos do presente capítulo é sublinhar a dura realidade da morte.

A morte nos leva para debaixo da terra; toda a nossa pessoa desce à terra. Ela está repleta de pessoas mortas. É possível imaginá-las reunidas ali, sob a terra. Trata-se do Poço, "as profundezas da terra". Ninguém escapa dessa experiência, nem mesmo os seres humanos mais belos ou os guerreiros mais poderosos. Ezequiel enfatiza quão sombria essa experiência é ao apontar para a companhia que encontraremos ali. Incircuncisos — em outras palavras, bárbaros; pessoas mortas à espada que, provavelmente, não tiveram um sepultamento digno; pessoas violentas e causadoras de problemas, como os **assírios**. Ainda, pessoas que deveriam se envergonhar da vida que tiveram, como os elamitas; o Elão fora um grande poder, ao leste, no Irã, mas havia caído sob o domínio da Babilônia, de maneira que os seus dias de glória também haviam terminado. Meseque e Tubal, ao norte, conhecemos do capítulo 27; nos capítulos 37—39, ambos serão grandes poderes que participarão de uma grande batalha contra *Yahweh*, seu povo e seu propósito. A esses não é permitido morrer com os guerreiros, que tiveram uma morte honrada. O Egito será reunido a todos esses e a outros e descobrirá uma forma estranha de consolo por não estarem em uma situação pior do que esses outros fabricantes de guerra.

A morte é um grande nivelador. O Egito considerava-se como um leão entre as nações, mas é apenas um crocodilo ou um hipopótamo enlameando os rios. Trata-se de uma boa maneira de diminuir o Egito, pois o monstro marinho dava aos povos do Oriente Médio uma assustadora imagem para o poder dinâmico afirmado contra Deus. O salmo 104 desmistifica esse ser em uma espécie de monstro do lago Ness brincando na água. Isaías 30 zomba dele como uma entidade, supostamente dinâmica, que permanece sentada e nada faz (o que se enquadra nas advertências de Ezequiel quanto à insensatez de confiar no Egito). O profeta o desvaloriza de uma outra maneira; trata-se apenas de uma enfadonha criatura marinha que *Yahweh* não terá nenhuma dificuldade em capturar em sua rede, lançando-a em terra firme e abandonando-a para o consumo das demais criaturas. Embora o segundo parágrafo apresente o faraó obtendo consolo no fato de compartilhar o mesmo destino de outros grandes povos, esse primeiro parágrafo traz povos, menos importantes, perturbados pelo fato de o poderoso Egito ser facilmente capturado e derrubado.

EZEQUIEL **33:1–20**
A PONTE DE LONDRES ESTÁ CAINDO
(ENTÃO, FAÇA ALGUMA COISA)

[1]A mensagem de *Yahweh* veio a mim: [2]"Jovem, fale aos membros do seu povo e lhes diga: 'A respeito de uma terra: quando eu trouxer a espada contra ela, e o povo dessa terra tomar

alguém dentre os seus números e fizer dele o seu vigia, ³e ele vir a espada vindo contra a terra, e soprar o chifre e alertar o povo, ⁴e alguém ouvir o som do chifre, mas não der atenção ao aviso, e a espada vier e atingi-lo, o seu sangue estará sobre a sua cabeça. ⁵Ouviu o som do chifre, mas não deu atenção; o seu sangue estará sobre ele. Tivesse aquela pessoa dado atenção, ela teria salvado a sua vida. ⁶Mas se o vigia, ao ver a espada vindo, não soprar o chifre, e as pessoas não derem atenção, e a espada vier e tomar a vida de uma delas, a pessoa será tomada por suas próprias transgressões, mas eu demandarei o seu sangue do vigia. ⁷Assim, agora, jovem, eu fiz de você um vigia para a casa de Israel. Você ouvirá uma mensagem da minha boca e deve alertá-los da minha parte. ⁸Quando eu disser à pessoa infiel: "Infiel, você certamente morrerá", e você não falar para advertir a pessoa infiel de seu caminho, aquela pessoa infiel morrerá por causa da transgressão dela, mas demandarei o seu sangue da sua mão. ⁹Mas, quando tiver advertido a pessoa infiel quanto ao caminho dela, para que se desvie dele, e ela não se desviar do seu caminho, ela morrerá por sua transgressão, mas você resgatará a sua vida.'

¹⁰Assim, jovem, diga à casa de Israel: 'Vocês assim disseram: "As nossas rebeliões e as nossas ofensas repousam sobre nós. Por causa delas, estamos definhando, e como podemos viver?"'
¹¹Diga-lhes: 'Tão certo como eu vivo' (declaração do Senhor *Yahweh*), 'eu não desejo a morte da pessoa infiel [...] — antes, desejo que a pessoa infiel se desvie do seu caminho e viva. Voltem, voltem, de seus caminhos perversos. Por que deveriam morrer, casa de Israel?'

¹²Assim, jovem, diga aos membros do seu povo: 'A fidelidade da pessoa fiel não a resgatará no dia da sua rebelião, e a infidelidade da pessoa infiel — ela não cairá por causa dela, no dia em que se converter de sua infidelidade; e a pessoa fiel não será capaz de viver por causa dela no dia em que cometer ofensas. ¹³Quando eu disser, da pessoa fiel: "Ela, de fato, viverá", mas

ela confiar em sua fidelidade e agir errado, nada de sua fidelidade será lembrada. Por causa do erro que cometeu, ela morrerá. **14**E, quando eu disser à pessoa infiel: "Você, certamente, morrerá", e ela se converter de suas ofensas e tomar decisões fiéis **15**(a pessoa infiel devolver um penhor, restaurar o que foi roubado, andar pelas leis da vida, para não cometer erros), ela, certamente, viverá, não morrerá. **16**Nenhuma de suas ofensas que cometeu será lembrada por mim. Ela tomou decisões fiéis. Certamente, viverá.

17Os membros do seu povo dizem: "O caminho do Senhor não é justo." Mas o caminho deles é que não é justo. **18**Quando uma pessoa fiel se desvia de sua fidelidade e comete erros, ela morrerá por causa deles. **19**Quando uma pessoa infiel se desvia de sua infidelidade e faz decisões fiéis, por conta delas aquela pessoa viverá. **20**E vocês dizem: "O caminho do Senhor não é justo." Eu decidirei sobre cada pessoa de acordo com os seus caminhos, casa de Israel.'"

Minha esposa estava me mostrando algumas projeções que ela fez para a reforma que necessita ser realizada no condomínio em que residimos. Ao observar os edifícios residenciais, que estão sendo construídos em nossa cidade, sempre me preocupo com o fato de parecerem feitos de madeira aglomerada e de arame para galinheiros, mas, com frequência, sou tranquilizado com a informação de que o uso desse material é o mais adequado em regiões suscetíveis a terremotos. Tijolos como os usados na Grã-Bretanha não seriam uma boa ideia aqui. Agora, todavia, não para minha surpresa, descubro que as paredes e as fundações de nossa construção de quarenta anos correm o risco de deterioração. Está tudo bem; é possível fazer algo a respeito. Mas será que faremos tudo o que é necessário? A minha esposa precisa persuadir os demais proprietários de que devemos agir sem demora. Se não agirmos, com o tempo o nosso edifício poderá desmoronar.

Jerusalém caiu. Profecias com relação aos vizinhos e aliados de **Judá** ocuparam as páginas de oito capítulos, mas estes formam uma transição para o terço final do livro de Ezequiel. Eles o fazem em ordem cronológica; são provenientes, principalmente, dos meses derradeiros do cerco à cidade. Da mesma forma, o fazem em termos de assunto; eles incluem declarações de juízo sobre povos propensos a se alegrarem com a queda da cidade e, portanto, indicam um movimento na direção de um discurso mais esperançoso de Ezequiel.

O profeta começa com uma reafirmação da comissão de *Yahweh*. O primeiro parágrafo reafirma parte do capítulo 3. Ele lembra o povo da comissão que tem cumprido ao longo de sete anos. A implicação é: "Você pode estar profundamente desconsolado acerca do que aconteceu com Jerusalém, mas não pense que os habitantes da cidade passaram por maus pedaços sem motivo. Eles ignoraram as advertências que *Yahweh* lhes enviou." Uma vez mais, lembramos que o povo ao qual *Yahweh* enviou Ezequiel como vigia não estava vivendo em uma cidade sob ataque; eram pessoas já no **exílio** que, a despeito disso, ainda precisavam examinar a própria vida, a adoração na qual estavam engajadas ou se engajariam caso pudessem, além das formas da vida comunitária que seguiam ou que seguiriam caso tivessem a chance. Ezequiel soprou o chifre de advertência — elas não podem negar esse fato. Caso não tivessem feito esse autoexame, ainda seriam culpadas e, se perdessem a vida, não poderiam reclamar. Por outro lado, caso o profeta não tivesse feito a sua parte, ele se tornaria culpado de uma ofensa capital. Não é dito o que,

EZEQUIEL 33:1-20 • A PONTE DE LONDRES ESTÁ CAINDO

então, aconteceria — como *Yahweh* demandaria a culpa pelo sangue da pessoa da mão do vigia. Ele, todavia, corre o risco de *Yahweh* voltar-se contra ele, como o familiar de uma vítima de assassinato se comportaria em relação ao assassino.

Os exilados sentem-se desesperançados acerca da própria situação, como Ezequiel observa. Eles estão apenas passando o tempo; não conseguem enxergar nenhum futuro como povo. Há, no entanto, uma nota nova no que dizem, que contrasta com o que ouvimos deles até aqui. Eles sabem que estão nessa situação por causa das rebeliões e ofensas que pesam em seus ombros; não estão falando, meramente, sobre se sentirem oprimidos, mas sobre o fato objetivo de que estão no exílio, sem qualquer perspectiva de futuro, por causa de suas transgressões e ofensas. Jeremias 24 os descreveu como os figos bons, que contrastavam com os figos ruins deixados em Jerusalém, mas Jeremias quis expressar que eles eram figos sortudos, não figos totalmente saudáveis. Se alguma vez fingiram ser figos sadios, eles tinham desistido de fingir. O problema é que agora corriam o risco de passar do "Estamos bem" para "Não temos esperança".

Um dos efeitos da lembrança de Ezequiel acerca da sua delegação é sublinhar a natureza moral da relação de *Yahweh* com eles. Não é algo muito complexo. *Yahweh* não envia tribulação sem antes enviar uma advertência. Simplesmente, preste atenção. Ignore o vigia — você perde a sua vida. Dê atenção ao vigia — você salva a sua vida.

Em seus comentários sobre a pessoa fiel e a infiel, o foco reside na última. O ponto está no fato de que nunca é tarde demais para dar meia-volta. Ezequiel, uma vez mais, deixa claro que as declarações de julgamento de *Yahweh* sempre são designadas a se frustrarem, a não se cumprirem. Quanto mais duras e inequívocas são as palavras de *Yahweh*, tanto mais certo é que ele anseia pela resposta correta das pessoas e que seja desnecessário cumpri-las. Assim, em lugar de lamentarem, os exilados devem começar a assumir a responsabilidade por seus atos. Há somente algumas atitudes básicas em relação às demais pessoas que eles precisam corrigir, como parar de tirar proveito da necessidade dos outros para ganhar dinheiro.

EZEQUIEL **33:21–33**
SOBRE COMO NÃO OUVIR UM CANTOR/COMPOSITOR

[21]No décimo segundo ano do nosso exílio, no décimo mês, no quinto dia do mês, um sobrevivente de Jerusalém veio a mim, dizendo: "A cidade foi derrubada." [22]A mão de *Yahweh* havia estado sobre mim na noite anterior à vinda do sobrevivente, e ela abriu a minha boca, antes que ele viesse a mim, de manhã. Assim, a minha boca se abrira. Eu não era mais mudo.

[23]A mensagem de *Yahweh* veio a mim: [24]"Jovem, o povo que vive nessas ruínas sobre a terra de Israel está dizendo: 'Abraão era um homem, mas ele veio a possuir a terra; enquanto somos muitos. Essa terra é dada a nós como uma posse.' [25]Portanto, diga-lhes: 'O Senhor *Yahweh* assim disse: "Vocês comem com sangue, erguem os olhos aos seus ídolos e derramam sangue — e entrarão na posse da terra? [26]Vocês se apoiaram em sua espada, cometeram ultrajes e cada um de vocês contaminou a esposa de seu próximo — e entrarão na posse da terra?"' [27]Você deve lhes dizer: 'O Senhor *Yahweh* assim disse: "Tão certo como eu vivo, as pessoas nas ruínas cairão à espada, e entregarei as pessoas no campo aos animais para que as devorem, e as pessoas nas fortalezas e nas cavernas morrerão em uma epidemia. [...] [28]Tornarei a terra em desolação e devastação. Sua forte majestade cessará, as montanhas de Israel serão desoladas, ninguém mais passará nelas, [29]e saberão que eu sou *Yahweh*, quando eu

EZEQUIEL 33:21-33 • SOBRE COMO NÃO OUVIR UM CANTOR/COMPOSITOR

tornar a terra em desolação e devastação por causa de todos os ultrajes que eles cometeram.'"

[30]Mas você, jovem: os membros do seu povo estão falando sobre você junto aos muros e aos umbrais das casas. Um fala ao outro, um homem ao seu irmão: 'Venham, ouçam a mensagem que está vindo de *Yahweh*.' [31]Eles virão até você, como as pessoas vêm, e se assentarão à sua frente, e ouvirão as suas palavras. Mas eles não as cumprirão, pois, enquanto fazem sons amorosos com a boca, a mente deles está indo atrás do saque. [32]E ali está você, como um cantor de sons amorosos para eles, com voz bela e que toca bem o instrumento. Eles ouvem as suas palavras, mas nenhum deles as está cumprindo. [33]Mas, quando isso acontecer (eis que está vindo), saberão que um profeta esteve entre eles."

Já comentei que estamos celebrando o Advento enquanto escrevo e, alguns dias atrás, eu estava planejando os cultos de Natal e escolhendo quais e quando cantar diferentes canções natalinas. Nosso maior culto de Natal é celebrado na véspera, não perto da meia-noite, como o fazem muitas igrejas, mas iniciando às 18h30. Acho que deve ser assim para que as pessoas não tenham de sair muito tarde e as crianças possam participar. Devemos iniciar entoando uma canção informal à luz de velas, a partir das 18 horas. É muito fácil, todavia, promover momentos de emoção com um coral infantil cantando hinos de Natal, à luz de velas, diante de uma manjedoura cenográfica, especialmente a canção "Away in a Manger" [Longe, em uma manjedoura].

As pessoas podem cantar com profunda e sincera emoção, mas isso é tudo? Podem apreciar o coral, o organista e, até mesmo, o pastor, mas isso é tudo? A pergunta de Ezequiel é: Isso amanhã fará diferença na vida das pessoas?

EZEQUIEL 33:21-33 • SOBRE COMO NÃO OUVIR UM CANTOR/COMPOSITOR

Chegaram notícias informando que Jerusalém, por fim, caíra diante dos babilônios (a data é anterior a algumas datas registradas em capítulos precedentes porque, às vezes, o livro é organizado mais por assuntos do que por ordem cronológica). Embora se fale em termos da "queda" de Jerusalém, na verdade ela não "caiu"; foi empurrada. Ezequiel discorre mais vívida e dolorosamente sobre a destruição da cidade. Algo ocorrera ao profeta, no dia anterior, de maneira que a chegada daquela notícia não o surpreendeu. Ele não diz que recebeu a notícia de forma antecipada, mas sabia que *Yahweh* havia removido a restrição que ele mesmo colocara na fala do profeta, e sabemos, do capítulo 24, que essa experiência estaria ligada à chegada de notícias. Talvez Ezequiel implique que já deixara claro às pessoas que a restrição fora removida e que aguardava a chegada de notícias a qualquer momento. Isso, igualmente, teria o efeito de fornecer ainda mais evidências de que *Yahweh*, de fato, falava por meio dele.

A primeira mensagem que Ezequiel expressa, após a chegada da notícia, segue sendo a respeito das pessoas deixadas em Jerusalém, acerca das quais ele tem falado, com frequência, aos seus parentes e amigos na **Babilônia**. O posicionamento das profecias não significa, necessariamente, que essa tenha sido a primeira mensagem recebida pelo profeta, após a chegada da notícia da queda. Parece mais provável que houve um breve período antes de as pessoas em Jerusalém se recuperarem do golpe o suficiente para incentivar os murmúrios que o profeta reporta aqui. Mas, no devido tempo, pelo menos, eles conseguem enxergar a possibilidade de terem a sua vida de volta. O exército babilônico se fora, e os sobreviventes não imaginam o retorno dos exilados, o que, claramente, deixa a terra à disposição daqueles que nunca saíram, ou a volta dos que fugiram em busca de refúgio do

EZEQUIEL 33:21-33 • SOBRE COMO NÃO OUVIR UM CANTOR/COMPOSITOR

outro lado do Jordão, ou em outras regiões, e que agora estão livres para retornar à cidade.

Ezequiel continua a olhar para a situação da perspectiva religiosa e moral, não apenas política. A situação, politicamente falando, havia mudado; religiosa e moralmente, não. Inexistia base política para afirmar que mais tribulação estaria vindo sobre **Judá**. Por outro lado, existe fundamento religioso e moral para afirmar isso. Sem mudanças, pode não haver futuro. Até onde sabemos, não ocorreram mais desastres militares em Judá nos cinquenta anos seguintes, mas, da mesma maneira, também não houve um desenvolvimento minimamente positivo.

Os judaítas na Babilônia, portanto, podem apreciar ouvir Ezequiel falando assim, mas, se for o caso (a exemplo de outros profetas, como Amós), o profeta os está amolecendo, antes de calçar a bota. Caso confirmem a sua mensagem, estarão se autocondenando. De fato, é agradável ouvir um pregador falar contra outras pessoas, especialmente se a mensagem tiver implicações positivas para você. As palavras finais do profeta são, provocantemente, ambíguas. Em um contexto mais amplo, seria possível pensar que a expressão "isso" significasse o conteúdo de "canções" favoritas entre o povo, que descreviam o propósito positivo de *Yahweh* para a comunidade e, assim, contrastavam com a conversa de mais tribulações sobre as pessoas em Judá. Todavia, acompanhando a crítica acerca das pessoas que apreciam ouvir o seu cantor/compositor, mas que não atentam para o que ele diz, o mais provável é que a conversa sobre algo estar vindo e, então, as pessoas reconhecerem *Yahweh*, tenha a sua implicação usual; isto é, que mais tribulação está a caminho para os exilados, do mesmo modo que para aqueles em Jerusalém. Como eles reagirão determinará se o que está por vir são boas ou más notícias.

EZEQUIEL **34:1-31**
O BOM PASTOR

¹A mensagem de *Yahweh* veio a mim: ²"Jovem, profetize contra os pastores de Israel. Profetize e lhes diga: 'Sobre os pastores, o Senhor *Yahweh* assim disse: "Ai dos pastores de Israel, que apascentam a si mesmos. Não é o rebanho que os pastores devem pastorear? ³Vocês comem a gordura e se vestem de lã, sacrificam os mais cevados, não pastoreiam o rebanho. ⁴Não fortaleceram a fraca, não curaram a doente, nem enfaixaram a ferida, não trouxeram de volta a desgarrada, nem buscaram a perdida, mas as tratam com dureza e crueldade. ⁵Elas se dispersaram pela falta de um pastor e se tornaram em alimento para qualquer animal do campo quando se dispersaram. ⁶O meu rebanho vagueia por todas as montanhas e por todas as colinas elevadas. O meu rebanho está disperso sobre a face da terra. Não há ninguém procurando e ninguém olhando."'

⁷'Portanto, pastores, ouçam a mensagem de *Yahweh*: ⁸"Tão certo como eu vivo" (declaração do Senhor *Yahweh*), "porque o meu rebanho se tornou despojo e se tornou comida para qualquer animal do campo pela falta de alguém pastoreando, e os meus pastores não procuraram o meu rebanho, mas os pastores pastorearam a si mesmos, não pastorearam o meu rebanho." ⁹Portanto, ouçam vocês, pastores, a mensagem de *Yahweh*. ¹⁰O Senhor *Yahweh* assim disse: "Aqui estou eu contra os pastores. Buscarei o meu rebanho da terra deles. Eu os farei parar de pastorear o rebanho, e os pastores não mais pastorearão a si mesmos. Resgatarei o meu rebanho da boca deles. Não serão mais alimento para eles."

¹¹Pois o Senhor *Yahweh* assim disse: "Aqui estou, eu mesmo, e procurarei as minhas ovelhas e perguntarei por elas. ¹²Como um pastor que procura pelo seu rebanho quando está entre seu rebanho disperso, assim buscarei as minhas ovelhas e as resgatarei de todos os lugares para os quais se espalharam, no dia de nuvem e de escuridão. ¹³Eu as tirarei dos povos, as reunirei

dentre as nações e as trarei para a sua terra. Eu as apascentarei sobre as montanhas de Israel, junto a cursos de água e junto a todos os povoados da terra. **¹⁴**Em boas pastagens, as apascentarei; o seu pasto será nas altas montanhas de Israel. Ali deitarão em bons pastos e pastarão em boas pastagens nas montanhas de Israel. **¹⁵**Eu mesmo pastorearei as minhas ovelhas e as farei se deitarem" (declaração do Senhor *Yahweh*). **¹⁶**"Procurarei as perdidas, trarei de volta as dispersas, enfaixarei as feridas e fortalecerei as fracas. Mas as gordas e fortes destruirei. Eu pastorearei com juízo."

¹⁷"Assim, você, meu rebanho" (o Senhor *Yahweh* assim disse): "Aqui estou eu e irei decidir entre um animal e outro. Sobre carneiros e bodes. **¹⁸**É pouco para vocês pastarem em boas pastagens e pisotearem o que foi deixado do seu pasto? E que bebam da água mais clara e límpida, mas enlameiem o que é deixado com os seus pés, **¹⁹**de maneira que o meu rebanho paste sobre o que os seus pés pisotearam e beba o que enlamearam?" **²⁰**Portanto, o Senhor *Yahweh* assim disse a eles: "Aqui estou eu e decidirei entre o animal gordo e o animal magro. **²¹**Porque vocês empurraram com o flanco e os ombros e forçaram seus chifres contra todas as enfermas, até as dispersarem pela terra, **²²**mas eu libertarei o meu rebanho, e ele não mais será despojo. Decidirei entre um animal e outro.

²³E estabelecerei sobre elas um pastor, e ele as apascentará, Davi, o meu servo. Ele é quem as apascentará. Será o pastor delas. **²⁴**Eu, *Yahweh*, serei o seu Deus, com o meu servo Davi governando entre elas. Eu, *Yahweh*, falei. **²⁵**Selarei uma aliança de bem-estar para elas. Impedirei as criaturas malignas da terra. Viverão no deserto com segurança e dormirão nas florestas. **²⁶**Farei delas e dos arredores da minha colina uma bênção. Farei a chuva cair em sua estação; serão regadores que trazem bênção. **²⁷**As árvores do campo darão o seu fruto; a terra dará a sua produção. Estarão em segurança na sua terra e saberão que eu sou *Yahweh*, quando eu quebrar as barras do seu jugo e

EZEQUIEL 34:1-31 • O BOM PASTOR

resgatá-las das pessoas que as fazem servi-las. ²⁸Não mais serão despojo para as nações. As criaturas do campo não as comerão, mas elas viverão com segurança, sem ninguém a perturbá-las. ²⁹Estabelecerei para elas uma plantação de renome, e não serão mais levadas pela fome na terra. Não mais carregarão a vergonha da nação. ³⁰E saberão que eu, *Yahweh*, o seu Deus, estou com elas, e que elas, a casa de Israel, são o meu povo" (declaração do Senhor *Yahweh*). ³¹"Vocês, meu rebanho, o rebanho que eu pastoreio, vocês são humanos, e eu sou o seu Deus"'" (declaração do Senhor *Yahweh*).

Estávamos assistindo a um filme armênio que foi, precisamente, descrito como piegas e peculiar. No meio do filme, sem qualquer motivo aparente, pelo que me lembro, um rebanho de ovelhas preencheu a tela, e a minha esposa comentou: "Deve haver lobos à espreita." "Por que você diz isso?", perguntei. "Quando há ovelhas, sempre há lobos", ela replicou.

Não sei se foi um comentário excessivamente sombrio, mas a forma com que Ezequiel olha para Israel era verídica em seus dias. A imagem do povo como um rebanho e do líder como pastor é comum no Antigo Testamento. Povos da Mesopotâmia descreviam o rei como o seu pastor, embora o Antigo Testamento fale mais de pastores (no plural) com referência a sacerdotes e profetas, além de a governantes. A imagem possui um pano de fundo na vida cotidiana e **comum**, na qual as pessoas estavam familiarizadas com rebanhos e pastores. A maneira com que Ezequiel tem falado acerca de profetas e de sacerdotes significa que ele não teria objeções caso os seus leitores aplicassem a sua mensagem a esses líderes, mas o fim do capítulo sugere que ele está pensando, principalmente, nos reis. A sequência dos monarcas que conduziram a esse momento na história de **Judá** justificaria certo cinismo a respeito deles; a sequência mais longa, considerando a monarquia dos quatro ou cinco séculos anteriores, forneceria ainda mais evidências. Quando **Israel**, primeiramente, expressou o desejo de ser governado por reis, Samuel os advertiu de que isso lhes custaria um preço, e Ezequiel, simplesmente, está apontando que Samuel estava certo. Mas o ato de não ligar a imagem dos pastores diretamente aos reis chama a atenção para o fato de que a monarquia não é a única forma de liderança similar aos lobos. Rei, rainha, presidente, primeiro-ministro, premiê, governador, chefe; todos são suscetíveis à tentação descrita por Ezequiel. O uso da palavra "pastor" para designar o líder da congregação também sublinha quanto essa tentação também está presente no seio da igreja, do mesmo modo que no Estado.

A tentação fundamental é a liderança se tornar uma forma de satisfazer os interesses do próprio líder, em lugar de atender às necessidades daqueles que ele, supostamente, deveria cuidar. A prioridade do pastor é assegurar que eles próprios estejam bem, e, para esse fim, estão dispostos a maltratar os animais que já estão em más condições. A ausência de pastores não soluciona esse problema; apenas significa que os membros do rebanho vagueiam sem supervisão e se tornam presas fáceis de lobos. O encorajamento, no contexto atual, é a intenção de **Yahweh** de agir como o bom pastor. Ele trará as suas ovelhas de volta a uma terra abundante e verdejante, com um bom suprimento de água.

Ezequiel aprecia elaborar uma imagem até que ela se torne uma alegoria; assim ele faz com o retrato do pastor e do rebanho. Os pastores e os lobos não são os únicos que se aproveitam do rebanho; há uma divisão no próprio rebanho. A referência a carneiros e bodes pressupõe que os rebanhos incluam tanto ovelhas quanto cabras (a expressão "ovelhas e cabras" aqui não se refere a animais que pertencem ao rebanho e aqueles que não pertencem, como no relato de Jesus em Mateus 25). Os carneiros e os bodes, mais fortes, podem assegurar para si o acesso ao melhor das pastagens e das águas e não se preocupam em dificultar a vida dos demais animais. Ezequiel, portanto, evita sugerir que Judá pode culpar os seus reis por tudo de ruim. Os membros do rebanho também devem olhar para si mesmos. A liderança abomina o vácuo. Se não houver um rei, outras formas de liderança surgirão, e o mais poderoso membro de uma comunidade pode ser tão nocivo para a comunidade quanto um rei. A questão que os membros do rebanho devem fazer é: "Há alguém que pareça menos nutrido que eu?" Se a resposta for positiva, é porque estou monopolizando o sustento e/ou atrapalhando o acesso de outras pessoas a ele?

Parece surpreendente que *Yahweh*, então, fale em estabelecer um bom pastor humano sobre o seu rebanho. Haverá um novo Davi assentado no trono davídico. Por que *Yahweh* não continua pastoreando em pessoa? Talvez seja significativo que o envio de um novo Davi seja após *Yahweh*, pessoalmente, corrigir as coisas para o rebanho; o trabalho que agora necessita ser feito é mais de manutenção da situação. Ainda, é notável que Ezequiel não chame esse novo Davi de rei, mas de governante — o termo hebraico, em geral, traduzido por "príncipe". No evento, o governante davídico, após o **exílio**, Zorobabel, será um governador, não um rei. No tempo devido, Jesus nascerá como um novo Davi, e ele também será um rei no sentido literal.

Além disso, de modo algum *Yahweh* estará ausente da cena. Ele cuidará da manutenção da obra que está realizando para restaurar a boa vida do seu rebanho. Serão o seu povo, e ele será o Deus deles, e eles saberão disso.

EZEQUIEL 35:1—36:15
DOIS POVOS, UMA TERRA

¹A mensagem de *Yahweh* veio a mim: ²"Jovem, volte o seu rosto contra o monte Seir e profetize contra ele. ³Você deve dizer-lhe: 'O Senhor *Yahweh* assim disse: "Aqui estou eu contra você, monte Seir, e estenderei a minha mão contra você e farei de você uma desolação e devastação. ⁴Tornarei as suas cidades em ruínas, e você será uma desolação, e saberá que eu sou *Yahweh*. ⁵Porque você tinha uma inimizade antiga e lançou os israelitas ao poder da espada na hora da calamidade deles, na hora da transgressão final deles, ⁶tão certo como eu vivo" (declaração do Senhor *Yahweh*), "eu o farei sangrar; o sangue o perseguirá. Visto que não repudiou o sangue, o sangue o perseguirá. ⁷Tornarei o monte Seir em desolação e devastação e cortarei dele todos os transeuntes, todos os que vêm e que vão. ⁸Encherei as suas montanhas com os seus mortos. As suas colinas, os seus vales e todos os seus cursos d'água — pessoas mortas à espada cairão neles. ⁹Farei de você uma desolação duradoura, as suas cidades não serão habitadas, e saberá que eu sou *Yahweh*. ¹⁰Pois você disse: 'As duas nações e as duas terras serão minhas, e nós as possuiremos' (mas *Yahweh* estava lá). ¹¹Portanto, tão certo como eu vivo" (declaração do Senhor *Yahweh*), "agirei de acordo com a sua ira e a sua paixão com que agiu em seu repúdio contra eles. Eu me farei conhecido entre eles quando julgar você. ¹²Saberá que eu, *Yahweh*, ouvi todos os seus insultos, os quais expressou sobre as montanhas de Israel: 'Eles estão desolados e foram entregues a nós como alimento.' ¹³Agiu com grandeza contra mim com a sua boca e fez as suas palavras proliferarem contra mim. Eu mesmo ouvi."

¹⁴O Senhor *Yahweh* assim disse: "De acordo com a celebração em toda a terra, farei de você uma desolação. ¹⁵De acordo com a sua celebração sobre a posse do que pertencia à casa de Israel, pois ela se tornou desolada, assim agirei contra você. Você se tornará uma desolação, monte Seir, e todo o Edom, todo ele. E saberão que eu sou *Yahweh*."'"

CAPÍTULO 36

1"E você, jovem, profetize às montanhas de Israel. Diga: 'Montanhas de Israel, ouçam a mensagem de *Yahweh*: **2**"O Senhor *Yahweh* assim disse: 'Porque o inimigo disse sobre vocês: "Ah, os antigos lugares altos se tornaram nossos como uma possessão", **3**profetize e diga: "O Senhor *Yahweh* assim disse: 'Pois sim, por causa da grande desolação e do pisoteamento sobre vocês de todos em derredor, para que se tornassem a possessão das nações remanescentes, e fossem levados à língua maliciosa e caluniosa dos povos, **4**montanhas de Israel, ouçam a palavra do Senhor *Yahweh*. O Senhor *Yahweh* assim disse às montanhas e colinas, aos cursos d'água, às ruínas desoladas, às cidades abandonadas que se tornaram despojo e escárnio para as nações remanescentes, que estão ao seu redor — **5**portanto, o Senhor *Yahweh* assim disse: "Falei, em minha ira passional, contra as nações remanescentes e contra Edom, todo ele, que fizeram da minha terra uma possessão para si mesmos, com celebração sincera e desprezo de espírito, como despojo para o bem de um espaço aberto [...].'" **6**Portanto, profetize sobre a terra de Israel. Você deve dizer às montanhas e colinas, aos cursos d'água e aos vales: 'O Senhor *Yahweh* assim disse: "Aqui estou eu e irei falar com paixão e fúria, pois vocês carregaram a vergonha das nações." **7**Portanto, o Senhor *Yahweh* assim disse: "Eu mesmo levantei a minha mão [para jurar]: Se as nações que estão ao seu redor não carregarem a vergonha delas [...].

8Mas vocês, montanhas de Israel, produzirão os seus ramos e carregarão os seus frutos para o meu povo, Israel, porque eles estão perto de retornar. **9**Pois aqui estou eu com vocês, e me voltarei para vocês, e serão servidos e semeados. **10**Farei abundantes as pessoas em seu meio, toda a casa de Israel, toda ela. As cidades serão habitadas, e as ruínas, edificadas. **11**Multiplicarei em você os seres humanos e os animais; eles serão muitos e frutíferos. Eu as povoarei como eram antes e tornarei as coisas boas para vocês, melhores do que eram antes,

EZEQUIEL 35:1—36:15 • DOIS POVOS, UMA TERRA

e saberão que eu sou *Yahweh*. ¹²Farei o meu povo, Israel, andar sobre vocês. Eles as possuirão, e vocês serão deles. Nunca mais os enlutarão.""""""

¹³O Senhor *Yahweh* assim disse: "Porque estão lhe dizendo: 'Você tem sido aquele que devora seres humanos, que enluta as suas nações', ¹⁴não mais devorará seres humanos, não mais enlutará as suas nações novamente" (declaração do Senhor *Yahweh*). ¹⁵"Não mais deixarei a vergonha das nações ser ouvida. Você não mais carregará o insulto dos povos. Não mais fará colapsar as suas nações" (declaração do Senhor *Yahweh*).

Meu coração congelou quando vi que uma das resoluções apresentadas na convenção de nossa igreja, no sábado passado, dizia respeito a Israel e à Palestina. Percebi, antes, como é fácil para os cristãos (e outros) se solidarizarem com os israelenses e, então, demonizarem os palestinos, ou vice-versa. Mas descobri que a resolução reconhecia a tragédia presente na anexação dos dois povos ao mesmo território e expressava uma preocupação tanto com os movimentos islâmicos que desejam eliminar os judeus daquela região quanto com as políticas exclusivistas dos israelenses.

É, ao mesmo tempo, encorajador e desencorajador ver como as tensões e a rivalidade sobre essa terra remontam a três mil anos, embora as dinâmicas dessa tensão mudem ao longo dos diferentes séculos. A profecia de Ezequiel acerca dela reflete uma dinâmica. "Monte Seir" é uma expressão para Edom, a área ao sul e a sudeste de **Judá**. O capítulo 25 já se referiu a Edom e fez menção à "antiga inimizade" de Edom. No Antigo Testamento, a inimizade remonta ao relacionamento entre Esaú e Jacó, os respectivos ancestrais dos edomitas e de **Israel**, e, então, à história em Números 20. Após os dias de Ezequiel, os edomitas conquistaram grande parte da região sul da terra de Judá. As menções, nos Profetas, às ações hostis de Edom implicam que, no tempo de Ezequiel, os edomitas estavam se aproveitando da derrota e da fragilidade de Judá. Ainda, eles colaboravam com os **babilônios** em troca de alguma recompensa em termos de terra. O Antigo Testamento, todavia, não nos fornece informações claras sobre o que aconteceu. Ezequiel, decerto, vê os edomitas como parcialmente responsáveis pelos problemas de Judá. Era o tempo da "transgressão final" de Judá — a ofensa que, por fim, fez Deus agir em juízo. Mas isso não significou que os edomitas ficariam impunes das suas ações, que eram expressões puras de inimizade e de ambição. Eles estavam dispostos a derramar sangue, e Deus declarou, no início de toda a história humana, que aqueles que derramassem sangue teriam o seu sangue derramado (Gênesis 9). Lá, como aqui, trata-se de uma lei do comportamento humano e, da mesma maneira, uma lei que Deus está preparado para confirmar e usar.

As duas nações, referidas por Ezequiel, e que o último parágrafo do capítulo descreve simplesmente como "as nações", são **Efraim** e Judá. Existe certa hipérbole em sua declaração de que os edomitas aspiravam a conquistar todo o território das duas nações e algum exagero em sua descrição acerca da retribuição que *Yahweh* trará — na verdade, *Yahweh* não traz sobre Edom a calamidade retratada pelo profeta. Uma indicação de que não devemos considerar literais as suas palavras é a repetição de sentenças, em diferentes capítulos, para descrever a transgressão e a punição de diferentes povos; trata-se de uma linguagem convencional e figurada.

As "nações remanescentes" são, então, os povos que não foram tão seriamente devastados, quanto Judá, pelos babilônios — os povos citados no capítulo 25. Do mesmo modo que Ezequiel fala a Edom e às demais nações, embora os judaítas no **exílio** sejam a sua "verdadeira" audiência, o profeta fala à região montanhosa de Israel, mas o seu "verdadeiro" público-alvo são os judaítas exilados. A mensagem de *Yahweh* à terra constitui boas notícias para o povo que será o meio pelo qual *Yahweh* cumprirá as suas promessas à terra. Para a sua audiência real, "Eles estão perto de retornar" significa "Vocês estão perto de retornar". Paradoxalmente, a chegada de más notícias quanto a Judá ser punido por sua "transgressão final" é encorajadora, pois abre caminho para a restauração. A sua terra tem sido uma que devora e enluta o seu povo, pois pertence a *Yahweh* e age como seu agente quando o povo está no desvio. Aquela dinâmica, no entanto, está para ser abolida.

Não temos meios de verificar se Judá, em geral, ou se Ezequiel, em particular, são justos em suas acusações contra Edom, e que formam a base para as declarações do profeta sobre o destino dos edomitas. Mas podemos dizer que elas mostram como essas declarações pressupõem uma base moral para as ações de *Yahweh*. Quando Judá erra, ele perde a sua terra. *Yahweh* não fica do lado de Judá contra Edom apenas porque ele tem favoritos. Em nosso próprio contexto, Deus não age em favor de israelenses ou de palestinos somente porque possui favoritos. Eles precisam questionar-se a respeito de sua antiga e agora recente inimizade, sobre seu envolvimento em derramamento de sangue, sobre as próprias transgressões, sobre a natureza do seu desejo pela terra e sua atitude em relação à anexação de outros povos à mesma terra, sobre como enxergam o envolvimento de Deus em seu conflito. Eles podem fazê-lo em esperança, conscientes do propósito divino para essa terra, embora também com algum medo, conscientes da sua ira em relação ao que acontece ali.

EZEQUIEL 36:16-38
NÃO HÁ CURA

[16]A mensagem de *Yahweh* veio a mim: [17]"Jovem, a casa de Israel estava vivendo em sua terra, mas a contaminaram com seus caminhos e seus feitos. Aos meus olhos, o caminho deles era como a contaminação de uma mulher que é tabu. [18]Assim, derramei a minha fúria sobre eles pelo sangue que derramaram sobre a terra e por tê-la contaminado com os seus ídolos. [19]Eu os espalhei entre as nações, e eles foram dispersos entre as terras. De acordo com o caminho deles e os seus feitos, eu os julguei. [20]Eles foram às nações e, por onde foram, trataram o meu nome como comum, quando as pessoas diziam deles: 'Esse é o povo de *Yahweh*, mas deixaram a sua terra.' [21]Mas tive pena do meu sagrado nome, o qual a casa de Israel levou a ser tratado como comum entre as nações para onde foram. [22]Portanto, diga à casa de Israel: 'O Senhor *Yahweh* assim disse: "Não é para o seu bem que irei agir, casa de Israel, mas por meu sagrado nome, o qual vocês levaram a ser tratado como comum entre as nações para as quais foram. [23]Mostrarei a santidade do meu grande nome, o qual tem sido tratado como comum entre as nações em cujo meio vocês o levaram a ser tratado como comum, e as nações saberão que eu sou *Yahweh*", (declaração do Senhor *Yahweh*), "quando eu me mostrar santo por meio de vocês diante dos olhos deles.

[24]Eu os tirarei das nações, os reunirei de todas as terras e trarei vocês até a sua terra. [25]Jogarei água limpa sobre vocês, e ficarão puros. De todas as suas contaminações e de todos os seus ídolos eu os purificarei. [26]Darei a vocês uma nova mente e colocarei um novo espírito dentro de vocês. Removerei a mente de pedra de sua carne e lhes darei uma mente de carne [27]e colocarei o meu espírito dentro de vocês. Farei isso para que andem pelas minhas leis e guardem as minhas decisões e as cumpram. [28]Viverão na terra que dei aos seus ancestrais e serão o meu povo, e eu serei o seu Deus. [29]Livrarei vocês

EZEQUIEL 36:16-38 • NÃO HÁ CURA

de todas as suas contaminações. Convocarei o grão e o farei abundante e não trarei fome sobre vocês. [30]Farei abundar o fruto de suas árvores e a produção dos campos, para que vocês não mais recebam insultos entre as nações por causa da fome. [31]Vocês se lembrarão dos seus caminhos maus e de seus feitos que não eram bons e serão repugnantes à sua própria vista por causa dos seus atos rebeldes e de seus ultrajes. [32]Não é para o seu bem que irei agir" (declaração do Senhor *Yahweh*), "que seja do seu conhecimento. Sinta-se desonrada e envergonhada por causa dos seus caminhos, casa de Israel".

[33]O Senhor *Yahweh* assim disse: "No dia em que eu purificar vocês de todos os seus atos rebeldes, povoarei as suas cidades, as ruínas serão edificadas, [34]e a terra desolada será servida em lugar de ser uma desolação à vista de todos os que passam. [35]As pessoas dirão: 'Aquela terra que era desolada tornou-se como o jardim do Éden, e as cidades que estavam arruinadas, desoladas e devastadas, as pessoas vivem nelas, fortificadas.' [36]E as nações que permanecerem ao redor de vocês saberão que eu, *Yahweh*, reconstruí as devastações; plantei as desolações. Eu, *Yahweh*, falei e agirei."

[37]O Senhor *Yahweh* assim disse: "Ainda, nisto permitirei que eu seja procurado pela casa de Israel, para agir por eles. Farei as pessoas tão abundantes quanto ovelhas. [38]Como os rebanhos sagrados, como os rebanhos de Jerusalém em suas ocasiões estabelecidas, assim as cidades arruinadas estarão cheias de rebanhos humanos, e eles saberão que eu sou *Yahweh*."""

Outro destaque da convenção da nossa igreja, que mencionei em meu comentário sobre Ezequiel 35, foi a celebração do quinquagésimo aniversário de um centro de tratamento para viciados, localizado a apenas algumas quadras de minha residência. Em um testemunho gravado, um alcoólatra em recuperação usou mais de uma vez a palavra "milagre" para

EZEQUIEL 36:16-38 • NÃO HÁ CURA

sublinhar o fato de ainda estar vivo, para falar sobre como, de alguma forma, ele parou de viver em negação, reconheceu o seu problema, foi capaz de buscar ajuda e abriu-se à possibilidade de recuperar a sua vida, de salvar a si próprio, bem como de salvar a sua família. Ele, contudo, ainda se autodescreveu como um "alcoólatra em recuperação" e falou sobre não haver cura para o seu vício. Ele não pode tomar nem uma gota de álcool, como eu posso. Se, no dia seguinte, fosse a um bar e pedisse uma cerveja, voltaria ao ponto de partida. Ele nem mesmo bebeu o vinho da comunhão. Ele foi transformado; e, ao mesmo tempo, ainda não foi.

Ezequiel fala de **Israel** ser transformado, e ele foi; e, no entanto, não foi. Ele precisava mudar, tornar-se disposto a adorar somente a *Yahweh*, abandonar as imagens, parar de usar o **nome** de *Yahweh* em vão, guardar o sábado, cessar o sacrifício infantil, e assim por diante. Israel acatou esses desafios nos séculos seguintes. Deus lhes concedeu uma nova atitude e um novo espírito. Nos dias de Ezequiel, era como se eles tivessem uma mente dura e inflexível, feita de pedra. Deus prometeu dar ao seu povo uma mente feita de carne, viva, macia e maleável (no Antigo Testamento, a ideia de "carne" não carregava as conotações negativas que, com frequência, o termo tem sobre si nas cartas de Paulo). Deus assim fez. Mas Israel permaneceu como um alcoólatra em recuperação; a queda ainda era possível, o povo ainda era passível de cometer erros graves. Mas poderiam olhar para trás, recordar como as coisas eram e se maravilharem pelo fato de ainda estarem vivos. Ezequiel, portanto, segue falando em hipérbole. Deus dará ao povo uma nova atitude e um novo espírito; sucederá, todavia, que a antiga atitude e o antigo espírito ainda permanecerão lá.

Por meio de Jesus, aquela transformação foi estendida ao mundo gentílico, mas a igreja também existe como corpo transformado e, contudo, ainda não é. Pode-se olhar para a história da igreja em outro país e em outros tempos e sentir horror diante da cegueira e das falhas; igrejas, em outros países, olham para a minha igreja com esse olhar, e as igrejas, em outras épocas, fizeram o mesmo. A igreja é um corpo com uma nova atitude e um novo espírito; e não é. A imagem, uma vez mais, envolve hipérbole. Assim, lemos a promessa de Ezequiel de um modo que suscita um anseio para que o milagre, descrito por aquele viciado em recuperação, ocorra em nós; o milagre de reconhecer que temos um problema e que não podemos resolvê-lo por nossa própria conta.

Ezequiel é alguém com um discurso duro. "Sabe por que Deus fará uma transformação na sua vida? Não pense que é para o seu bem. É para o bem de Deus. O próprio nome de Deus é desacreditado pela confusão na sua vida, resultante do seu pecado. Assim, ele irá limpar a bagunça para o bem do próprio nome." Isso nos coloca em nosso devido lugar e declara que nós, seres humanos, e as nossas necessidades, não somos o centro do Universo, mas o faz de uma forma encorajadora. Isso nos fornece uma base poderosa para confiar e orar. O discurso de Ezequiel acerca de contaminação e purificação, e também sobre a repugnância, a vergonha e a desonra, possui implicações similares. Um dos efeitos das nossas transgressões é tornar impossível o nosso acesso à presença de Deus. A nossa contaminação não permite. Deus, no entanto, nos quer em sua presença. Assim, ele não conclama Israel a se autopurificar antes de se aproximar dele. Ele é que agirá para purificá-los; ele derramará água sobre eles (não apenas aspergirá água sobre eles, mas os encharcará). O excesso de autorrepugnância, de vergonha e desonra pode ser debilitante e paralisante, mas a dose apropriada pode ser motivadora e galvanizadora.

EZEQUIEL 37:1–14
O VALE DE OSSOS SECOS

¹A mão de *Yahweh* veio sobre mim e me levou pelo vento de *Yahweh* e me colocou no meio de um vale. Estava cheio de ossos. ²Ele me fez passar no meio deles, por toda parte. Eis que haviam muitos na superfície do vale e estavam muito secos. ³Ele me disse: "Jovem, podem esses ossos voltar à vida?" Eu disse: "Senhor *Yahweh*, tu o sabes." ⁴Ele me disse: "Profetize a esses ossos. Diga-lhes: 'Vocês, ossos secos, ouçam a mensagem de *Yahweh*.'" ⁵O Senhor *Yahweh* assim disse a esses ossos: "Eis que irei trazer o sopro a vocês, e voltarão à vida. ⁶Colocarei músculos em vocês, trarei carne sobre vocês, espalharei pele sobre vocês, e colocarei sopro em seu interior, e voltarão à vida, e saberão que eu sou *Yahweh*." ⁷Profetizei como me fora ordenado, e um som veio enquanto eu profetizava, e eis que houve um tremor, e os ossos se aproximaram, osso com osso. ⁸Olhei, e eis que havia músculos sobre eles, e carne surgiu, e a pele se espalhou sobre eles, por cima. Mas não havia sopro neles. ⁹Ele me disse: "Profetize ao sopro, profetize, jovem. Você deve dizer ao sopro: 'O Senhor *Yahweh* assim disse: "Venha desde os quatro ventos, ó sopro, e sopre dentro desses mortos, para que eles voltem à vida."'" ¹⁰Assim, profetizei como me fora ordenado, e o sopro entrou neles. Eles voltaram à vida e se puseram em pé, uma força muito, muito grande.

¹¹Ele me disse: "Jovem, esses ossos são toda a casa de Israel. Eis que estão dizendo: 'Nossos ossos estão secos, a nossa esperança pereceu. Estamos totalmente acabados.' ¹²Portanto, profetize e lhes diga: 'O Senhor *Yahweh* assim disse: "Eis que irei abrir as suas sepulturas e os farei sair de suas sepulturas, meu povo, e os trarei de volta à terra de Israel. ¹³Saberão que eu sou *Yahweh* quando eu abrir as suas sepulturas e tirá-los de suas sepulturas, meu povo. ¹⁴Colocarei o meu espírito em vocês, e voltarão à vida, e eu os estabelecerei na sua terra, e saberão que eu, *Yahweh*, falei e agi"'" (declaração de *Yahweh*).

Certa noite, assistimos ao filme *Carrossel*, a antiga versão de Rodgers e Hammerstein, e ficamos refletindo sobre a importância de uma de suas grandes canções, "You'll Never Walk Alone" [Você nunca andará sozinho]. Mantenha a sua cabeça erguida quando andar no meio da tempestade, porque ao fim dela há um céu dourado, promete a letra. Você pode andar com esperança em seu coração e jamais estará sozinho. Verdade? Nos anos 1960, os torcedores do Liverpool, um clube de futebol da Inglaterra, adotaram essa canção como seu hino, em meio a um contexto de depressão e de recessão na cidade. Está assobiando ao vento? É uma promessa similar à presente na canção posterior de Hammerstein, "Whistle a Happy Tune" [Assobie uma melodia feliz]; se você assobiar uma melodia feliz, ninguém perceberá que você está com medo? Ou como a promessa de Charlie Chaplin, em sua canção "Smile", de que, se você sorrir, descobrirá que vale a pena viver?

Ezequiel almeja que os **judaítas** na **Babilônia**, e em Jerusalém, mantenham a cabeça erguida e não tenham medo da escuridão, mas saibam que devem evitar viver na negação que essas canções implicam, ou que não vivam com base na presunção de que manter a cabeça elevada ou assobiar uma melodia alegre pode solucionar todos os seus problemas. Para ser justo com eles, o profeta fala como se não estivessem em negação. O pano de fundo de sua visão dos ossos secos é a avaliação sombria deles com respeito à própria situação. Os seus ossos estão secos; em outras palavras, eles estão total e irremediavelmente mortos. Quando os **israelitas** rolam a pedra que cerra a entrada do sepulcro de seus familiares para ali sepultar outro parente que morreu, tudo que resta daqueles que morreram antes são os seus ossos secos. Esse fato fornece uma metáfora para a compreensão da comunidade quanto a si mesma. Ela está acabada. Expressando de outra forma, a sua esperança jaz morta. Embora Ezequiel possa incluir uma alusão à esperança subjetiva deles (a esperança que sentem), o profeta, pelo menos, também está preocupado com a esperança objetiva dos judaítas. Estão aniquilados como povo, e não há futuro para eles.

Portanto, há pouca perspectiva de eles se autoencorajarem assobiando uma canção alegre ou de alimentarem a certeza de que jamais andarão sozinhos, exceto se lhes for dado um bom motivo para isso. Felizmente, Ezequiel pode lhes fornecer algum motivo. A tarefa de um profeta, em geral, é perturbar os confortáveis e confortar os perturbados. Os profetas existem para ser um ponto de discordância no meio de seu povo. Quando o seu povo imaginou que havia um futuro para eles, a missão de Ezequiel foi revelar a inexistência dele. Agora que eles acham que não há mais futuro, o trabalho do profeta é mostrar que ele existe. Os judaítas se sentem como pessoas mortas e enterradas. Está certo, diz Deus, eu abrirei os seus túmulos e os trarei de volta à vida. Assim, Ezequiel não está falando sobre a ressurreição de indivíduos, mas da ressurreição da nação. Quando o povo de Deus parece estar aniquilado, ele não está.

A sua visão parabólica ou sua parábola visionária estabelece esse ponto. A palavra hebraica *ruah* tanto significa vento, sopro quanto espírito. Por "espírito", o termo denota o poder de vida inerente em uma pessoa que encontra expressão em uma ação dinâmica. Jesus Cristo diz a Nicodemos, em João 3, que é necessário nascer do espírito; nessa afirmação, ele usa o mesmo significado amplo da palavra. Deus é o supremo e dinâmico poder de vida. Nos dias de Ezequiel, assim como nos de Isaías, os judaítas foram tentados a confiar nos recursos militares do Egito, mas Isaías 31 observou que os egípcios eram meros seres humanos, não Deus, e seus cavalos eram carne, não espírito. Pelo fato de a palavra "espírito" sugerir uma vivacidade extraordinária e vigorosa, o mesmo termo significa vento, a misteriosa manifestação de um poder extraordinário e vigoroso; ele é invisível, mas pode derrubar árvores. E, por espírito sugerir um poder dinâmico de vida, a mesma palavra significa sopro, fôlego, o misterioso movimento de ar que é muito menos dramático, mas igualmente vital e vivificante; se não houver sopro, não há vida.

É impossível expressar em nosso idioma o uso que Ezequiel faz do termo hebraico referente a vento, sopro e espírito. Na visão do profeta, ele é sequestrado e carregado pelo *ruah* de *Yahweh*. Ele vê o remanescente de um exército derrotado espalhado sobre uma planície, com seus ossos brancos reluzindo ao sol. Não há perspectiva de esse exército lutar novamente. O profeta, todavia, é instruído a pregar aos ossos, o que parece tão tolo quanto o chamado posterior de Jesus a Lázaro, morto e já sepultado por quatro dias em sua tumba. Ezequiel deve lhes dizer que *Yahweh* irá reconstituí-los como corpo e, então, irá colocar *ruah* no interior deles para que, uma vez mais, sejam corpos viventes, não apenas esqueletos reformados, nem mesmo cadáveres reconstituídos, os quais não são melhores do que ossos espalhados. Ele profetiza ao *ruah* quádruplo e o convoca a entrar nos cadáveres reconstituídos, o que, de fato, acontece. Eles se colocam em pé, um exército pronto a entrar novamente em combate.

Judá está morto. Contudo, *Yahweh* pretende trazê-lo de volta à vida e restabelecê-lo na sua terra, cheio de uma nova vida. Então, ele poderá assobiar e andar de cabeça erguida. O povo de Deus não é dependente da negação, mas da promessa de Deus.

Os pregadores, hoje, podem sentir que estão diante de pessoas que conseguem pensar somente dentro de uma estrutura determinada pela nossa cultura e que isso é o mesmo que pregar a ossos secos. Podem, então, ser tentados a aceitar os termos daquela estrutura em sua pregação, mas, agindo assim, arriscam perder o conteúdo do evangelho, que pressupõe uma estrutura diferente. A parábola de Ezequiel os encoraja a resistir a essa tentação e a permitir às suas palavras a possibilidade de desempenharem um importante papel na tarefa de trazer os ossos de volta à vida.

EZEQUIEL **37:15–28**
SOBRE SER PÓS-DENOMINACIONAL

15A mensagem de *Yahweh* veio a mim: **16**"E você, jovem, apanhe um pedaço de madeira e escreva nele: 'Pertence a Judá e aos israelitas que são seus associados', e apanhe outro pedaço de madeira e escreva nele: 'Pertence a José (o pedaço de madeira de Efraim) e a todos da casa de Israel que são seus associados.' **17**Traga-os perto um do outro para que se tornem um pedaço de madeira. Eles devem se tornar um em sua mão. **18**E, quando membros do seu povo lhe disserem: 'Você não nos contará o que são essas coisas?', **19**diga-lhes: 'O Senhor *Yahweh* assim disse: "Aqui estou eu e irei pegar o pedaço de madeira de José que está na mão de Efraim, e os clãs israelitas que são seus associados, e os colocarei com o pedaço de madeira de Judá, e farei deles um único pedaço de madeira. Eles serão um em minhas mãos."'

20Os pedaços de madeira nos quais você escreveu devem estar em suas mãos diante dos olhos deles, **21**e deve lhes dizer: 'O Senhor *Yahweh* assim disse: "Aqui estou eu e irei tirar os israelitas dentre as nações para as quais foram, os reunirei de todos os lados, e os trarei para a terra deles. **22**Farei deles uma só nação na terra, nas montanhas de Israel. Um rei será o rei para todos eles. Não haverá duas nações novamente. Nunca mais eles se dividirão em dois reinos. **23**Não se contaminarão novamente com os seus ídolos, as suas abominações e todas as suas rebeliões. Eu os livrarei de todos os seus assentamentos nos quais cometeram ofensas, e os purificarei, e serão o meu povo, e serei o seu Deus. ²⁴Davi, meu servo, será rei sobre eles, e todos terão um só pastor. Andarão pelas minhas decisões, e guardarão as minhas leis e as cumprirão. ²⁵Viverão na terra que dei ao meu servo, Jacó, na qual os seus ancestrais viveram. Viverão nela, eles e seus filhos e netos, para sempre, com Davi, meu servo, como seu governante para sempre. ²⁶Selarei uma aliança de bem-estar com eles. Será uma aliança duradoura com eles. Eu a darei a eles e os farei crescer e colocarei o meu santuário no meio deles para sempre. ²⁷A minha habitação estará com eles. Serei o seu Deus, e eles serão o meu povo. ²⁸E as nações saberão que eu sou *Yahweh*, aquele que santifica Israel, quando o meu santuário estiver no meio deles para sempre.""

Meu comentário final sobre a convenção de nossa igreja (eu prometo) diz respeito a uma resolução tipicamente episcopal. Trata-se de uma proposta para que os membros do conselho de uma igreja (que denominamos sacristia) sejam pessoas que já tenham sido confirmadas, o que excluiria a maioria das pessoas que não possuem um histórico episcopal. Alegrei-me ao ver o reitor de uma das maiores igrejas na diocese (com quem, frequentemente, discordo) se levantar e declarar que aquele era um passo para trás, pois vivemos em uma era "pós-denominacional". As pessoas, hoje, são mais propensas a frequentar uma igreja próxima de onde vivem, na qual se sentem em casa, em lugar de ir a uma igreja pelo fato de ela ser episcopal, batista ou presbiteriana. A resolução foi derrotada.

Pode-se dizer que Ezequiel está prometendo a chegada de uma era pós-denominacional, embora essa avaliação seja anacrônica. Por mais de um século, inúmeras denominações têm

EZEQUIEL 37:15-28 • SOBRE SER PÓS-DENOMINACIONAL

buscado migrar para uma unidade mais estrutural, embora a imagem "pós-denominacional" sugira evitar uma preocupação pela unidade formal e ignorar os diferentes rótulos exibidos pelas igrejas. A ação de Ezequiel com os dois pedaços de madeira que são transformados em um, como por mágica, é outro ato simbólico, mas agora ele transmite uma promessa, não uma ameaça. A imagem implica algo estrutural, embora algo mais parecido com o pós-denominacional tenha sido o que Israel veio a experimentar. O pano de fundo de sua promessa é o fato de **Judá** e de **Efraim** terem se dividido em dois reinos, com duas monarquias distintas, mais de três séculos antes dos dias do profeta. Na verdade, após dois séculos da divisão, Efraim deixou de existir como nação. A promessa de Ezequiel é, portanto, duplamente ousada.

O seu pano de fundo é um fato teológico que, igualmente, sublinha a preocupação com a unidade da igreja. **Israel** é um só povo; a igreja é um só corpo. Como, então, Israel pode ser duas nações com dois governos, às vezes em guerra uma com a outra? Como é possível a igreja ser constituída de centenas de denominações, com centenas de lideranças, às vezes, excomungando-se mutuamente, ou martirizando cada qual os membros das demais denominações? Sou propenso a imaginar que a oração de Jesus, em João 17, "para que sejam um", é a oração menos respondida da história.

Nomear os dois povos é uma tarefa complexa. Judá era o nome de uma das nações, mas ela havia absorvido Simeão, e, por motivos práticos, isso, mais ou menos, incluía Benjamim; além disso, havia pessoas de Efraim que se assentaram em Judá, mas sabiam que não eram, de fato, judaítas. Embora Efraim fosse um dos nomes para a outra nação, ela pode ser também ligada a José (José era o pai de Efraim e de Manassés, os ancestrais dos clãs que dominavam o reino do Norte), e, mais frequentemente, a Israel, mas esse é um nome aplicado também a todo o povo. A unidade prometida por **Yahweh** está implícita no fato de todos os clãs terem em Jacó a sua descendência comum. Isso será salvaguardado pelo retorno deles à situação na qual todos tinham um único rei, um descendente davídico, assim como era nos dias do próprio Davi. A promessa fala em termos da situação dos clãs de volta à sua terra natal, mas Ezequiel ainda está falando ao povo exilado na **Babilônia** e, portanto, fala em termos de *Yahweh* levar todos os exilados de volta, para formarem esse novo e único povo. A promessa acerca de um santuário será desenvolvida nos nove capítulos finais do livro de Ezequiel.

EZEQUIEL **38:1–23**
A ÚLTIMA GRANDE BATALHA (1)

[1]A mensagem de *Yahweh* veio a mim: [2]"Jovem, volte o seu rosto na direção de Gogue, na terra de Magogue, o governante mais elevado em Meseque e Tubal. Você deve profetizar contra ele [3]e dizer: 'O Senhor *Yahweh* assim disse: "Aqui estou eu contra você, Gogue, governante mais elevado em Meseque e Tubal. [4]Farei você girar, porei anzóis em suas mandíbulas e o farei sair com todo o seu exército, seus cavalos e seus cavaleiros, totalmente armados, de uma grande multidão, com escudos pequenos e grandes, brandindo espadas, todos eles. [5]A Pérsia, o Sudão e Pute estão com eles, todos eles com escudos e capacetes; [6]Gômer e todas as suas legiões, Bete-Togarma, no extremo norte, e todas as suas legiões — muito povos com você. [7]Aprontem-se, estejam preparados, você e toda a sua assembleia ao redor. Você deve ser um vigia para eles. [8]Após muitos dias, você será designado; ao fim dos anos, irá para uma terra restaurada da espada, reunida dentre muitos povos, contra as montanhas de Israel, que, continuamente, têm sido uma ruína — mas que terão sido retirados dentre os povos e

EZEQUIEL 38:1-23 • A ÚLTIMA GRANDE BATALHA (1)

estarão vivendo com segurança. ⁹Quando subir, irá como uma tempestade; será como uma nuvem para cobrir a terra, você e todas as suas legiões, e os muitos povos com você."

¹⁰O Senhor *Yahweh* assim disse: "Naquele dia, as palavras virão à sua mente. Você formulará um plano maligno. ¹¹Dirá: 'Subirei contra uma terra de vilas abertas. Irei contra um povo tranquilo, vivendo em segurança, todos eles vivendo sem muros e sem trancas ou portas, ¹²para saquear e agarrar despojo', para voltar a sua mão contra ruínas que se tornaram povoadas, e sobre um povo reunido dentre as nações, que possui gado e posses, vivendo no centro da terra. ¹³Sabá e Dedã, os mercadores de Társis e todos os seus magnatas lhe dirão: 'É para saquear que você está vindo? É para agarrar despojo que você reuniu a sua assembleia, para carregar prata e ouro, para tomar gado e posses, para tomar um grande espólio?'"'

¹⁴Portanto, profetize, jovem, e diga a Gogue: 'O Senhor *Yahweh* assim disse: "Naquele dia, quando Israel, o meu povo, estiver vivendo em segurança, não ocorrerá de você reconhecer isso ¹⁵e virá do seu lugar, das partes distantes do Norte, você e os muitos povos com você, montados em cavalos, todos eles, uma grande assembleia, uma enorme força. ¹⁶Você subirá contra o meu povo, Israel, como uma nuvem para cobrir a terra. Ao fim dos dias, isso acontecerá. Trarei você à minha terra para que as nações me conheçam, quando eu me mostrar santo por meio de você diante dos olhos deles, Gogue".

¹⁷O Senhor *Yahweh* assim disse: "Você é aquele de quem falei nos dias passados pela mão dos meus servos, os profetas de Israel, que profetizaram por anos, naqueles dias, que eu traria você contra eles? ¹⁸Naquele dia, no dia em que Gogue vier sobre a terra de Israel" (declaração do Senhor *Yahweh*), "a minha ira ardente subirá. ¹⁹Em minha paixão, em meu fogo furioso, eu falei. Se, naquele dia, um grande terremoto não ocorrer na terra de Israel [...] ²⁰Diante de mim, os peixes no mar, as aves nos céus, os animais no campo, tudo o que se

EZEQUIEL 38:1-23 • A ÚLTIMA GRANDE BATALHA (1)

move sobre o solo, e todos os seres humanos que estão sobre a superfície da terra, tremerão. Montanhas colapsarão, penhascos tombarão, todo muro cairá sobre a terra. ²¹Convocarei a espada contra ele por todas as minhas montanhas" (declaração do Senhor *Yahweh*). "A espada de cada pessoa será contra o seu irmão. ²²Eu o julgarei com epidemia e com derramamento de sangue, e derramarei chuva torrencial, granizo, fogo e enxofre sobre ele, sobre as suas legiões e sobre os muitos povos que estão com ele. ²³Mostrarei que sou grande, mostrarei que sou santo e me farei conhecido diante dos olhos das muitas nações, e saberão que eu sou *Yahweh*.""

Ontem, um jovem de 21 anos, em Connecticut, atirou em sua mãe, dirigiu para a escola na qual ela trabalhava, e ali, atirou em mais 26 pessoas, entre adultos e crianças. Então, por fim, atirou em si mesmo. Na noite passada, a minha esposa comentou sobre quão "desapontador" era um evento como esse, para a, assim chamada, humanidade e a nossa "civilização". Então, continuamos ponderando se o futuro da humanidade parecia mais sombrio agora nesse momento da história. São perguntas estranhas para serem feitas poucos dias antes do Natal.

Nos capítulos anteriores, Ezequiel discorreu sobre os maravilhosos dias vindouros, nos quais **Yahweh** trará o seu povo de volta à vida, colocará o seu espírito neles e os reunirá como povo. Poderíamos ter a impressão de que o dia em que *Yahweh* irá, por fim, cumprir a promessa feita a Abraão chegou. À luz dessas promessas reafirmadas, causa surpresa descobrir que agora *Yahweh* esteja falando sobre mais invasão e guerra, após a terra de **Israel** ter sido restaurada da espada. Além de surpreendente, isso também pode ser descrito como desencorajador, embora, talvez, num sentido, seja um alívio, pois corresponde exatamente a como a vida é. O restabelecimento

EZEQUIEL 38:1-23 • A ÚLTIMA GRANDE BATALHA (1)

de **Judá** como uma entidade semi-independente, em poucas décadas, não anunciará a chegada de uma era, totalmente nova, de bênção, de **bem-estar** e de paz. Haverá mais invasão e mais guerra. Em termos humanos, um dos motivos é o fato de Israel estar situado, geograficamente, no centro da terra, no ponto de encontro da Europa, da Ásia e da África. Talvez, esse fato esteja por trás da escolha de Deus por essa terra. Da mesma forma, isso o torna um ponto natural de conflito, uma terra cuja posse tem levado a guerras entre os principais poderes e povos mercantis.

O profeta fala sobre esses conflitos ao reciclar a maneira com que ele e outros profetas descrevem a chegada de um inimigo do Norte — a rota mais óbvia para um inimigo invasor. Tipicamente, Ezequiel pinta o quadro de um modo exótico. O inimigo não será uma entidade como a **Assíria** ou a **Babilônia**, velhos conhecidos de Judá. Será um povo estranho do extremo norte (da perspectiva de Judá, claro). Meseque e Tubal eram tribos na região nordeste da Turquia, já mencionados em Ezequiel 27 e 32. Tem sido sugerido que os nomes estão ligados a Moscou e a Tobolsk, mas a primeira recebe o nome do rio no qual está localizada, e a segunda é a capital da Sibéria, o que também parece uma extensão. Essa conexão chamava mais a atenção quando era conveniente a pessoas do Ocidente afirmarem que Deus planejava exercer o juízo divino sobre a Rússia. Anteriormente, Gômer também foi identificado com a Alemanha, embora Lutero considerasse Gogue como o líder dos turcos, o que funcionava muito bem em seu contexto. "Gogue", na verdade, parece uma variante do nome de um rei turco, chamado Gyges ou Gugu; é mais complexo saber quem era Magogue ou onde era a sua localização.

Os judaítas que receberam essa profecia saberiam bem menos do que nós acerca dessas questões; o ponto é que são povos e lugares estranhos, distantes e assustadores. *Yahweh* cita uma aliança entre esses povos do Norte e povos do Leste e do Sul, com o objetivo de atacar a pequena Judá. *Yahweh* irá inspirar esse ataque, do mesmo modo que inspirou invasores anteriores. Aqueles comissionamentos foram respostas à transgressão de Israel; os invasores atuaram como agentes divinos na implementação da disciplina de *Yahweh*. Aqui não há essa sugestão de motivação. *Yahweh* inspira essa confederação de poderes para atacar Judá com o objetivo de derrotar tais potências nesse conflito. O ataque levará *Yahweh* a mostrar sua santidade e grandeza pelo uso de poder para derrubar os grandes poderes humanos.

A expressão "fim dos anos" não significa que o profeta aqui esteja falando sobre "o Fim", os últimos dias. Ela denota um tempo mais final do que o profeta tem descrito até então; não se trata de um termo técnico para designar "os últimos dias", mas apenas uma expressão que denota o fim de algum período de tempo. Há, todavia, outro sentido no qual o profeta tem falado sobre "o Fim", o cumprimento supremo do propósito de *Yahweh*, em todas as suas profecias, e aqui ele, de fato, implica que Gogue é a suprema personificação daquele poder militar destrutivo que vem do Norte, do qual outros profetas, como Jeremias, falaram. Quando Deus pergunta se Gogue personifica aquele poder, talvez seja uma pergunta retórica, ou é possível que Ezequiel esteja dando outra pista de que o cumprimento do propósito de Deus envolve a interação entre a própria iniciativa divina e a vontade de poderes humanos, tais como Nabucodonosor, o povo de Tiro e agora Gogue. Mas existe, de fato, algo final e definitivo acerca da derrota que *Yahweh* irá impor a Gogue. Quando surgir mais conflitos, após Israel ser restaurado à sua terra, o povo não deve presumir que algo estranho e inesperado está acontecendo.

EZEQUIEL **39:1–29**
A ÚLTIMA GRANDE BATALHA (2)

¹"E você, jovem, profetize contra Gogue. Você deve dizer: 'O Senhor *Yahweh* assim disse: "Aqui estou eu contra você, Gogue, o governante mais elevado de Meseque e de Tubal. ²Eu o farei girar, o conduzirei e o tirarei das partes distantes do Norte, e o trarei até as montanhas de Israel. ³Mas derrubarei o seu arco da sua mão esquerda e farei as suas flechas caírem da sua mão direita. ⁴Você cairá nas montanhas de Israel, você e todas as suas legiões e os povos que estão com você. Eu o darei como alimento às aves de rapina de toda espécie e aos animais do campo ⁵quando você cair na superfície da terra, pois eu falei" (declaração do Senhor *Yahweh*). ⁶"Enviarei fogo contra Magogue e contra o povo que vive em segurança nas costas distantes, e saberão que eu sou *Yahweh*. ⁷Farei o meu sagrado nome ser conhecido entre o meu povo, Israel, e não permitirei que o meu sagrado nome seja mais tratado como comum, e as nações saberão que eu, *Yahweh*, sou santo em Israel. ⁸Eis que está vindo, e acontecerá" (declaração do Senhor *Yahweh*).

⁹"Os habitantes das cidades de Israel sairão e farão um fogo e queimarão o armamento, os escudos, pequenos e grandes, arcos e flechas, piquetes e lanças. Farão fogo com eles por sete anos. ¹⁰Não transportarão madeira do campo nem a cortarão das florestas, porque farão fogo com os armamentos. Saquearão os seus saqueadores e despojarão aqueles que os despojaram" (declaração do Senhor *Yahweh*).

¹¹"Naquele dia, darei a Gogue um lugar onde haverá um túmulo em Israel, no vale dos Viajantes, a leste do mar. Isso obstruirá os viajantes, pois ali enterrarão Gogue e toda a sua multidão. Eles o chamarão de vale da Multidão de Gogue. ¹²A casa de Israel os enterrará para purificar a terra por sete

meses; **¹³**todo o povo da terra os sepultará. Isso significará renome para eles, o dia em que mostrarei o meu esplendor" (declaração do Senhor *Yahweh*). **¹⁴**"Separarão pessoas permanentes como viajantes na terra, enterrando (os viajantes) aqueles que restarem na superfície da terra, para purificá-la. No fim dos sete meses, eles começarão a procurar. **¹⁵**Quando os viajantes percorrerem a terra e virem ossos humanos, devem construir um marco junto a eles, até que os tenham enterrado no vale da Multidão de Gogue **¹⁶**(e o nome da cidade também será Multidão) e purifiquem a terra.'"

¹⁷E você, jovem (o Senhor *Yahweh* assim disse), diga às aves de toda espécie e a todo animal do campo: 'Ajuntem-se e venham, reúnam-se de todas as partes ao redor para o meu sacrifício que irei fazer para vocês, um grande sacrifício nas montanhas de Israel. Vocês comerão carne fresca e beberão sangue. **¹⁸**Comerão a carne dos guerreiros e beberão o sangue dos governantes da terra: carneiros, cordeiros, bodes, touros, cevados de Basã, todos eles. **¹⁹**Comerão gordura até se fartarem e beberão sangue até se embriagarem do meu sacrifício que terei feito para vocês. **²⁰**À minha mesa, vocês se fartarão de cavalos, cavaleiros, guerreiros, todo homem de combate' (declaração do Senhor *Yahweh*). **²¹**"Colocarei o meu esplendor entre as nações, e todas as nações verão a minha decisão que coloquei em vigor e a minha mão que estabeleci contra eles. **²²**A casa de Israel, daquele dia em diante, saberá que eu sou *Yahweh*, o Deus deles. **²³**E as nações saberão que a casa de Israel foi para o exílio por suas transgressões, porque transgrediram contra mim. Escondi o meu rosto deles e os entreguei na mão dos seus adversários, e todos eles caíram à espada. **²⁴**Foi de acordo com a contaminação deles e das suas rebeliões que lidei com eles e escondi o meu rosto deles.'

²⁵Portanto, o Senhor *Yahweh* assim disse: 'Agora, restaurarei a sorte de Jacó e terei compaixão de toda a casa de Israel e serei zeloso pelo meu sagrado nome. **²⁶**Eles esquecerão a sua vergonha e toda a transgressão que cometeram contra mim quando viverem na sua terra em segurança, sem ninguém a perturbá-los, ²⁷quando eu os trouxer de volta dos povos e os reunir dentre as terras dos seus inimigos e me mostrar santo entre eles, diante dos olhos de muitas nações. ²⁸Saberão que eu, *Yahweh*, sou o Deus deles, quando, depois de exilá-los das nações, eu os reunir na terra deles. Não deixarei nenhum deles ali. ²⁹Não mais esconderei deles o meu rosto, quando eu derramar o meu espírito sobre a casa de Israel' (declaração do Senhor *Yahweh*)."

Duas mulheres cristãs armênias, do Iraque, mãe e filha, se refugiaram aqui na Califórnia, fugindo das turbulências naquele país, e fixaram residência em uma cidade próxima. Poucas horas de carro, na direção oposta, em San Diego, vive um ex-fuzileiro norte-americano que, em abril de 2003, fazia parte de um grupo de soldados que se viu em meio a um tiroteio nas ruas de Bagdá. O grupo abriu fogo contra três carros, num dos quais uma família iraquiana, que incluía essas duas mulheres, apenas procurava fugir em direção à segurança de sua casa. O marido da mulher e dois de seus filhos foram vitimados nesse episódio. As duas mulheres descobriram certa paz, mas o soldado não. A exemplo de milhares de combatentes, ele convive com o horror de sua experiência naquele dia, embora tenha feito progressos ao se encontrar com as duas mulheres e saber do perdão delas.

Tenho a impressão de que, nos tempos bíblicos, as pessoas, em geral, não eram tão oprimidas pelos horrores da guerra quanto hoje. Em parte, pode ser pelo fato de os nossos armamentos serem muito mais devastadores, em parte pelos combates ocorrerem em ambientes urbanos (em particular), o que torna mais difícil distinguir combatentes de civis. Creio que o horror da guerra é que torna a busca da paz tão importante para nós, mesmo quando parecemos mais distantes de alcançá-la. O fim do capítulo anterior prometia uma aliança de **bem-estar**, e o bem-estar não está restrito a paz, mas, decerto, a inclui; o termo hebraico *shalom* possui essa implicação. O ponto está mais explícito na ocorrência anterior dessa promessa, no capítulo 34. Ali ***Yahweh*** reforçou a promessa ao falar em impedir as criaturas **malignas** de entrar na terra e de, até mesmo, possibilitar às pessoas viverem no deserto em segurança e dormirem nas florestas (no capítulo, o uso da imagem de ovelhas para retratar o povo possui esse pano de fundo).

Talvez outro motivo, ainda mais paradoxal, para a diferença de atitudes é que a minha terra natal e a minha terra de adoção não sejam nações pequenas, mas importantes e com um poderoso arsenal de guerra. Somos mais parecidos com Meseque e Tubal do que com **Judá**. Carregamos um peso em nossa consciência por estarmos entre as nações mais belicosas do planeta. **Israel** jamais esteve nessa posição (exceto, talvez, nos dias de Davi); o mais comum era serem vítimas das grandes potências. Ele está resignado (!) a confiar em Deus para promover a paz, com a derrubada dos grandes impérios de guerra. Com base nessa visão, Deus, uma vez mais, promete cumprir esse papel. Suas armas não serão transformadas em implementos agrícolas, como Isaías 2 prevê, mas em combustível para manter fogo, o que dispensará a necessidade de outros combustíveis por sete anos. A presença recorrente do número sete na profecia sugere plenitude; assim, somos lembrados novamente de não sermos excessivamente literais na interpretação da profecia. Todos os impérios de guerra serão eliminados.

O escritor que revelou a história sobre o ex-fuzileiro e as duas mulheres armênias observou que Números 31 apresenta um ritual de purificação para os soldados que retornavam do campo de batalha e que as tradições tribais iraquianas, igualmente, têm procedimentos para lidar com as consequências de um assassinato, com o objetivo de impedir a escalada do episódio para conflitos entre famílias e até tribos. A sociedade ocidental é carente desses procedimentos. Ezequiel fala, em grande extensão, acerca da necessidade de **purificar** a terra após o massacre que relata. Ontem à noite, assistimos a um filme que começa com o suicídio de uma professora em sua sala de aula. O diretor mandou redecorar a sala de aula antes de colocá-la em uso novamente, mas isso não fez os alunos se esquecerem de que fora ali que a professora deles se enforcara. O pai de uma criança que sobreviveu a um massacre ocorrido nessa semana em Connecticut comentou: "Para sempre, haverá uma nuvem negra sobre essa área. Nunca mais irá desaparecer." Expressando o ponto em termos bíblicos, o sangue das vítimas, derramado no solo, jamais cessará de clamar por justiça. Talvez haja a necessidade de uma purificação que envolva demolir a escola e construir uma totalmente nova.

A exemplo da **Torá**, Ezequiel reconhece que mesmo um massacre promovido por Deus contamina o solo com o sangue dos mortos. Israel aceitava a morte ao final de uma vida plena, mas reconhecia que havia algo terrível e profanador em uma morte violenta. O sepultamento dos mortos deve ser feito no lado oriental do mar Morto e, portanto, não na terra santa propriamente dita. Mesmo ali, seria necessária a purificação da terra onde o sepultamento ocorresse e um cuidado extremo para assegurar que todos os mortos fossem enterrados. (O parágrafo sobre as aves e os animais participando de um banquete sinistro refere-se a um estágio anterior à coleta e ao sepultamento dos mortos.)

Yahweh não encoraja, em Israel, a ilusão de que, de algum modo, eles são moralmente melhores do que as nações imperiais da guerra, apenas por não serem uma nação grande e belicosa. Ezequiel os faz lembrar de suas transgressões e rebeldias, de sua vergonha e contaminação; por outro lado, o objetivo supremo da ação de *Yahweh* é que as nações estrangeiras, assim como Israel, venham a conhecê-lo. Nenhum dos dois capítulos a respeito de Gogue termina com uma nota negativa; eles discorrem sobre a destruição de forças violentas, mas trazem, no derradeiro parágrafo, uma reafirmação das positivas promessas de *Yahweh*.

EZEQUIEL **40:1-37**
QUEM PODE SUBIR O MONTE DO SENHOR?

[1]No vigésimo quinto ano do nosso exílio, no começo do ano, no décimo dia do mês, no décimo quarto ano após a queda da cidade, nesse mesmo dia, a mão de *Yahweh* veio sobre mim, e ele me levou para lá. [2]Em uma grande aparição de Deus, ele me levou à terra de Israel e me colocou sobre uma montanha muito elevada. Sobre ela estava a própria estrutura de uma cidade, para o sul. [3]Ele me levou para lá, e eis um homem, com a própria aparência de bronze, com uma corda de linho em sua mão e uma vara de medição. Ele estava em pé, junto à entrada. [4]O homem me falou: "Jovem, olhe com os seus olhos, ouça com os seus ouvidos e entregue a sua mente a tudo o que irei lhe mostrar, pois para isso você foi trazido aqui. Conte à casa de Israel tudo o que vir."

[5]Eis que havia um muro fora da casa, em toda a volta. Na mão do homem havia uma vara de medição de seis côvados [cerca de três metros], cada qual um côvado mais um palmo. Ele mediu a largura da estrutura, uma vara, e a sua altura, uma vara. [6]Ele veio à porta, cuja face está voltada para o Oriente, e subiu os seus degraus. Ele mediu a soleira da porta, uma vara em profundidade (a primeira soleira, uma vara em profundidade). [7]Cada câmara tinha uma vara de comprimento e uma vara de largura. Entre as câmaras tinha cinco côvados.

A soleira da [outra] porta, perto do pórtico da entrada, defronte da casa, media uma vara [8](ele mediu o pórtico da entrada, defronte da casa, uma vara). [9]Mediu o pórtico da entrada: oito côvados, e suas colunas: dois côvados; o pórtico da entrada

EZEQUIEL 40:1-37 • QUEM PODE SUBIR O MONTE DO SENHOR?

estava voltado para a casa. [10]As câmaras da porta voltada para o Oriente eram três em um lado e três no outro lado, uma medida para as três e uma medida para as colunas de cada lado. [11]Ele mediu a largura da abertura da porta: dez côvados; o comprimento da porta: treze côvados. [12]A barreira em frente às câmaras: um côvado, de modo que a barreira era de um côvado em cada lado. A câmara: seis côvados em um lado e seis côvados no outro lado. [13]Ele mediu a entrada, do fundo de uma câmara até o fundo de outra [oposta]; a largura: vinte e cinco côvados, de abertura a abertura. [14]Mediu as colunas: sessenta côvados, e junto à coluna estava a entrada para o pátio, em toda a volta. [15]Começando na frente da porta externa até a frente do pórtico da entrada interior havia cinquenta côvados. [16]Havia janelas estreitas para as câmaras e para as suas colunas, no interior da entrada, em toda a volta, e, similarmente aos pórticos, havia janelas em toda a volta no interior, com palmeiras sobre as colunas.

[17]Ele me levou ao pátio externo, e eis que havia nele aposentos e um pavimento feito para o pátio em toda a volta, trinta aposentos para o pavimento. [18]O pavimento ficava junto à lateral das entradas, ao longo do comprimento das entradas (o pavimento inferior). [19]Ele mediu a largura desde a frente da entrada inferior até a frente do pátio externo: cem côvados, do lado leste e do lado norte.

[20]A entrada cuja face estava voltada para o Norte, pertencente ao pátio externo — ele mediu o seu comprimento e a sua largura, [21]suas três câmaras, em um lado, e três câmaras no outro lado, suas colunas e seus pórticos. Como a medida da primeira porta, seu comprimento: cinquenta côvados, e a largura: vinte e cinco côvados. [22]Suas janelas, os seus pórticos e as suas palmeiras eram como a medida da entrada voltada para o leste. Por sete degraus as pessoas subiam até ela, e o seu pórtico estava no lado oposto deles. [23]Havia uma entrada para o pátio interno que dava para a porta norte, assim como para a porta leste; ele mediu de uma entrada à outra: cem côvados.

EZEQUIEL 40:1-37 • QUEM PODE SUBIR O MONTE DO SENHOR?

²⁴Ele me levou na direção sul. Eis que havia uma porta voltada para o sul. Ele mediu as suas colunas e os seus pórticos, de acordo com todas essas medidas. ²⁵Ela e os seus pórticos tinham janelas em toda a volta, como essas janelas. O comprimento: cinquenta côvados, e a largura: vinte e cinco côvados. ²⁶Havia sete degraus até ela. O seu pórtico ficava defronte deles. Havia palmeiras, uma em cada lado, em suas colunas. ²⁷O pátio interno tinha uma entrada que dava para o sul. Ele mediu desde a entrada até a entrada para o sul: cem côvados.

²⁸Ele me levou ao pátio interno pela porta sul e mediu a entrada sul, de acordo com essas medidas. ²⁹Suas câmaras, suas colunas e seus pórticos estavam de acordo com essas medidas. Ela e seus pórticos tinham janelas em toda a volta. O comprimento: cinquenta côvados, e a largura: vinte e cinco côvados ³⁰(os pórticos, em toda a volta, o comprimento: vinte e cinco côvados, e a largura: cinco côvados). ³¹O seu pórtico estava voltado para o pátio externo. Havia palmeiras em suas colunas e oito degraus em sua escadaria.

³²Ele me levou ao pátio interno que dava para o Leste e mediu a entrada de acordo com essas medidas. ³³Suas câmaras, suas colunas e seus pórticos estavam de acordo com essas medidas. Ela e os seus pórticos tinham janelas em toda a volta. ³⁴O seu pórtico estava voltado para o pátio externo. Havia palmeiras sobre as suas colunas, em cada lado, e oito degraus em sua escadaria.

³⁵Ele me levou à entrada Norte e a mediu de acordo com essas medidas — ³⁶suas câmaras, suas colunas, seus pórticos e suas janelas, em toda a volta. O comprimento: cinquenta côvados, e a largura: vinte e cinco côvados. ³⁷Suas colunas estavam voltadas para o pátio externo. Havia palmeiras em suas colunas, em cada lado, e oito degraus em sua escadaria.

EZEQUIEL 40:1-37 • QUEM PODE SUBIR O MONTE DO SENHOR?

O TEMPLO NA VISÃO DE EZEQUIEL

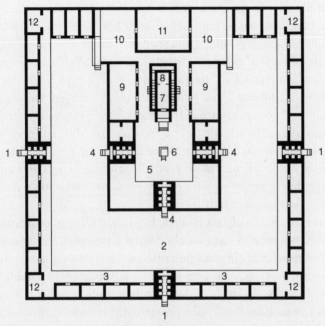

Início: Porta Oriental

A lista, aproximadamente, segue o caminho de Ezequiel pelo templo

1. Portas externas
2. Pátio externo
3. Pavimento inferior
4. Portas internas
5. Pátio interno
6. Altar
7. Lugar Santo
8. Lugar Santíssimo
9. Aposentos para ministros
10. Lugar separado
11. Edifício (armazéns?)
12. Cozinhas

Mencionei antes uma estranha experiência pela qual passei na última vez em que entrei nos Estados Unidos. O oficial da imigração me perguntou quanto tempo eu estava vivendo aqui, ao que respondi: "Quinze anos". "Então, por que ainda não requereu cidadania norte-americana? Está apenas usando a América?" Respondi que estava aqui a convite; assim, a América é que está me usando. "Você tem medo de sangue?", ele perguntou. Imaginei que ele estava questionando se eu tinha medo de lutar no exército. Mas, a princípio, não tenho medo de sangue. "Você deve ser um filho de Caim, então", ele replicou. Não entendi direito, mas fiquei contente quando ele, então, decidiu que eu era salvo, carimbou o meu passaporte e me permitiu entrar.

O começo da última visão de Ezequiel é sobre um controle de passaporte. A data na abertura é a primeira, desde que ele anunciou a chegada de notícias a respeito da queda de Jerusalém (cap. 33). Isso sublinha a importância singular dessa seção do livro. A data também indica que o tempo está se arrastando; a visão promete que ele não se arrastará para sempre. O templo, a cidade e a terra não permanecerão em seu estado desolador para sempre. A visão chega no ano novo e discorre sobre um novo futuro. Por outro lado, vinte e cinco anos é somente a metade de um jubileu. A restauração e a renovação são certas; Ezequiel as viu. Mas ainda há uma longa jornada à frente. Serão necessários mais de trinta anos antes de os **judaítas** começarem a restauração do templo.

Essa seção será a derradeira. Os nove capítulos finais formam uma única visão, de longe a mais substancial de todo o livro, uma visão acerca de um novo templo, uma nova cidade e uma nova terra. Isso é explicado ao profeta por meio de um arquiteto ou projetista sobrenatural, que fornece todas as medidas em termos de côvados longos. Um côvado regular media cerca de 460 milímetros; um côvado longo media cerca de meio metro (**Israel** não era o único povo a ter mais de um sistema de medidas padrão; não sabemos o motivo de Ezequiel usar o padrão de côvado longo). Seja como for, é possível obter uma ideia das medidas calculando a metade das medidas em côvados e as transformando em metros.

A exemplo das visões anteriores, não se trata de uma previsão de como a cidade e o templo renovados serão, literalmente falando, do mesmo modo que a visão dos ossos secos, por exemplo, não é a previsão de união literal de ossos que se transformarão em corpos viventes. O ponto já é indicado pela posição da cidade em uma montanha alta; Jerusalém está situada em uma elevação menor do que as outras naquela área. Na visão, muitos elementos subsequentes deixarão bem claro que o profeta não está falando em termos de geografia literal. O detalhamento em relação às medidas, contudo, traz à tona que não se trata de uma promessa vaga sobre o propósito de Deus. Ela é concreta e específica. É uma realidade com os pés bem firmados no chão.

A figura sobrenatural age como um guia turístico, assim como um gerente de projetos, conduzindo o profeta em uma jornada, por uma estrutura que mais se parece com um labirinto. A princípio, ela é descrita como uma cidade, e a ênfase nas entradas nos leva a pensar em uma cidade, embora seja, evidentemente, uma enorme casa — mais similar a um palácio. À medida que avançamos, torna-se mais claro tratar-se de uma casa ou de um palácio do Rei divino, o seu templo. Mas o lugar não está em operação no momento; não há ninguém em seu interior.

A jornada começa no muro que separa a área do templo do mundo exterior e o protege, como as muralhas de uma cidade fortificada. Quando o Antigo Testamento menciona o templo, em geral isso denota não apenas o próprio edifício, que era pequeno, mas o prédio e os pátios circundantes. O pátio é o lugar no qual as pessoas se reuniam, assim como a família se reúne no jardim de uma casa na Califórnia para um bom churrasco. Caso veja fotos do monte do templo, em Jerusalém, como ele está hoje, conseguirá ter uma ideia.

Esse primeiro capítulo é dominado pelo relato acerca das entradas para a área do templo. Não se preocupe por não ser capaz de compreender os detalhes; de fato, muitos deles são de difícil compreensão. Quando nos aproximamos do templo, vemos que ele é quadrado, com um muro em toda a volta. Obtém-se acesso a ele por alguns degraus que levam a uma abertura no amplo muro. A abertura é o limiar externo do templo, um quadrado de seis côvados (três metros). Esse limiar ou soleira conduz a uma passarela. Na estrutura, em cada lado da passarela, há três câmaras, cada qual com uma barreira em frente dela. As câmaras são como guaritas, nas quais os guardas do templo vigiam as pessoas que circulam pela área do santuário. Se passar pela inspeção dos guardas, você chegará a uma outra soleira que leva a um outro pórtico, pertencente ao pátio externo do templo propriamente dito, com cem côvados em todos os quatro lados. Trata-se do pátio inferior; o pátio interno do templo fica em uma altura superior. Essa segunda soleira possui colunas decoradas com palmeiras. Em torno do pátio pavimentado para o qual ela leva, há trinta aposentos. É possível imaginá-los sendo usados por **levitas** e/ou suas famílias que vêm para adorar.

Por que o templo possui esse sistema de entradas? E, ainda, por que nos é dado esse longo e complicado relato dele? As entradas são designadas a tanto facilitar quanto controlar a entrada ao templo, do mesmo modo que os portões de uma cidade, ou a área de controle de passaportes em aeroportos.

Elas permitem a entrada de pessoas que deveriam entrar, mas mantêm fora aquelas que, por exemplo, representam algum perigo. O templo é uma "casa", a casa de *Yahweh* — ele vive ali. Ezequiel a descreveu como um "santuário", um lugar que pertence a *Yahweh* e compartilha a sua santidade. As pessoas que entram em sua casa não podem contaminá-la. Passagens anteriores, em Ezequiel, já citaram, claramente, as muitas formas pelas quais Judá tem arruinado a casa de *Yahweh*. Entre outras coisas, os judaítas têm entrado na sua casa com sangue nas mãos, em mais de uma maneira. Ainda, eles têm ignorado a regra de não entrar logo na presença de *Yahweh*, após ter contato com sangue (p. ex., por meio da menstruação) ou, de outras formas, com a morte (p. ex., ao enterrar alguém), pois a morte e *Yahweh* são incompatíveis. Ainda, eles têm derramado sangue pelo sacrifício infantil a *Yahweh* ou a outros deuses, além de outras formas mais "**comuns**". Por isso, são pessoas que não podem entrar na presença de *Yahweh* sem **purificação**. O novo templo necessita ser salvaguardado da contaminação por tais pessoas. Os guardas estão ali para protegê-lo, mantendo os seus olhos vigilantes, e fazendo perguntas diretas. O novo templo não deve ir pelo caminho do antigo.

EZEQUIEL **40:38—41:12**
ENTREGAR, PURIFICAR, CELEBRAR

[38]Havia um aposento e a sua entrada junto ao pórtico de cada uma das entradas onde eles lavavam as ofertas queimadas. [39]No pórtico da entrada havia duas mesas em um lado e duas mesas no outro, para o abate da oferta queimada, da oferta de purificação e da oferta de restituição sobre elas. [40]Junto à parede lateral externa, para alguém subindo à entrada da porta norte, havia duas mesas, e na outra parede lateral em relação ao pórtico da entrada havia duas mesas, [41]quatro mesas em um

EZEQUIEL 40:38—41:12 • ENTREGAR, PURIFICAR, CELEBRAR

lado e quatro mesas no outro, junto à parede lateral da porta, oito mesas nas quais eles abatiam coisas. **⁴²**As quatro mesas para a oferta queimada eram de pedra lavrada. O comprimento era de um côvado e meio, a largura, de um côvado e meio e a altura, de um côvado. Nelas, colocavam-se os utensílios com os quais abatiam a oferta queimada e o sacrifício. **⁴³**Havia saliências, de um palmo, fixadas por dentro em toda a volta. A carne da oferta ficava sobre as mesas.

⁴⁴Do lado de fora da entrada interna ficavam os aposentos dos cantores no pátio interno, um que ficava na parede lateral da porta norte, voltada para o sul, um na parede externa da porta oriental, voltada para o norte. **⁴⁵**Ele me explicou: "Este, o aposento que está voltado para o sul, é para os sacerdotes encarregados da casa. **⁴⁶**O aposento que está voltado para o norte é para os sacerdotes encarregados do altar. Eles são zadoqueus, os quais dentre os levitas se aproximam de *Yahweh* para ministrar a ele."

⁴⁷Ele mediu o pátio. O comprimento: cem côvados, e sua largura: cem côvados, quadrado. O altar ficava em frente da casa. **⁴⁸**Ele me levou ao pórtico da casa e mediu uma coluna do pórtico: cinco côvados em um lado e cinco côvados no outro. A largura da entrada: três côvados em um lado e três côvados no outro. **⁴⁹**O comprimento do pórtico: vinte côvados, e a largura: onze côvados. Era por degraus que as pessoas subiam até ele. Havia pilares junto às colunas, um em cada lado.

CAPÍTULO 41

¹Ele me levou ao palácio e mediu as colunas: seis côvados de largura de um lado e seis côvados de largura do outro (a largura da tenda). **²**A largura da entrada: dez côvados, e as paredes laterais da entrada: cinco côvados de um lado e cinco côvados do outro. Ele mediu o seu comprimento: quarenta côvados, e a largura: vinte côvados. **³**Ele entrou e mediu uma coluna da entrada: dois côvados, e a entrada: seis côvados, e a largura da entrada: sete côvados. **⁴**Mediu o seu comprimento: vinte

EZEQUIEL 40:38—41:12 • ENTREGAR, PURIFICAR, CELEBRAR

côvados, e a largura: vinte côvados, em frente do palácio. Ele me disse: "Este é o Lugar Santíssimo."

5Ele mediu a parede da casa: seis côvados, e a largura de um aposento lateral: quatro côvados, ao redor da casa, em toda a sua volta. 6Os aposentos laterais eram em três [andares], um aposento lateral sobre o outro, trinta vezes. Havia inserções na parede, que pertencia à casa, para os aposentos laterais em toda a volta, para serem apoios, mas de maneira que as vigas se apoiassem nelas e não fossem introduzidas na parede da casa. 7[Um caminho para cima] se alargava à medida que ia cada vez mais alto para os aposentos laterais. Porque os arredores da casa iam cada vez mais alto, em toda a volta da casa, consequentemente a largura da casa ficava maior, e, assim, se subia do andar mais baixo para o mais alto, passando pelo intermediário. 8Vi, pertencente à casa, uma área elevada, em toda a volta, as fundações dos aposentos laterais. Sua altura: o comprimento total de uma vara. 9A largura da parede de um aposento lateral na parte externa: cinco côvados. O que era deixado aberto entre os aposentos laterais da casa 10e entre os aposentos, a largura: vinte côvados ao redor da casa, em toda a volta. 11A entrada de um aposento lateral voltada para o que era deixado aberto, uma entrada voltada para o norte, uma entrada para o sul, e a largura do lugar que era deixado aberto: cinco côvados em toda a volta. 12O prédio que ficava em frente ao lugar separado, no canto voltado para o oeste — a largura: setenta côvados. A parede do prédio — a largura: cinco côvados, em toda a volta, e o seu comprimento: noventa côvados.

No meio de nosso culto de comunhão, a cada semana, oramos e damos graças. A seguir, confessamos os nossos pecados e recebemos o perdão de Deus. Então, compartilhamos a paz uns com os outros e entregamos as nossas ofertas a Deus. Proferimos algumas orações regulares para a igreja e para o mundo e pelas necessidades que as pessoas compartilham. Também ouvimos as bênçãos que as pessoas têm a relatar, como nascimentos, aniversários e a convalescença de enfermidades. Ainda, reconhecemos como temos falhado com Deus e com o nosso próximo. Em nome de Deus, nos confraternizamos, levamos o pão e o vinho ao altar para a comunhão e, então, recolhemos as nossas ofertas financeiras e as consagramos.

Esses aspectos da nossa adoração estabelecem uma interessante comparação com os elementos da adoração no templo, citados por Ezequiel, ao se referir à oferta queimada, à **oferta de purificação**, à oferta de restituição e, simplesmente, ao "sacrifício". A oferta queimada envolvia o abate de um animal e a queima de todo ele. Pode-se dizer que era um desperdício completo. O animal, por inteiro, era entregue a Deus como um sinal do **compromisso** do povo com Deus. A oferta, às vezes, pode acompanhar oração por algo, mas, em outras, as pessoas faziam as suas ofertas queimadas sem esperar nenhuma retribuição divina. Assim, há uma sobreposição com as nossas contribuições em dinheiro, mas nos beneficiamos com elas. As ofertas pagam o salário pastoral que garantem os seus serviços e a manutenção do ambiente do prédio da igreja adequado à estação, quente ou fria, do ano. Os **israelitas** não se beneficiavam dessas ofertas, como ocorria em relação às ofertas com outras finalidades. A questão levantada por Ezequiel é: "Quando damos algo do qual não almejamos obter nenhum benefício?"

A oferta de purificação reconhece a necessidade de removermos as nossas manchas. Observamos em nosso comentário de Ezequiel 39 que a reflexão acerca de eventos como o assassinato involuntário de cristãos armênios por parte de fuzileiros, ou o massacre em uma escola de Connecticut, nos faz perceber que carecemos de meios de purificação. A oferta de restituição pertence a um contexto no qual se reconhece que a transgressão requer uma resposta não apenas em termos de punição ou mera confissão, mas de restauração em relação a Deus e às demais pessoa envolvidas.

A palavra "sacrifício" aplica-se, especialmente, à espécie de oferta que é feita como expressão de gratidão a Deus por alguma bênção recebida, talvez em resposta de oração, mas a característica distintiva é que o ofertante e a sua família compartilham o consumo de parte da oferta, e Deus também participa desse banquete.

As entradas citadas por Ezequiel não são aquelas que permitem o acesso de fora do templo ao pátio externo, mas entradas que conduzem do pátio externo ao interno, no qual está o **altar**. Na extremidade ocidental desse pátio interno está situado o prédio do templo propriamente dito. O idioma hebraico não possui uma palavra específica para "templo"; assim, lança mão de palavras **comuns** como casa ou palácio — uma casa como habitação, e um palácio como uma casa adequada a um rei. Ezequiel usa o termo "casa" para a estrutura como um todo e também para o prédio do templo em si; ele também usa a palavra "palácio" para o prédio do templo. As pessoas do povo podiam acessar os dois pátios e, portanto, estar na presença de Deus e participar da adoração e dos sacrifícios, estar presente durante o abate dos animais e da sua queima no altar. Isso se aplica no Antigo Testamento tanto a homens quanto a mulheres (mais tarde, houve uma restrição). Além disso, o pátio externo era a área na qual um profeta, como Jeremias (ou Ezequiel, caso não estivesse no **exílio**), ou um pregador como Jesus, poderia falar diretamente às pessoas do povo que ali estavam. O palácio em si era constituído dos aposentos privados do Rei. O prédio dividia-se em duas áreas: o aposento mais interno era o lugar mais **sagrado**, ou Lugar Santíssimo. Mesmo os sacerdotes, normalmente, não tinham permissão de acessá-lo. Os zadoqueus eram um subgrupo dentro da linhagem de Arão, em si mesma um subgrupo da linhagem de Levi; eram descendentes de Zadoque, um dos sumos sacerdotes nos dias de Davi.

Os trinta aposentos ou salas laterais, em três andares, circundam o prédio em três lados. É possível supor que sejam depósitos para armazenar dízimos e ofertas, equipamentos, e assim por diante. As paredes do templo ficam mais finas à medida que sobem, o que também significa que as salas ou aposentos laterais ficam maiores à medida que sobem até o terceiro andar.

EZEQUIEL **41:13—42:20**
O SAGRADO E O COMUM

¹³Ele mediu a casa. O comprimento: cem côvados. O lugar separado, o prédio e as suas paredes — o comprimento: cem côvados. ¹⁴A largura da frente da casa e do lugar separado, no lado leste: cem côvados. ¹⁵Mediu o comprimento do prédio em frente ao lugar separado, na parte de trás, e as galerias, de um lado e do outro: cem côvados. O palácio interno, os pórticos do pátio ¹⁶(as soleiras), as janelas estreitas, e as galerias em volta dos três, junto à soleira, eram revestidas de madeira em toda a volta. Desde o piso até as janelas, e as janelas, tudo estava coberto, ¹⁷acima da entrada e até a casa, dentro e fora.

Por toda a parede, em toda a volta, dentro e fora, havia uma área medida. ¹⁸Querubins e palmeiras estavam em relevo, uma palmeira entre querubim e querubim. Cada querubim tinha dois rostos, ¹⁹um rosto humano voltado para a palmeira, e um rosto de leão voltado para a palmeira do outro lado.

Era feito em toda a volta da casa. **²⁰**Desde o piso até acima da entrada, os querubins e as palmeiras eram feitos, e na parede do palácio. **²¹**O palácio: havia uma estrutura de porta quadrada, e, defronte do santuário, algo com uma aparência semelhante à aparência de **²²**um altar de madeira. A altura: três côvados, e seu comprimento: dois côvados. Ele tinha cantos, e seu comprimento e as suas paredes eram de madeira. Ele me falou: "Esta é a mesa que está diante de *Yahweh*." **²³**O palácio tinha portas duplas, e o santuário **²⁴**tinha portas duplas, e as portas duplas tinham portas duplas que podiam ser viradas, duas portas para uma e duas portas para a outra. **²⁵**Havia querubins e palmeiras feitas para elas (as portas do palácio), assim como as feitas para as paredes. Havia uma cobertura de madeira em frente ao pórtico, no lado de fora. **²⁶**Havia janelas estreitas e palmeiras em um lado e no outro, nas paredes laterais do pórtico, nos aposentos laterais da casa e nas coberturas.

CAPÍTULO 42

¹Ele me levou para fora, ao pátio externo, pelo caminho voltado para o norte, e me trouxe ao aposento oposto ao lugar separado e oposto ao prédio voltado para o norte. **²**Em frente ao comprimento, de cem côvados, estava a entrada norte. A largura era de cinquenta côvados. **³**Oposto aos vinte [côvados] do pátio interno, e oposto ao pavimento do pátio externo, uma galeria ficava em frente à outra, nos três andares. **⁴**Em frente aos aposentos havia uma passarela (a largura: dez côvados, no lado interno; e o comprimento: cem côvados), com suas entradas voltadas para o norte. **⁵**Os aposentos superiores eram mais estreitos, porque as galerias tinham um efeito sobre eles, mais do que nos mais baixos e nos intermediários no prédio, **⁶**porque eram divididos em três, e não tinham pilares como os pilares nos pátios. Portanto, ficavam mais estreitos a partir dos mais baixos e dos intermediários, desde o piso. **⁷**Havia uma parede externa, ao longo dos aposentos, voltada para o pátio externo em frente aos aposentos. Seu comprimento: cinquenta côvados, [8]pois o comprimento dos aposentos pertencentes ao pátio externo era de cinquenta côvados. Assim, ali, defronte do palácio, era de cem côvados. [9]Debaixo desses aposentos, havia um corredor do leste, quando se entrava pelo pátio externo. [10]Na largura da parede voltada para o leste, em frente ao lugar separado e ao prédio, havia aposentos. [11]Na frente deles havia uma aparência similar ao dos aposentos que estavam voltados para o norte. Correspondente ao seu comprimento, assim era a sua largura. Todas as suas saídas estavam de acordo com as prescrições para eles e de acordo com as suas entradas. [12]Semelhante às portas dos aposentos voltados para o sul era a porta no início do caminho, o caminho defronte do muro que vai para o leste, para quem entra por elas.

[13]Ele me disse: "Os aposentos do norte, os aposentos do sul, que estão voltados para o lugar separado, são os aposentos sagrados nos quais os sacerdotes que se aproximam de *Yahweh* comerão as coisas mais sagradas. Ali eles colocarão as coisas mais sagradas (a oferta de cereal, a oferta de purificação e a oferta de restituição), porque o lugar é sagrado. [14]Quando os sacerdotes entrarem, eles não sairão do santuário para o pátio externo. Depositarão as suas vestimentas com as quais ministraram ali e vestirão outros trajes e irão para perto da área do povo."

[15]Ele terminou de medir a casa interna e me levou na direção da entrada voltada para o leste e mediu em toda a volta. [16]Ele mediu o lado oriental com a vara de medição: quinhentas (em varas) com a vara de medição. Virou-se [17]e mediu o lado norte: quinhentas (em varas) com a vara de medição. Virou-se [18]para o lado sul e mediu: quinhentas (em varas) com a vara de medição. [19]Virou-se para o lado ocidental e mediu: quinhentas (em varas) com a vara de medição. [20]Ele mediu os quatro lados. Havia um muro em toda a volta (o comprimento: quinhentas, e a largura: quinhentas) para separar o sagrado e o comum.

Acabei de chegar da igreja, mas é quarta-feira, e estávamos recebendo de volta os bancos que uma empresa reformou, além de outras mobílias. Conseguimos implementar uma nova configuração para eles, quando os distribuímos sobre o novo e belo piso que foi assentado durante a ausência deles. Um de nossos colaboradores pintou as paredes internas. No domingo, iremos adorar em um santuário maravilhosamente reformado e iniciaremos o culto dedicando aquele restaurado prédio a Deus. O americano chama uma igreja de "santuário", enquanto o britânico usa esse termo apenas para se referir à área especialmente sagrada do prédio, na extremidade oriental. Muitas pessoas leigas hesitam em pôr os pés ali.

Ao distinguirem, dessa maneira, entre o **sagrado** ou santo e o **comum** ou profano, os cristãos seguem uma prática de **Israel**, pressuposta aqui por Ezequiel. Trata-se de um instinto humano comum. A antítese pode ser formulada como sendo entre o sagrado e o profano, mas o problema com essa antítese é que a profanação agora passa a sugerir algo antirreligioso, semelhante a "usar o **nome** de Deus em vão". A distinção de Ezequiel, todavia, não significa que o sagrado é bom e que o comum é mau. Os primeiros seis dias da semana são tão bons quanto o sétimo dia, mas apenas este é sagrado. O espaço fora da igreja é bom, mas o espaço no interior dela é um santuário no sentido de ser um local separado. Não realizamos ali a atividades do cotidiano, se a igreja é um santuário. Mas, na capela do nosso seminário na Inglaterra, realizávamos palestras e cursos de dança, o que era uma salvaguarda contra a ideia equivocada de santo ou de sagrado. Em contrapartida, nos fundos da nossa igreja, há um documento emoldurado, assinado pelo bispo, em 1933, quando ele dedicou a igreja, declarando que, como resultado de sua dedicação, o edifício não devia ser utilizado para fins comuns ou propósitos "profanos". A existência de lugares, tempos, pessoas e atos que são sagrados estabelece o seu próprio ponto. Deus é uma pessoa diferente de nós, e é necessário sermos lembrados constantemente disso. Foi dito que a diferença entre Deus e os seres humanos é que ele não pensa que é um ser humano.

Todo o complexo do templo, 250 metros quadrados, é uma área sagrada, com um muro para fazer separação entre o sagrado ou santo e o comum ou cotidiano, e ali Deus se envolve com as pessoas. Mas isso ocorre com a consciência de que vivem a sua vida com o sagrado como centro dela. Então, de tempos em tempos, por motivos distintos, elas passam por aquelas portas e ali permanecem, por algum tempo, no contexto do sagrado. O movimento entre os dois atos corresponde ao ritmo entre os seis dias de trabalho da semana e o dia de descanso, o dia sagrado. Todos os sete dias são dias bons, dias de bênção, mas eles não são exatamente iguais.

Dentro da área santa, o templo propriamente dito, o Lugar Santo é ainda mais sagrado, e o seu aposento mais interno, o Lugar Santíssimo, mais ainda. A área separada é uma espécie de zona de segurança entre a área sagrada "regular" e a casa. Relacionada a essa provisão está a disponibilização de lugares para os sacerdotes, nos quais eles se despem dos mantos que vestiram no santuário e vestem, de novo, as suas roupas normais. Havia alguns elementos nas ofertas apresentadas a Deus que eram destinados ao consumo dos sacerdotes, e essas salas para a troca de roupa também eram os locais onde eles comiam partes das ofertas. Esse alimento sagrado não era levado para fora do templo. Os **querubins** e as palmeiras que ornam o templo são elementos decorativos do templo de Salomão. Os querubins são figuras sobrenaturais impressionantes que sugerem a majestade de Deus, pois são seus assistentes. A palmeira era um símbolo sagrado no Oriente Médio e sugeria, especialmente, a árvore da vida.

No aposento externo ao templo havia uma mesa que servia como um **altar**, mas não um lugar para sacrifícios; antes, era um local onde pães eram colocados a cada sábado (o Antigo Testamento não explica a prática).

EZEQUIEL 43:1—44:3
O RETORNO DA GLÓRIA

[1]Ele me levou a uma porta, a porta voltada para o leste. [2]E eis que o esplendor do Deus de Israel estava vindo da direção oriental, o seu som como o som de muitas águas. A terra estava iluminada com o seu esplendor. [3]A aparição era semelhante a que eu vi, como a aparição que vi quando eu vim para destruir a cidade, e a aparição era como a que vi junto ao rio Quebar. Prostrei-me, rosto em terra. [4]O esplendor de *Yahweh* entrou na casa pela porta que estava voltada para o leste. [5]Um espírito elevou-me e me levou até o pátio interno. Eis que o esplendor de *Yahweh* enchia a casa. [6]Ouvi uma fala dirigida a mim, do interior da casa, embora o homem estivesse em pé, ao meu lado. [7][*Yahweh*] me disse: "Jovem, o lugar para o meu trono e o lugar para a sola dos meus pés, no qual habitarei entre os israelitas para sempre — a casa de Israel não contaminará mais o meu sagrado nome, eles e os seus reis, por sua imoralidade e pelos cadáveres de seus reis, por seus morros fúnebres. [8]Quando colocaram a sua soleira com a minha soleira, e os seus batentes junto ao meu batente, com um muro entre eles e mim, eles contaminaram o meu sagrado nome com os ultrajes que cometeram, e eu os consumi em minha ira. [9]Agora, devem colocar a imoralidade deles e os cadáveres de seus reis distantes de mim, e habitarei entre eles para sempre.

EZEQUIEL 43:1—44:3 • O RETORNO DA GLÓRIA

¹⁰Você, jovem, diga à casa de Israel sobre a casa. Devem se envergonhar de seus atos de transgressão, mas devem medir o modelo. **¹¹**Quando se envergonharem de tudo o que fizeram, faça conhecer a forma da casa, o seu projeto, as suas saídas, as suas entradas, todas as suas formas, todas as suas leis, todas as suas formas e todas as suas instruções. Escreva diante dos olhos deles para que possam guardar toda a sua forma e todas as suas leis e as cumprirem. **¹²**Esta é a instrução para a casa no topo da montanha. Todo o seu limite, em toda a sua volta, é santíssimo. Eis que esta é instrução para a casa.

¹³Estas são as medidas do altar em côvados (um "côvado" é um côvado mais um palmo). A base: um côvado, e a largura, um côvado. A sua borda, em todo o seu contorno, um palmo. **¹⁴**Desde a base, no piso, até a borda inferior: dois côvados, e a largura, um côvado. Desde a borda menor até a borda maior: quatro côvados, e a largura: um côvado. **¹⁵**A fornalha: quatro côvados, e, da lareira para cima, quatro chifres. **¹⁶**A lareira — o comprimento: doze côvados, e a largura: doze côvados, feita quadrada em seus quatro lados. **¹⁷**A borda — o comprimento: catorze côvados, e a largura: catorze, em seus quatro lados. A aba em torno dela: meio côvado. A base para ela: um [côvado] ao redor dela, com seus degraus voltados para o Oriente."

¹⁸Ele me disse: "Jovem, o Senhor *Yahweh* assim disse: 'Estas são as leis para o altar no dia em que for construído, para apresentar a oferta queimada sobre ele e aspergir o sangue sobre ele. **¹⁹**Você deve dar aos sacerdotes levitas, que são da descendência de Zadoque, que se aproximam de mim' (declaração do Senhor *Yahweh*), 'para ministrar a mim, um novilho da manada como uma oferta de purificação. **²⁰**Deve apanhar um pouco do seu sangue e aspergi-lo sobre os quatro chifres e sobre os quatro cantos da borda, e na aba ao redor, para purgá-lo e expiá-lo, **²¹**e pegue o novilho da oferta de purificação e o queime no lugar indicado na casa, fora do santuário.

EZEQUIEL 43:1–44:3 • O RETORNO DA GLÓRIA

²²No segundo dia, você deve apresentar um bode, inteiro, como oferta de purificação. Devem purgar o altar assim como o purgaram com o novilho. ²³Quando completar a purgação, você deve apresentar um novilho da manada, inteiro, e um carneiro do rebanho, inteiro. ²⁴Deve apresentá-los diante de *Yahweh*, e os sacerdotes devem jogar sal sobre eles e oferecê-los como oferta queimada a *Yahweh*. ²⁵Durante sete dias, você deve preparar um bode como oferta de purificação, diariamente, e eles devem preparar um novilho da manada e um carneiro do rebanho, inteiro. ²⁶Durante sete dias, devem expiar o altar e purificá-lo e consagrá-lo. ²⁷Devem completar esses dias, e no oitavo dia, daí em diante, os sacerdotes devem fazer no altar as suas ofertas queimadas e os seus sacrifícios de comunhão. E eu os favorecerei'" (declaração do Senhor *Yahweh*).

CAPÍTULO 44

¹Ele me levou de volta para a porta externa do santuário, voltada para o leste. Estava fechada. ²*Yahweh* me disse: "Esta porta deve ficar fechada. Não deverá ser aberta. Ninguém poderá entrar por ela, pois *Yahweh*, Deus de Israel, entrou por ela. Deve ficar fechada. ³Quanto ao governante, ele próprio se assentará ali para comer pão diante de *Yahweh*. Pelo caminho da soleira da porta, poderá entrar e por ele poderá sair."

Durante uma discussão com alguns alunos, lemos o salmo 51, com a sua oração: "... nem tires de mim o teu Santo Espírito." Alguém comentou: "Não é grandioso saber que agora Deus não retira o seu Espírito de nós?" Não consigo recordar o que disse naquele momento, mas, com frequência, reflito sobre esse comentário. Então, durante o período que passamos na Turquia este ano, tornei-me mais convencido de que Deus não apenas poderia fazer isso, como o fez. Naquela área, outrora, havia inúmeras igrejas pujantes e prósperas, mas agora não há praticamente nenhuma. Isso se aplica não somente a locais como Éfeso ou Sardes, onde não há nem mesmo uma cidade, mas igualmente a lugares como Pérgamo e Esmirna, nos quais há hoje grandes e modernas cidades, mas quase nenhuma igreja.

Tendo vivido por semanas com a visão de julgamento de Ezequiel sobre Jerusalém e, em particular, com a sua visão do esplendor de *Yahweh* deixando a cidade, quase pulei da cadeira quando li sobre o retorno da glória divina. Sabia que estava me aproximando desse capítulo em questão, mas a realidade da retirada de Deus havia dominado todo o meu pensamento. Deus pode ir embora, mas isso não o impede de retornar, mesmo que ele tenha dito que seria para sempre, ou quando você imagina que ele tenha feito isso, mas que merece essa ação de Deus. Ezequiel estabelece uma conexão tripla entre o esplendor de Deus que habitava o templo, mas que se foi, o esplendor que lhe apareceu na **Babilônia**, e o esplendor que ele vê retornando. A saída é devastadora; a aparição na Babilônia é consoladora e encorajadora; é possível ponderar se Deus, de fato, abandonou Jerusalém e, simplesmente, decidiu viver entre os exilados. Ao longo dos séculos seguintes, e até os nossos dias, os descendentes de **Israel** têm vivido dispersos pelo mundo, e durante os dois últimos milênios há mais deles vivendo em outras partes do planeta do que na terra que Deus lhes prometeu. Deus tem estado com eles onde quer que vivam. Caso você estivesse vivendo nos dias de Ezequiel, poderia questionar se viver espalhado pelo mundo seria a situação regular para o povo. Em certo sentido, foi, e facilitou serem o povo de Deus, pois isso difundiu o conhecimento de *Yahweh* ao qual o profeta, com frequência, se refere. Mas o compromisso de *Yahweh* com essa terra, a cidade e o templo torna impossível, simplesmente, abandoná-los. Esse abandono faria um buraco permanente na história.

Assim, Ezequiel vê o retorno do esplendor de *Yahweh*. A história da restauração do templo, em Esdras e Neemias, não faz nenhuma referência ao esplendor de *Yahweh* enchendo novamente o templo, como ocorreu quando o templo de Salomão foi construído. Mais tarde, o ensino judaico observa maneiras mediante as quais o templo reconstruído ficou aquém do templo de Salomão, e uma delas é a ausência da "Habitação" (uma forma de se referir ao esplendor de Deus). Havia, certamente, um sentido de que Deus cumprira as promessas de sua presença, expressas por meio de Ezequiel e de outros profetas, embora o padrão que aparece em outras promessas reapareça aqui. Deus fez algo, porém não tudo.

Quer Deus faça tudo, quer somente algo, deve haver uma resposta do povo, e a natureza dessa resposta desempenha um papel na determinação da espécie de cumprimento que eles recebem. Ezequiel enfatiza que não basta apenas retornar aos antigos caminhos. É imperativo não haver mais imoralidade — isto é, infidelidade a *Yahweh* por meio de "relações" com outros deuses. Essa exigência acompanha os comentários sobre os reis. O palácio real, em Jerusalém, era adjacente ao palácio de *Yahweh*, o que, facilmente, o tornou um complemento do primeiro, a exemplo de uma capela real. Em conformidade com a ênfase sobre a **sacralidade** em contraste com o comum ou profano, a sacralidade distintiva do palácio de *Yahweh* precisa ser salvaguardada, como é sugerido na instrução para que as portas permaneçam trancadas (não para manter *Yahweh* dentro, mas para impedir a entrada de indivíduos estranhos ao templo).

Essa necessidade é sublinhada pelo fato de os reis serem, regularmente, sepultados nas imediações do palácio e, portanto, do templo. O fato de a morte e *Yahweh* não terem nada em comum torna essa prática uma infração do princípio de separação entre o sagrado e o profano ou **comum**. Além disso, uma das expressões da "imoralidade" religiosa em Jerusalém era a apresentação de ofertas em honra a pessoas já falecidas, o que estava associado com a busca da orientação desses entes já falecidos e do auxílio de outras divindades. A comunidade precisa ter um sentimento de vergonha à altura dessas práticas em sua vida até ali, para que sejam recipientes adequados do **ensino** de *Yahweh* sobre a sua casa.

As instruções acerca da construção do **altar** são, uma vez mais, difíceis de acompanhar em seus detalhes. Ao refletirmos sobre o altar no Antigo Testamento, é preciso esquecer a ideia de altar em uma igreja, sobre a qual o sacerdote, pastor ou padre se posiciona. O sacerdote se coloca sobre este altar. Trata-se de uma estrutura de quatro níveis, cinco metros de altura, dez metros de largura em sua base e que se estreita até atingir seis metros no topo. A plataforma superior é a "lareira", sobre a qual o sacerdote deve queimar o animal (que foi abatido em uma das mesas citadas, previamente, na visão). A lareira possui chifres em seus cantos. Seria inevitável que os elementos constituintes do altar tivessem contato com coisas contaminadas, de modo que *Yahweh* prescreve o ritual de **purificação** do altar, para que ele seja adequadamente separado para aquela função na adoração do templo. O altar é purificado pela aplicação do sangue de um animal usado no sacrifício de purificação. A prescrição para que o animal usado no ritual seja "inteiro" significa a proibição de oferecer um animal que tenha alguma mácula ou algum defeito.

EZEQUIEL 44:4-27
QUEM PODE MINISTRAR ADEQUADAMENTE?

⁴Ele me levou pelo caminho da porta norte, para a frente da casa. Olhei, e eis que o esplendor de *Yahweh* estava preenchendo a casa de *Yahweh*. Prostrei-me, rosto em terra. ⁵*Yahweh* me disse: "Jovem, dedique a sua mente, olhe com os seus olhos, ouça com os seus ouvidos a tudo o que irei lhe falar com respeito a todas as leis para a casa de *Yahweh* e todas as instruções para ela. Preste atenção na entrada para a casa com todas as suas saídas do santuário. ⁶Você deve dizer aos rebeldes, à casa de Israel: 'O Senhor *Yahweh* assim disse: "Já basta de todos os seus ultrajes, casa de Israel, ⁷ao trazerem estrangeiros, incircuncisos em espírito e incircuncisos em carne, para estarem em meu santuário, para tornar a minha casa comum, quando apresentam a minha comida, a gordura e o sangue. Vocês têm violado a minha aliança com todos os seus ultrajes. ⁸Não têm cumprido a responsabilidade com as minhas sagradas coisas; os têm apontado como pessoas para cumprir as responsabilidades em meu santuário para vocês."

⁹O Senhor *Yahweh* assim disse: "Nenhum estrangeiro, incircunciso em espírito e incircunciso em carne, deve entrar em meu santuário, de qualquer estrangeiro que esteja entre os israelitas. ¹⁰Antes, os levitas que se afastaram de mim, quando Israel se desviou (quando se desviaram de mim, seguindo os seus ídolos), carregarão as suas transgressões. ¹¹Em meu santuário, ministrarão com a supervisão das portas da casa e na ministração à casa. Eles abaterão a oferta queimada e o sacrifício para o povo. Permanecerão diante deles e lhes ministrarão. ¹²Porque costumavam ministrar a eles diante de seus ídolos e, para a casa de Israel, foram obstáculos que os fizeram tropeçar nas transgressões. Assim, levantei a minha mão [para jurar] acerca deles" (declaração do Senhor *Yahweh*), "que eles carregarão a sua transgressão. ¹³Não devem se aproximar de mim para agir como sacerdotes ou se aproximarem de qualquer de

minhas sagradas coisas, das minhas coisas santíssimas. Devem carregar a sua vergonha, os ultrajes que cometeram. [14]Farei deles guardas a cargo da casa, por todo o seu serviço e para tudo o que é feito nela.

[15]Mas os sacerdotes levíticos, que são descendentes de Zadoque, que cumpriram a responsabilidade pelo meu santuário quando a casa de Israel se desviou de mim, eles podem se aproximar de mim para ministrar. Podem se apresentar diante de mim para me apresentar a gordura e o sangue" (declaração do Senhor *Yahweh*). [16]"Eles são os únicos a entrarem em meu santuário. Apenas eles se aproximarão da minha mesa para ministrar a mim e cumprirão os meus encargos. [17]Quando entrarem pelas portas do pátio interno, devem vestir roupas de linho. Não devem vestir lã quando ministrarem nas portas do pátio interno e dentro dele. [18]Trajes de linho devem estar sobre a cabeça deles e sobre a sua cintura, mas não devem vestir nada que os faça suar. [19]Quando saírem ao pátio externo (ao pátio externo, para o povo), devem tirar as suas vestimentas com as quais estavam ministrando, guardá-las nos aposentos sagrados e vestir outras roupas, não tornar as pessoas sagradas com as suas vestes. [20]Eles não devem raspar a cabeça ou deixar o cabelo crescer, mas, certamente, devem aparar o cabelo. [21]Nenhum sacerdote deve beber vinho quando entrar no pátio interno. [22]Não devem tomar para si uma viúva ou divorciada como esposa; antes, desposar uma moça da descendência da casa de Israel ou uma viúva de um sacerdote.

[23]Devem ensinar o meu povo [a diferença] entre o sagrado e o comum e lhes permitir saber [a diferença] entre o puro e o contaminado. [24]Em relação a uma disputa, eles são os únicos a tomar uma decisão; devem decidir pelas minhas decisões. Devem guardar as minhas instruções e as minhas leis com respeito às ocasiões determinadas e manter os meus sábados sagrados. [25]Uma pessoa não deve ir até alguém morto, exceto para contaminar-se pelo pai ou pela mãe, pelo filho ou pela

> filha, pelo irmão ou pela irmã (que não pertença a um homem). [26]Após a sua purificação, deve contar sete dias para ele [27]e, no dia em que entrar no santuário, no pátio interno, para ministrar no santuário, deve apresentar a sua oferta de purificação" (declaração do Senhor *Yahweh*).'"

Li que um seminário batista, no Sul, realizou programas de graduação para detentos em presídios estaduais, alguns encarcerados por acusações muito sérias, e que 28 detentos foram ordenados. Alguém consegue imaginá-los tendo um ministério no "lado de fora"? Certo amigo deixou o ministério após reconhecer o seu vício em pornografia. É possível imaginar uma igreja convidando-o para ser seu pastor? Em 1985, um adolescente de Santa Bárbara envolveu-se em um assassinato. Na prisão, ele estudou para ser ministro e foi ordenado como um sacerdote episcopal. O pai da vítima queria que ele permanecesse na prisão; ele foi autorizado a pregar para os detentos na prisão. Após cumprir pena de vinte anos, ele foi solto e se tornou reitor de uma igreja em San Francisco, da qual foi, subsequentemente, suspenso do ministério por abuso sexual e adultério com uma paroquiana.

Ezequiel está preocupado com a função no templo, aberta a ministros que se mostraram infiéis no passado, embora o alvo da preocupação do profeta não sejam os indivíduos, mas os **levitas**, como grupo. A tentativa de traçar a história dos sacerdotes e dos levitas envolve conectar-se a uma série de pontos muito espaçados. O Antigo Testamento passa a impressão de que a adoração nos inúmeros santuários espalhados por toda a nação envolvia mais infidelidade a *Yahweh* do que a adoração em Jerusalém. Ainda, associa o ministério dos levitas com aqueles santuários. Assim, *Yahweh* exclui o envolvimento dos levitas no ministério sacerdotal (no sentido mais restrito) no templo. Em parte, trata-se de uma salvaguarda contra a recorrência de infidelidade; em parte, é um movimento disciplinar, para evitar tratar um grupo que se havia contaminado, como a sugerir que as suas ações não importavam.

Trata-se também de uma medida prática. Nesses capítulos, Ezequiel mescla material visionário e metafórico com um conteúdo que mais parece instruções a serem implementadas diretamente, e a distinção entre eles é difícil. Isso, todavia, não faz muita diferença para nós; mesmo onde ele pretendia uma introdução direta, a sua importância para nós é o que isso indica acerca de como Deus olha para tópicos como o ministério. Ezequiel não cita o problema de haver pessoas em excesso na posição de sacerdotes para atuarem na função sacerdotal técnica do templo. O profeta aborda outra questão. Estrangeiros costumavam exercer funções no templo, em posições como guardas e outras tarefas cotidianas. Ezequiel não afirma que as únicas pessoas que podem estar envolvidas no serviço do templo são os **israelitas** por nascimento. O que ele diz é que pessoas física e espiritualmente incircuncisas é que não deveriam se envolver. O templo deve parar de contratar esses estrangeiros apenas para satisfazer as suas necessidades práticas. Aquelas são funções que os levitas podem cumprir. Essa informação pode não ter sido bem recebida pelos levitas; quando Esdras levou a sua comitiva para Jerusalém, nenhum levita quis se unir a ele (veja Esdras 8).

O serviço sacerdotal propriamente dito (a oferta de sacrifícios) deve estar restrito aos levitas descendentes de Zadoque, um dos sacerdotes líderes nos dias de Davi. A surpresa em relação a esse capítulo é a declaração de que eles "cumpriram a responsabilidade pelo meu santuário" quando outros israelitas foram infiéis. Ezequiel descreveu como o templo foi tão apóstata quanto os demais santuários. Seria possível presumir que os zadoqueus estivessem envolvidos naquela apostasia. O profeta implica que isso não ocorreu, e parece improvável que não soubesse a verdade ou que ele esteja mentindo de forma deliberada (ainda que, ele mesmo, fosse um zadoqueu e estivesse enaltecendo a posição de sua família por meio de sua visão). Os zadoqueus, obviamente, falharam em manter o templo nos trilhos; mas talvez faltou-lhes a devida **autoridade** para adotar ações para esse fim, particularmente em um contexto no qual o rei, na prática, exercia considerável autoridade ali.

Não surpreende que algumas das prescrições para os sacerdotes se sobreponham às instruções na **Torá**. Suas vestimentas devem ser de linho, não de lã, que poderia levá-los a transpirar — aparentemente, o suor era considerado algo impuro. Essas vestes compartilhavam da **sacralidade** de estarem diante da presença de *Yahweh* e, assim, deveriam ser retiradas e deixadas na área imediata ao templo, não levadas para fora, a exemplo do alimento dos sacrifícios que os sacerdotes comiam. Os sacerdotes devem evitar, o máximo possível, a contaminação proveniente do contato com a morte, preocupação que as demais pessoas comuns do povo não precisavam ter. As regras acerca dos cabelos podem ter ligação com o luto e rituais pagãos relacionados.

EZEQUIEL 44:28—45:17
APOIANDO O MINISTÉRIO

28"[Os sacerdotes] devem ter como sua própria propriedade: eu sou a propriedade deles. Vocês não devem lhes dar nenhum lote em Israel. 29A oferta de cereal, a oferta de purificação e a oferta de restituição — eles são os únicos a comer delas. Tudo o que for devotado em Israel será deles. ³⁰O melhor de todas as primícias de tudo e toda a doação de qualquer coisa, de todas as suas doações, será dos sacerdotes. A primeira porção de sua massa, devem dar ao sacerdote, para a bênção repousar na casa de vocês. ³¹Os sacerdotes não devem comer nada que morrer naturalmente ou qualquer presa, ave ou animal.

CAPÍTULO 45

¹Quando distribuírem a terra como uma possessão, vocês devem levantar uma doação a *Yahweh*, uma área sagrada da terra. O comprimento: vinte e cinco mil [côvados] em comprimento; a largura: dez mil. Deve ser uma área sagrada em todo o seu limite, em toda a volta. ²Disso, deve haver quinhentos por quinhentos [côvados] quadrados, em toda a volta, para o santuário, e cinquenta côvados, como um espaço aberto, em toda a volta. ³Dessa medida, você deve medir vinte e cinco mil em comprimento e dez mil em largura; nisso deverá estar o santuário, o Lugar Santíssimo. ⁴Será a área sagrada da terra para os sacerdotes, os ministros do santuário, que se aproximam para ministrar a *Yahweh*. Será um lugar para suas casas e um santuário para o santuário. ⁵Vinte e cinco mil em comprimento e dez mil em largura serão para os levitas, os ministros da casa, para eles como uma alocação, vinte aposentos. ⁶A alocação da cidade: devem dar vinte e cinco mil em comprimento e em largura, cinco mil, adjacente à doação sagrada. Ela pertencerá a toda a casa de Israel. ⁷Ao governante, pertencerá um lado e outro lado da doação sagrada e da alocação da cidade, em frente da doação sagrada e em frente da alocação da cidade, no lado oeste, em direção ao oeste, e no lado leste, em direção ao leste, um comprimento paralelo a uma das partilhas [dos clãs], desde a fronteira ocidental até a fronteira oriental ⁸da terra. Será uma alocação para ele em Israel. Os meus governantes não oprimirão mais o meu povo. Darão a terra à casa de Israel, aos seus clãs."

EZEQUIEL 44:28—45:17 • APOIANDO O MINISTÉRIO

⁹O Senhor *Yahweh* assim disse: "Tem havido o bastante para vocês, governantes de Israel. Removam a violência e a destruição. Implementem a autoridade com fidelidade. Suspendam as desapropriações do meu povo" (declaração do Senhor *Yahweh*). ¹⁰"Vocês devem ter balanças fiéis, um efa [medida para secos], um bato fiel [medida para líquidos]. ¹¹O efa e o bato devem ser de um só tamanho. O bato deve conter um décimo de um ômer, e o efa, um décimo de um ômer. O tamanho será baseado no ômer. ¹²O siclo [medida para prata e ouro] é de vinte geras. Vinte siclos mais vinte e cinco siclos mais quinze siclos são uma mina para vocês.

¹³Esta é a doação que vocês devem levantar: um sexto de um efa de um ômer de trigo. Deem um sexto de um efa de um ômer de cevada. ¹⁴A lei para o azeite — azeite [sendo medido pelo] bato: um décimo de um bato de um coro (dez batos, um ômer, pois dez batos fazem um ômer). ¹⁵Uma ovelha do rebanho, de cada duzentas. [Estas são] das pastagens de Israel para a oferta de cereal, a oferta queimada e o sacrifício de comunhão, para fazer expiação por eles" (declaração do Senhor *Yahweh*). ¹⁶"Todo o povo da terra deve estar envolvido nessa doação ao governante em Israel, ¹⁷mas a oferta queimada, a oferta de cereal, a libação, em festivais e nos sábados, em todas as ocasiões estabelecidas para a casa de Israel, são incumbência do governante. Ele deve prover a oferta de purificação, a oferta de cereal, a oferta queimada e o sacrifício de comunhão para fazer expiação para a casa de Israel."

O tesoureiro da nossa igreja tem conclamado as pessoas a definirem seus compromissos financeiros para o próximo ano, o que lhe possibilitaria esboçar um orçamento, mas elas têm demorado a fazê-lo. O mesmo ocorreu no ano passado, mas elas, ainda no tempo apropriado, o fizeram. O fato estranho foi que, ao longo deste ano, as contribuições excederam em muito o que as pessoas haviam empenhado. Esse é um dos motivos pelos quais tivemos capacidade financeira para substituir o piso e reformar os bancos em nossa igreja (preciso sair agora, pois o último lote de bancos reformados está para chegar em dez minutos). Mas a nossa incapacidade de levantar fundos suficientes em uma pequena congregação é o motivo pelo qual fomos obrigados a dispensar o nosso antigo reitor.

Existem algumas sobreposições entre as abordagens cristãs modernas sobre finanças em uma igreja e a abordagem de **Israel** e, claro, algumas distinções. O relato de Ezequiel começa de maneira dramática. Os sacerdotes não possuem propriedades; isso os coloca e às suas respectivas famílias em uma posição de vulnerabilidade. Somente quando você possui um pedaço de terra é que pode cultivar o seu alimento. Sem um pedaço de terra, sem alimento; a pessoa fica dependente da caridade das demais pessoas — eis o motivo de a **Torá** obrigar as pessoas a contribuírem para o sustento dos **levitas**, além de viúvas e órfãos. Todos esses grupos não possuem terras. É nesse sentido (Ezequiel começa) que os sacerdotes não têm propriedades próprias, nenhum lote de terra. Quando a terra foi distribuída por sorteio aos clãs e, então, às respectivas famílias dentro de um mesmo clã, os sacerdotes não participaram dessa distribuição.

As boas-novas é que eles possuem Deus como sua "propriedade" ou "alocação". Isso não significa que Deus "pertence" a eles — os israelitas não "possuíam", exatamente, a terra; eles eram mais como inquilinos de Deus. Mas, do mesmo modo que os demais proprietários podiam estar seguros de seu pedaço de terra, pois ninguém tinha o direito de expulsá-los, igualmente os sacerdotes podiam ter certeza da provisão divina. Deus assegurava essa provisão ao redirecionar parte dos dízimos e das ofertas que chegavam a ele. Eles, contudo, precisavam resistir à tentação de assar e comer um animal que tivesse morrido de causas naturais ou pelo ataque de outros animais, mesmo quando fossem dominados pelo medo de não terem o suficiente para comer. Os regulamentos da Torá estabelecem quais partes da oferta devem ser queimadas a Deus, quais partes podem ser compartilhadas pelos adoradores em um ato de comunhão, e quais partes são dadas a Deus, mas entregues aos sacerdotes como representantes divinos. O que é "devotado" são coisas como um campo ou um jumento (o equivalente a um caminhão).

Nessa visão da nova era que está se aproximando, a terra é distribuída de um modo artificial, em faixas que se estendem desde o Mediterrâneo até o Jordão. A faixa central é uma "doação" a *Yahweh*, uma área entregue a ele. Dentro dessa faixa, a parte do meio é reservada ao santuário, circundada por uma área na qual os sacerdotes podem viver; então, de um lado, por uma área na qual os levitas podem morar, e do outro lado, junto à cidade e sua terra. Os extremos dessa faixa central, a parte litorânea e junto ao Jordão, são alocadas ao chefe de Estado. Ezequiel nem sempre evita chamá-lo de rei, mas, com frequência, o faz; o rei e seu povo podem assim serem lembrados de que apenas *Yahweh* é Rei, e/ou de que um governante israelita deve ser diferente de um rei **babilônio**, e/ou de que a noção de reinado israelita tem sido levada ao descrédito por muitos daqueles que, anteriormente, ocuparam o trono. Tais implicações conectam-se com a declaração de que os governantes de *Yahweh* não devem "oprimir" o seu povo. O verbo hebraico sugere extorsão e fraudar as pessoas de seus bens. Embora, em teoria, seja impossível vender a terra, circunstâncias desesperadoras por parte dos proprietários sem sorte, e a ganância por parte de pessoas poderosas, significam que Israel descobriu meios de transferir o controle da terra e evitar a atenção da visão de *Yahweh*.

Não havia distribuição de terras ao rei na antiga disposição, o que remonta ao tempo no qual não havia reis. Ezequiel não almeja ir de volta àqueles dias, mas prover o rei de um pedaço de terra elimina a desculpa para apropriar-se de lotes do povo. A terra pertence à casa de Israel, aos seus clãs. Além de não desapropriar as pessoas, o governante tem a função de assegurar que as transações econômicas sejam conduzidas de maneira justa. Ele também designou doações do povo (às quais chamaríamos de impostos), o que deixaria o rei ainda mais sem desculpas, e, fora dessas doações, espera-se que o rei subscreva o custo de muitos dos sacrifícios regulares no templo.

EZEQUIEL 45:18—46:24
DIÁRIA, SEMANAL, MENSAL, ANUAL E ESPONTANEAMENTE

[18]O Senhor *Yahweh* assim disse: "No primeiro dia do primeiro mês, você deve pegar um novilho da manada, inteiro, e purificar o santuário. [19]O sacerdote deve pegar um pouco do sangue da oferta de purificação e colocá-lo sobre os batentes da casa, sobre os quatro cantos da aba do altar, e sobre o batente da porta para o pátio interno. [20]Assim, deve fazer no sétimo dia do mês, por alguém que está cometendo um erro ou sendo ignorante. Você deve expiar a casa.

[21]No primeiro [mês], no décimo quarto dia do mês, deve ser a Páscoa para vocês. Para o festival de sete dias, pão sem fermento deve ser comido. [22]Naquele dia, o governante deve providenciar, em seu favor e em favor de todo o povo, um touro como oferta de purificação. [23]Durante os sete dias do festival,

ele deve fornecer uma oferta queimada a *Yahweh*, sete novilhos e sete carneiros, inteiros, diariamente, durante os sete dias, e, como oferta de purificação, um bode, diariamente. ²⁴Deve oferecer uma oferta de cereal e um efa para cada novilho, um efa para cada carneiro, e azeite; um him para cada efa. ²⁵No sétimo [mês], no décimo quinto dia do mês, durante o festival, ele deve fornecer de acordo com isso, para os sete dias, de acordo com a oferta de purificação, da oferta queimada, da oferta de cereal e do azeite."

CAPÍTULO 46

¹O Senhor *Yahweh* assim disse: "A porta do pátio interno, que dá para o leste, deve estar fechada durante os seis dias de trabalho, mas, no sétimo dia, deve estar aberta, e no dia de lua nova deve estar aberta. ²O governante deverá entrar pela soleira da porta externa e ficará junto ao batente, e os sacerdotes devem fazer a sua oferta queimada e seus sacrifícios de comunhão. Ele deve se prostrar, rosto em terra, na varanda da porta e sair, mas a porta não deve ser fechada até o entardecer. ³O povo da terra deve se prostrar, rosto em terra, junto à porta da entrada, nos sábados e nas luas novas, diante de *Yahweh*. ⁴A oferta queimada que o governante apresenta a *Yahweh* no dia de sábado: seis cordeiros, inteiros, e um carneiro, inteiro, ⁵e uma oferta de cereal: um efa para o carneiro, e para os cordeiros, como uma oferta de cereal, um presente de sua mão, e azeite: um him para o efa. ⁶No dia da lua nova: um novilho da manada, inteiro, e seis cordeiros, e um carneiro: eles devem ser inteiros. ⁷Deve fornecer um efa para o novilho, um efa para o carneiro, como uma oferta de cereal, e para os cordeiros, como a sua mão lhe aprouver, e azeite: um him para cada efa.

⁸Quando o governante entrar, ele deve entrar pela soleira da porta e sair pelo mesmo caminho. ⁹Mas, quando o povo da terra entrar diante de *Yahweh*, nas ocasiões estabelecidas, alguém que entrar pela porta norte para se prostrar deve sair

pela porta sul, e alguém que entrar pela porta sul deve sair pela porta norte. Ele não deve retornar à porta pela qual entrou, mas sair pela porta oposta. **10**O governante entrará entre eles quando entrarem e sairá quando eles saírem. **11**Em festivais e ocasiões estabelecidas, a oferta de cereal deve ser um efa para cada novilho, um efa para cada carneiro, e, para os cordeiros, um presente de sua mão, e azeite: um him para cada efa. **12**Quando o governante preparar uma oferta queimada como uma oferta voluntária, ou sacrifícios de comunhão como uma oferta voluntária a *Yahweh*, alguém deve abrir para ele a porta voltada para o leste, e ele fornecerá a sua oferta queimada e os seus sacrifícios de comunhão, como o faz no dia do sábado, e sairá. Alguém deve fechar a porta após ele sair.

13Com um cordeiro do primeiro ano, inteiro, vocês devem preparar uma oferta para o dia a *Yahweh*; manhã após manhã, devem prepará-la. **14**Devem preparar uma oferta de cereal com ele, manhã após manhã; um sexto de um efa e um terço de um him de azeite para umedecer a flor de farinha, como uma oferta de cereal a *Yahweh* — leis permanentes, regularmente. **15**Devem preparar o cordeiro, a oferta de cereal e o azeite, manhã após manhã, uma oferta queimada regular."

16O Senhor *Yahweh* assim disse: "Quando o governante der um presente a um de seus filhos, será de sua propriedade; pertencerá aos seus filhos. Será a partilha deles como propriedade pessoal. **17**Mas, quando ele der um presente fora de sua propriedade a um de seus servidores, pertencerá a ele até o ano da libertação, e retornará ao governante. Afinal, seus filhos — sua propriedade deve pertencer a eles. **18**Mas o governante não deve tomar a propriedade do povo, defraudando-os da partilha deles. De sua própria partilha, ele pode conceder aos seus filhos, para que o meu povo não seja espalhado, cada pessoa, de sua possessão."

19Ele me trouxe pela entrada que está ao lado da porta, para os aposentos sagrados pertencentes aos sacerdotes, voltados

EZEQUIEL 45:18—46:24 • DIÁRIA, SEMANAL, MENSAL, ANUAL E ESPONTANEAMENTE

para o norte. Eis que nas partes distantes para o oeste havia um lugar. ²⁰Ele me disse: "Este é o lugar no qual os sacerdotes devem cozinhar a oferta de restituição e a oferta de purificação, no qual devem assar a oferta de cereal, para que não saiam ao pátio externo e tornem o povo sagrado." ²¹Ele me levou para fora, ao pátio externo, e me fez passar pelos quatro cantos do pátio. Eis que havia um pátio em cada canto. ²²Nos quatro cantos do pátio, havia pátios fechados —comprimento: quarenta; largura: trinta; uma mesma medida para os quatro pátios nos cantos, ²³com uma borda em toda a volta deles (em toda a volta dos quatro), e locais de cozinhar feitos debaixo da borda, em toda a volta. ²⁴Ele me disse: "Estas são as cozinhas nas quais os ministros na casa cozinharão o sacrifício de comunhão do povo."

Escrevo um dia antes da véspera de Natal, um domingo confuso, nas imediações de onde moramos. Fora da nossa casa, empreiteiros têm construído tribunas para a Parada de Ano-novo. Dentro dela, estamos planejando os cardápios para as muitas celebrações, que irão ocorrer ao longo dos próximos dez dias. Mas também iniciamos o dia fazendo as nossas orações matutinas. No prédio da igreja, a conclusão da reforma estava prevista para hoje, mas ainda faltam alguns detalhes e, assim, temos que ajustar o cronograma. Um de nossos membros ligou para esclarecer se consideramos os cultos de hoje como o início do Natal, ou se eles ainda fazem parte do Advento (ainda são parte do Advento, embora haja uma apresentação da história de Natal na Escola Dominical).

O capítulo de Ezequiel é uma mescla, com características sobrepostas. Ele nos permite ver algo da dinâmica equivalente da espiritualidade no Antigo Testamento, em termos dos ciclos diários, semanais, mensais e anuais, além das ocasiões nas quais o povo ia ao templo por causa de algo que Deus tivesse feito especialmente para eles. Grande parte da seção reformula as instruções que também estão presentes na **Torá**.

Algumas ofertas são feitas "regularmente" no templo, o termo usado para denotar os sacrifícios realizados todos os dias. Por meio do serviço do sacerdote, de manhã bem cedo **Israel** começava o dia apresentando uma oferta queimada como um ato de adoração e de compromisso: a Torá fala sobre uma oferta paralela feita ao anoitecer. As pessoas **comuns** do povo, normalmente, não iam ao templo nessas ocasiões (a maioria das pessoas vivia distante), mas elas sabiam que as ofertas estavam sendo feitas e que podiam participar a distância.

Então, há as ofertas especiais realizadas no sábado. A ideia básica acerca do sábado não era a adoração, mas santificar ou separar o dia, não o infringindo, mas cumprindo-o, portanto não trabalhando. Essa visão de Ezequiel, todavia, é uma das poucas passagens que mencionam ofertas especiais no sábado. Seria mais prático às pessoas em Jerusalém irem ao templo nesse dia do que nos demais dias da semana.

Há ofertas especiais para a "lua nova", o início de cada mês, do mesmo modo que há para o raiar de cada novo dia. Trata-se de um lembrete com respeito ao envolvimento de *Yahweh* com o ciclo da criação. Então, há a rodada de festivais anuais. No ano novo, Israel deve realizar a **purificação** do santuário, aparentemente duas vezes, para garanti-la. Apesar de toda a atenção dos guardas nas entradas, decerto alguma contaminação chegará ao santuário. Talvez alguém tenha ido ao templo após ter contato com a morte sem o saber, ou mesmo sem conhecer o ritual apropriado para purificar-se

EZEQUIEL 45:18—46:24 • DIÁRIA, SEMANAL, MENSAL, ANUAL E ESPONTANEAMENTE

antes de ir. Ainda, pode ter ocorrido contaminação pela adoração a outros deuses ou pela negligência às carências da população pobre. A provisão para a purificação sobrepõe-se à importância do Dia da Expiação, na Torá. Ezequiel não cita esse dia; o profeta prevê uma forma diferente de atingir o mesmo fim.

No décimo quarto dia do primeiro mês, março-abril, ocorre a Páscoa, o que leva ao Festival dos Pães Asmos, comemorando o fato de Israel ter assado pão sem fermento no êxodo, pois não havia tempo hábil para deixar a massa crescer. Nessa ocasião, também há ofertas de purificação e ofertas queimadas; há, ainda, menção à oferta de cereal e do azeite, necessário para ser misturado ao cereal na fabricação do pão.

Embora o calendário religioso comece com o mês da Páscoa, em abril, o ano agrícola começa no outono, na estação chuvosa. O sétimo mês é, portanto, o fim do antigo ano agrícola e o começo do novo ano, marcado pela festa do Sucote ou das Cabanas, que também lembrava os israelitas das casas improvisadas nas quais viveram em sua jornada do Egito até Canaã.

Ezequiel especifica o que era necessário para esses estivais, pois um dos pontos da passagem é fornecer mais detalhes quanto ao que o governante deveria fornecer. Entre outras pessoas, o rei também poderia ser um sacerdote e, em Israel, os reis, com frequência, assumiram um papel proeminente na adoração, encorajando uma adoração que era infiel a *Yahweh*. Essas instruções acerca do envolvimento do rei na adoração tanto salvaguarda como restringe a sua posição. Existe uma salvaguarda e restrição similares nas regras com relação aos presentes dados a outras pessoas, que não devem comprometer a posição das posses dadas por Deus ao governante para o benefício de todo o povo. A observação sobre os adoradores saindo pela porta oposta à porta pela qual entraram objetiva preservar a ordem nas ocasiões festivas, nas quais grandes contingentes de adoradores afluíam ao templo ao mesmo tempo.

Já comentamos que os sacrifícios de comunhão estão entre aqueles que não podem ser previamente agendados, a exemplo das ofertas queimadas e de purificação. As pessoas apresentam ofertas de comunhão quando recebem uma bênção especial ou uma resposta de oração e, então, vão ao templo para celebrar em comunhão com Deus e uns com os outros. Essas celebrações familiares e comunitárias (quem pensaria em agradecer a Deus por uma resposta de oração por contra própria?), portanto, demandavam locais para cozinhar separados dos locais que serviam a outros sacrifícios. O último parágrafo, de maneira realista, fornece isso. A flexibilidade pertencente ao sacrifício de comunhão é estendida a alguns outros aspectos dos sacrifícios. Ezequiel refere-se a "um presente de sua mão" e "como a sua mão lhe aprouver", expressões que sugerem uma doação que a pessoa está disposta a dar ou que é capaz de dar, em um contexto particular.

EZEQUIEL **47:1–23**
ÁGUAS QUE VIVIFICAM

[1]Ele me levou de volta à entrada da casa. Eis que água estava saindo de debaixo da varanda da casa, indo para o leste, pois a frente da casa estava para o leste. A água descia de debaixo do lado direito da casa, sul do altar. [2]Ele me levou para fora, pela porta norte, e me levou ao redor, pelo lado de fora, à porta externa, o caminho voltado para o leste. Eis que a água estava fluindo do lado direito. [3]Quando o homem saiu para o

EZEQUIEL 47:1-23 • ÁGUAS QUE VIVIFICAM

leste com uma linha em sua mão, ele mediu mil côvados e me fez passar pela água, que estava na altura do tornozelo. ⁴Ele mediu mais mil e me fez passar pela água, na altura do joelho. Mediu mais mil e me fez passar pela água, na altura da cintura. ⁵Mediu mais mil, e eis um ribeiro que eu não conseguia atravessar, pois a água havia subido, água para nadar, um ribeiro que não podia ser atravessado. ⁶Ele me disse: "Vê isso, jovem?" e me levou para ir e retornar à margem do ribeiro. ⁷Quando retornei, eis que na margem do ribeiro havia muitas árvores, deste lado e do outro. ⁸Ele me disse: "Esta água está indo na direção da região oriental e descendo até a estepe, indo para o mar, para o mar de água poluída. A água se tornará saudável. ⁹Qualquer ser vivente que se move viverá aonde quer que o ribeiro for, e os peixes serão abundantes, por causa dessa água que chega lá. Será saudável, e qualquer coisa viverá aonde o ribeiro for. ¹⁰Pescadores estarão junto a ele. Desde En-Gedi até En-Eglaim haverá um lugar para espalhar redes. Em espécie, os seus peixes serão como os peixes do mar [Mediterrâneo], abundantemente grandes. ¹¹Mas seus pântanos e charcos não se tornarão saudáveis; serão entregues ao sal. ¹²Junto ao ribeiro, haverá crescimento, em sua margem, deste lado e do outro, todas as árvores para alimento. A folhagem delas não murchará, e o seu fruto não terá fim. Nos seus meses, produzirão, pois a sua água está saindo do santuário. O seu fruto será para alimento e a sua folhagem para remédio."

¹³O Senhor *Yahweh* assim disse: "Esta é a fronteira pela qual vocês distribuirão a terra aos doze clãs de Israel (José: [duas] alocações). ¹⁴Devem partilhá-la (cada um o mesmo que o seu irmão), pois levantei a minha mão [para jurar] dá-la aos seus ancestrais. Esta terra cairá para vocês como sua própria. ¹⁵Esta é a fronteira da terra. No lado norte: desde o Grande Mar, pelo caminho de Hetlom, Lebo, até Zedade, ¹⁶Hamate, Berota, Sibraim (que fica entre a fronteira de Damasco e a

EZEQUIEL 47:1-23 · ÁGUAS QUE VIVIFICAM

fronteira de Hamate), Hazer-Haticom (que fica na fronteira de Haurã). **¹⁷**A fronteira será desde o mar até Hazar-Enom, a fronteira de Damasco, na direção norte, e a fronteira de Hamate, com respeito ao lado norte. **¹⁸**No lado leste: desde entre Haurã e Damasco, e Gileade e a terra de Israel, o Jordão, vocês devem medir desde a fronteira até o mar Oriental, com respeito ao lado oriental. **¹⁹**No lado sul: para o sul, desde Tamar até as águas em Meribá-Cades, o ribeiro, até o mar Grande, com respeito ao lado sul, para o sul. **²⁰**No lado ocidental: o mar Grande, desde a fronteira [sul] até a oposta Lebo-Hamate. Este é o lado ocidental. **²¹**Vocês devem dividir esta terra entre os clãs de Israel. **²²**Devem reparti-la como propriedade pessoal para vocês mesmos e para os estrangeiros residentes em seu meio, que tenham filhos entre vocês. Eles devem ser como nativos entre os israelitas. Com vocês, eles receberão lotes na propriedade entre os clãs de Israel. **²³**No clã com o qual o estrangeiro residir, ali devem dar a sua propriedade" (declaração do Senhor *Yahweh*).

Ontem, havia água fluindo sob o nosso edifício, formando um rio dentro da garagem. Não era uma água vivificante e não trazia boas-novas. A construção possui quarenta anos e, aparentemente, é mais tempo do que o encanamento poderia durar. Do mesmo modo, também estamos sendo instruídos a reduzir o nosso consumo de água, pois a nossa região seria desértica caso não importássemos água de outras partes, e a importamos não apenas para tomar prolongados banhos, mas também para regar os nossos gramados e deixá-los com a aparência dos gramados ingleses.

Jerusalém recebe chuva em quantidades suficientes, mas as nuvens vindas do Ocidente precipitam-se sobre a sua cadeia montanhosa. O território que fica a leste da cidade é um deserto. De Jerusalém, se desce cerca de 1.200 metros, em 24 quilômetros, até abaixo do nível do mar, no mar Morto. As águas do Jordão correm na direção desse mar e de lá saem apenas por meio da evaporação, depositando ali seus produtos químicos e gerando, naquelas águas, um odor desagradável, um gosto horrível e uma ardência sobre qualquer ferida na pele, mas também possui efeitos curadores e impossibilitam que os corpos afundem em suas águas. Nada cresce ali, exceto em um ou dois oásis. En-Gedi fica no meio do caminho par o mar Morto. En-Eglaim é talvez o outro oásis junto ao mar, En-Feshka, próximo a Qumran.

A visão de Ezequiel retrata a transformação de uma paisagem desértica. Suas visões incorporam um conjunto de instruções objetivas e práticas, passíveis de serem implementadas em um templo reconstruído e em uma cidade restaurada, mas os capítulos de encerramento nos lembram de que são, na verdade, visões, a exemplo dos capítulos anteriores. Elas são designadas a comunicar o propósito e as expectativas de *Yahweh*, mas não são um programa para implementação humana ou um anúncio do que *Yahweh*, literalmente, pretende fazer.

A implicação do presente capítulo é que o templo, por ser um local para a presença de *Yahweh*, é a fonte de nova vida para toda a terra, especialmente para as áreas que parecem mortas. Sua promessa, portanto, traça um paralelo àquela do vale dos ossos secos. *Yahweh* pode trazer os mortos de volta à vida e pode fazê-lo tanto em relação à terra quanto em relação aos seres humanos mortos, embora seja tipicamente realista, por parte de Ezequiel, reconhecer que o mar Morto não é de todo mau. Embora haja uma implicação de que as pessoas precisarão se dedicar à reconstrução do templo, a visão é mais uma promessa de que o retorno do esplendor, da glória de *Yahweh*, ao templo tornará esse local a fonte de vida novamente para a terra e o povo. O discurso sobre árvores e fruto (e de rios de águas fluentes) nos faz recordar da história da criação e sugere que Deus está renovando a terra a fim de cumprir o seu propósito original para a criação.

No Ocidente e no Oriente, as fronteiras da terra são aquelas óbvias: o mar Mediterrâneo e o rio Jordão. No extremo norte, a fronteira corre, aproximadamente, de Tiro até as fontes do Jordão. No extremo sul, ela corre para o oeste, desde o fundo do mar Morto. A especificação, portanto, compara e contrasta com outros relatos do Antigo Testamento quanto aos limites da terra e com a situação atual. Ela exclui a área a leste do Jordão, outrora distribuída a Gade, Rúben e parte de Manassés, os quais receberão terras a oeste do Jordão. Isso cobre as fronteiras modernas de Israel e da Palestina, mais uma porção do Líbano, a noroeste, e uma porção do Egito, a sudoeste. A variação dentro do Antigo Testamento mostra que não havia nada, eternamente, fixo quanto às fronteiras da terra, embora a ideia de que havia uma terra nessa região, prometida a Abraão por *Yahweh* e dada a **Israel**, tenha total importância.

A nota final do capítulo afirma que a membresia dos clãs de Israel não é baseada, puramente, em etnia. Embora a visão de Ezequiel proíba o emprego de estrangeiros no serviço do templo, ela se refere a pessoas incircuncisas em espírito e em carne, em tarefas que os israelitas não quisessem fazer. E, quanto aos estrangeiros que expressaram a vontade de se associar com Israel de maneira permanente, pelo estabelecimento de residência fixa em Israel, por tempo suficiente para gerarem filhos ali? O assunto muda de figura. Em relação à distribuição de terras, esses estrangeiros estão em condições iguais aos dos israelitas nativos.

EZEQUIEL **48:1–35**
YAHWEH-ESTÁ-AQUI

¹"Estes são os nomes dos clãs. No extremo norte, ao lado da estrada de Hetlom até Lebo-Hamate, Hazar-Enã, a fronteira de Damasco para o norte, pelo lado de Hamate, desde o lado oriental até o Mar pertencerá a ele: uma [porção], Dã. ²Na fronteira de Dã, desde o lado oriental até o lado ocidental: uma [porção], Aser. ³Na fronteira de Aser, desde o lado oriental até o lado ocidental: uma [porção], Naftali. ⁴Na fronteira de Naftali, desde o lado oriental até o lado ocidental: uma [porção], Manassés. ⁵Na fronteira de Manassés, desde o lado oriental até o lado ocidental: uma [porção], Efraim. ⁶Na fronteira de Efraim, desde o lado oriental até o lado ocidental: uma [porção], Rúben. ⁷Na fronteira de Rúben, desde o lado oriental até o lado ocidental: uma [porção], Judá.

⁸Na fronteira de Judá, desde o lado oriental até o lado ocidental, será a doação que vocês levantarem, largura e comprimento: vinte e cinco mil [côvados], como uma das porções do lado oriental até o lado ocidental. O santuário estará no centro dela. ⁹A doação que vocês levantarem a *Yahweh* — comprimento: vinte e cinco mil, e largura: dez mil. ¹⁰Ela pertencerá a estes: a doação sagrada aos sacerdotes, no lado norte: vinte e cinco mil, no lado oeste, e a largura: dez mil, no lado leste, a largura: dez mil, e no lado sul, o comprimento: vinte e cinco mil. O santuário de *Yahweh* estará no centro dela. ¹¹O que for santificado pertencerá aos sacerdotes zadoqueus, que guardaram o meu encargo, que não se desviaram quando os israelitas se desviaram, como os levitas se desviaram. ¹²Pertencerá a eles como uma doação fora da doação da terra, santíssima, na fronteira com os levitas. ¹³Os levitas, ao longo da fronteira dos sacerdotes — comprimento: vinte e cinco mil, e a largura: dez mil (todo o comprimento: vinte e cinco mil, e a largura: dez mil). ¹⁴Não devem vender nenhuma parte dela.

Uma pessoa não pode trocar ou transferir as primícias da terra, pois são sagradas a *Yahweh*.

¹⁵Os restantes cinco mil, em largura, e vinte e cinco mil, em comprimento: são [terra] comum, para a cidade, para habitações e para pastagem. A cidade estará no meio da área. ¹⁶Estas são as suas medidas: o lado norte: quatro mil e quinhentos; o lado sul: quatro mil e quinhentos; o lado oriental: quatro mil e quinhentos; e o lado ocidental: quatro mil e quinhentos. ¹⁷A pastagem pertencerá à cidade, ao norte: duzentos e cinquenta; ao sul: duzentos e cinquenta; a leste: duzentos e cinquenta; a oeste: duzentos e cinquenta. ¹⁸O que restar na terra ao longo da doação sagrada será dez mil, a leste, e dez mil, a oeste. Ela será ao longo da doação sagrada, e sua produção será para alimento aos servos da cidade. ¹⁹A pessoa que servir a cidade — de todos os clãs de Israel, a servirá. ²⁰Toda a doação, vinte e cinco mil por vinte e cinco mil, quadrados, vocês devem levantar, a doação sagrada com a porção da cidade. ²¹O que restar pertencerá ao governante, deste lado e do outro, da doação sagrada e da porção da cidade. Desde a frente dos vinte e cinco mil da doação até a fronteira oriental, e na ocidental, desde a frente dos vinte e cinco mil até a fronteira ocidental, ao longo das porções, pertencerá ao governante. A doação sagrada e o santuário pertencente à casa no meio dela, ²²e à parte da porção dos levitas e da porção da cidade, no meio do que pertence ao governante, entre a fronteira de Judá e a fronteira de Benjamim, pertencerá ao governante.

²³O restante dos clãs, desde o lado oriental até o lado ocidental: uma [porção], Benjamim. ²⁴Na fronteira de Benjamim, desde o lado oriental até o lado ocidental: uma [porção], Simeão. ²⁵Na fronteira de Simeão, desde o lado oriental até o lado ocidental: uma [porção], Issacar. ²⁶Na fronteira de Issacar, desde o lado oriental até o lado ocidental: uma [porção], Zebulom. ²⁷Na fronteira de Zebulom, desde o lado oriental até o lado ocidental: uma [porção], Gade. ²⁸Na fronteira de Gade, para o

EZEQUIEL 48:1-35 • YAHWEH-ESTÁ-AQUI

lado sul: a fronteira será desde Tamar até as águas de Meribá--Cades, o Ribeiro, até o mar Grande. ²⁹Esta é a terra que devem distribuir como propriedade aos clãs de Israel. Estas serão as partilhas" (declaração do Senhor *Yahweh*).

³⁰"Estas são as saídas da cidade. No lado norte, a medida é de quatro mil e quinhentos [côvados] ³¹(as portas da cidade receberão os nomes dos clãs de Israel), três portas do lado norte: uma, a porta de Rúben, uma, a porta de Judá, uma, a porta de Levi. ³²No lado oriental, quatro mil e quinhentos, e três portas: uma, a porta de José, uma, a porta de Benjamim, uma, a porta de Dã. ³³No lado sul, a medida é de quatro mil e quinhentos, e três portas: uma, a porta de Simeão, uma, a porta de Issacar, uma, a porta de Zebulom. ³⁴No lado ocidental, quatro mil e quinhentos, e três portas: uma, a porta de Gade, uma, a porta de Aser, uma, a porta de Naftali. ³⁵O total, ao redor, é de dezoito mil. O nome da cidade, a partir de agora, será *Yahweh*-está-aqui."

Acabei de ler uma carta de Natal, enviada por um casal amigo que se mudou, com seus dois filhos, de uma cidade próxima à nossa para uma fazenda de quase 25 mil metros quadrados, distante mais de mil e cem quilômetros. Ali eles depositam a sua confiança na energia solar, no gerador de emergência, e a água que consomem é tirada de um poço artesiano. Sou um garoto da cidade, confesso, e amo a oportunidade e a agitação. Sei, no entanto, que Deus começou tudo em um jardim (embora fosse melhor chamá-lo de fazenda). E sei que a cidade é um local que reúne pobreza, desigualdade, criminalidade e solidão. Na semana passada, visitei um centro de detenção juvenil, para auxiliar na realização de uma festa de Natal; nossa seção abrigava todos os adolescentes da cidade, prestes a serem condenados a anos de prisão por assassinato.

EZEQUIEL 48:1-35 • YAHWEH-ESTÁ-AQUI

O mesmo ocorre no campo, mas, acredita-se, que seja mais frequente nos centros urbanos.

Sinto-me, portanto, tão entusiasmado pelo versículo de encerramento de Ezequiel quanto fiquei em relação ao pará- grafo, no capítulo 43, que descreve o retorno do esplendor de **Yahweh**. O nome da cidade será *Yahweh*-está-aqui. Ezequiel não quer dizer que as placas nas estradas serão trocadas, da mesma forma que Mateus 1 não significa que Jesus será "cha- mado" Emanuel, como seu nome pessoal. O **nome** refere-se à realidade, não meramente ao rótulo. A cidade será o lugar no qual Deus está. Será um grande contraste com a cidade que Ezequiel conheceu. Sua natureza rebelde e opressora não a fazia parecer um lugar no qual Deus vivera. A sua destruição refletia a saída de Deus e a consequente perda da proteção advinda da presença divina ali. Mas *Yahweh* está comprome- tido a estar lá novamente.

O primeiro e o terceiro parágrafos, nesse capítulo final, simplesmente lista os clãs de acordo com a sua porção na terra. As porções formam faixas, desde o Mediterrâneo até o Jordão, listadas da região norte para o sul. Embora, origina- riamente, Levi tenha sido contado como um clã regular, ele se tornou um clã sacerdotal, mas as pessoas, cuja descendên- cia remontava a José, podiam ser vinculadas com seus dois filhos, **Efraim** e Manassés, pois ambos se tornaram clãs, o que preservou o total de doze. A divisão em faixas — ignorando a natureza física do território — uma vez mais deixa claro que Ezequiel não está falando sobre uma geografia literal. O ponto é que a terra é distribuída e cada clã recebe a sua justa porção, sem levar em conta os diferentes tamanhos entre os clãs. A divisão por clãs estabelece outro ponto. Nos dias de Ezequiel, praticamente todos os clãs não mais existiam. **Judá** e Benjamim ainda persistiam como clãs, e havia algumas

EZEQUIEL 48:1-35 • YAHWEH-ESTÁ-AQUI

pessoas que podiam traçar a sua origem a um dos demais clãs; como entidades, todavia, eles deixaram de existir décadas ou séculos atrás. Distribuir a terra aos doze clãs constitui um extraordinário ato de esperança. Ou, antes — pois é *Yahweh* quem está falando —, trata-se de uma promessa extraordinária e um convite à esperança. *Yahweh*, de fato, está comprometido com **Israel** como povo. Considerando que a natureza da distribuição sugere que ela seja, inerentemente, figurada, muito ajuda nos apegarmos a essa promessa como um compromisso com o povo de Deus, em suas inúmeras partes.

Entre a listagem dos seis clãs do Norte e os seis clãs do Sul, surge outra descrição da faixa central (a "doação" ou reserva) ocupada pelo santuário, as áreas dos sacerdotes e dos **levitas**, a cidade, e a porção destinada ao governante. Há uma ordem em relação a essa nova terra, com o santuário no centro.

⌐ GLOSSÁRIO ⌐

Altar Um altar é uma estrutura para oferta de sacrifício (o termo vem da palavra para sacrifício), feita de terra ou pedra. Um altar pode ser relativamente pequeno, como uma mesa, e o ofertante deve ficar diante dele. Ou pode ser mais alto e maior, como uma plataforma, e o ofertante tem de subir nele.

Assíria, assírios A primeira grande superpotência do Oriente Médio, os assírios expandiram o seu império rumo ao oeste, até a Síria-Palestina, no século VIII a.C., período de Amós e Isaías. Primeiro, a Assíria anexou **Efraim** ao seu império; então, quando Efraim persistiu tentando retomar a sua independência, os exércitos assírios o invadiram e destruíram a sua capital, Samaria, levando cativo grande parte de seu povo e substituindo-os por pessoas oriundas de outras partes do seu império. Invadiram também **Judá** e devastaram uma extensa área do país, mas não tomaram Jerusalém. Profetas como Amós e Isaías descrevem o modo pelo qual *Yahweh* estava, portanto, usando a Assíria como um meio de disciplinar **Israel**.

Autoridade, autoritativo As traduções, normalmente, substituem o termo hebraico *mishpat* por palavras como "julgamento" ou "justiça", mas a conotação subjacente a essa palavra é o exercício de autoridade e a tomada de **decisões**, em um sentido mais amplo. Trata-se de uma palavra para "governo". A princípio, então, o termo possui implicações positivas, embora seja possível aos que detêm autoridade tomar decisões injustas. A função do rei é exercer autoridade de acordo com a **fidelidade** a Deus e ao povo, com o fim de trazer libertação. Exercer autoridade significa tomar decisões e agir com firmeza e determinação em favor de pessoas em necessidade e aquelas prejudicadas pelos poderosos. Portanto, falar de Deus na posição de juiz significa boas-novas (exceto se você for um grande malfeitor). As "decisões" de Deus também podem denotar as declarações autoritativas de Deus quanto ao comportamento humano e sobre o que ele intenciona fazer.

Babilônia, babilônios Anteriormente um poder menor, os babilônios assumiram a posição de superpotência da **Assíria**, mantendo-a por quase um século, até ser conquistada pela **Pérsia**. Profetas como Jeremias descrevem como *Yahweh* estava usando a Babilônia como um meio de disciplinar **Judá**. Suas histórias sobre a criação, códigos legais e textos mais filosóficos nos auxiliam a compreender aspectos de escritos equivalentes presentes no Antigo Testamento, embora sua religião astrológica também constitua o cenário para polêmicos aspectos nos Profetas.

Bem-estar A palavra hebraica *shalom* pode sugerir paz após um conflito, mas, com frequência, indica uma ideia mais rica, ou seja, da plenitude de vida. A *ACF*, às vezes, a traduz por "bem-estar", e as traduções mais modernas usam palavras como "segurança" ou "prosperidade". De qualquer modo, a palavra sugere que tudo está indo bem para você.

Caldeus A Caldeia era uma região situada a sudeste da **Babilônia**, da qual vieram os reis que governaram a Babilônia durante o período em que **Judá** esteve sob o domínio desse império. Portanto, o Antigo Testamento refere-se aos babilônios como caldeus.

GLOSSÁRIO

Compromisso O termo corresponde à palavra hebraica *hesed*, que as traduções expressam de modos distintos: amor inabalável, benignidade, bondade ou fidelidade. É a palavra, presente no Antigo Testamento, equivalente à palavra especial para amor incondicional, *agapē*, presente no Novo Testamento. O Antigo Testamento utiliza a palavra "compromisso" em referência a um ato extraordinário por meio do qual uma pessoa se dedica a outra, numa atitude de generosidade, lealdade ou graça, quando não há uma relação prévia entre as partes e, portanto, nenhuma obrigação para isso. Pode também referir-se a um ato extraordinário similar que ocorre quando há uma relação prévia, na qual uma das partes decepciona a outra e, assim, não tem o direito de esperar qualquer **fidelidade** da outra parte. Caso a parte ofendida continue sendo fiel, trata-se de uma demonstração desse compromisso.

Comum, veja os comentários em 41:13—42:20

Decisão, veja autoridade

Efraim, efraimitas Após o reinado de Davi e de Salomão, a nação de **Israel** se dividiu. A maioria dos clãs israelitas estabeleceu um Estado independente ao norte, separado de **Judá**, de Jerusalém e da linhagem de Davi. Por ser o maior dos dois Estados, o reino do Norte manteve o nome Israel como a sua designação política, o que é confuso porque Israel também é o nome do povo que pertence a Deus como um todo. Nos Profetas, às vezes é difícil dizer se "Israel" refere-se ao povo de Deus ou apenas ao Estado do Norte. No entanto, em algumas passagens, esse Estado também é apresentado com o nome de Efraim, por ser um dos seus clãs dominantes. Assim, uso esse termo como referência ao reino do Norte, na tentativa de minimizar a confusão.

Ensino, veja Torá

espírito   A palavra hebraica para espírito é a mesma para fôlego e para vento, e o Antigo Testamento, às vezes, sugere uma ligação entre eles. Espírito sugere um poder dinâmico; o espírito de Deus sugere o poder dinâmico de Deus. O vento, em sua força e capacidade para derrubar árvores poderosas, constitui uma incorporação do poderoso espírito de Deus. O fôlego é essencial à vida; quando não há fôlego, inexiste vida. E a vida provém de Deus, de modo que o fôlego de um ser humano, e mesmo o de um animal, é extensão do fôlego divino. O livro de Juízes relata uma série de conquistas militares e políticas extraordinárias por meio de inúmeros líderes que resultam da vinda do Espírito de Deus sobre eles, capacitando-os a realizar coisas que parecem humanamente impossíveis.

Exílio   Durante a juventude de Ezequiel, a **Babilônia** se tornou o maior poder no mundo de **Judá**, mas os judaítas estavam determinados a se rebelar contra a sua **autoridade**. Então, como parte de uma campanha vitoriosa para obter a submissão de Judá, em 597 a.C. e 587 a.C. os babilônios transportaram muitos israelitas de Jerusalém para a Babilônia, particularmente pessoas em posições de liderança, como membros da família real e da corte, sacerdotes e profetas (Ezequiel foi um deles). Essas pessoas foram, portanto, compelidas a viver na Babilônia durante os cinquenta anos seguintes ou mais. Pelo mesmo período, as pessoas deixadas em Judá também estavam sob a autoridade dos babilônios. Assim, não estavam fisicamente no **exílio**, mas também viveram *em* exílio por um período de tempo.

Fidelidade, fiel   Nas Bíblias em português, a palavra hebraica "sedaqah" é, normalmente, traduzida por "justiça", mas isso denota uma tendência particular quanto ao que podemos exprimir com esse termo. No original, significa fazer a coisa certa à pessoa com quem alguém está se relacionando, aos membros de uma comunidade. Dessa maneira, as palavras *fidelidade* e *fiel* estão mais próximas do sentido original do que *justiça*.

Filístia, filisteus   Os filisteus eram um povo oriundo do outro lado do Mediterrâneo para se estabelecer em Canaã, na mesma época do estabelecimento dos **israelitas** na região, de maneira que os dois povos formaram um movimento acidental de pressão sobre os habitantes já presentes naquele território, bem como se tornaram rivais mútuos pelo controle da área. Nos dias de Ezequiel, a exemplo de **Judá**, os filisteus eram um poder menor.

Grécia, gregos   Em 336 a.C., forças gregas, sob o comando de Alexandre, o Grande, assumiram o controle do Império **Persa**, mas, após a morte de Alexandre, em 323 a.C., o seu império foi dividido. A maior extensão, ao norte e a leste da Palestina, foi governada por Seleuco, um de seus generais, e seus sucessores. **Judá** ficou sob o controle grego por grande parte dos dois séculos seguintes, embora estivesse situado na fronteira sudoeste desse império e, às vezes, caísse sob o controle do Império Ptolomaico, no Egito (governado por sucessores de outro dos generais de Alexandre). Em 167 a.C., Antíoco Epifânio, governante selêucida, tentou banir a observância da **Torá** e perseguiu a comunidade de fiéis em Jerusalém, mas estes se rebelaram e lograram uma grande libertação.

Ídolos   Essa é uma palavra frequente no livro de Ezequiel em relação às imagens. Às vezes, são imagens explícitas de outros deuses que não *Yahweh*, mas o termo pode também ser uma referência a imagens de *Yahweh*. Ezequiel pode ver pouca diferença entre esses dois significados, pois confeccionar imagens de *Yahweh* é uma ideia impossível. Algo que tenha a pretensão de ser uma imagem de *Yahweh*, na realidade, é somente uma imagem de um deus diferente. Conquanto "imagem" não seja um termo pejorativo, "ídolos" constitui um insulto. Na melhor das hipóteses, ele sugere que essas imagens divinas, preciosas aos seus criadores, são, na verdade, blocos de madeira ou de pedra. Na pior delas, sugere que são montes de excremento (a palavra para excremento, no cap. 4, é muito similar a esse termo para ídolos).

Infidelidade Uma palavra para designar pecado que sugere o oposto de **fidelidade**, uma atitude em relação a Deus e a outras pessoas que expressa desprezo pelo que os relacionamentos justos merecem.

Israel, israelitas Originariamente, Israel era o novo nome dado por Deus a Jacó, neto de Abraão. Seus doze filhos foram, então, os patriarcas dos doze clãs que formam o povo de Israel. No tempo de Saul e de Davi, esses doze clãs passaram a ser uma entidade política. Assim, Israel significava tanto o povo de Deus quanto uma nação ou Estado, como as demais nações e Estados. Após Salomão, esse Estado dividiu-se em dois, **Efraim** e **Judá**. Pelo fato de Efraim ser maior, ele manteve como referência o nome de Israel. Desse modo, se alguém estiver pensando em Israel como povo de Deus, Judá está incluído. Caso pense em Israel politicamente, Judá não faz parte. Uma vez que Efraim não existe mais, então, para todos os efeitos, Judá *é* Israel, do mesmo modo que *é* o povo de Deus.

Judá, judaítas Judá era o nome de um dos doze filhos de Jacó e, portanto, o clã que traça a sua ancestralidade até ele e que se tornou dominante no sul dos dois Estados, após o reinado de Salomão. Efetivamente, Judá *era* **Israel** após a queda de **Efraim**.

Levitas   Dentro do clã de Levi, os descendentes de Arão são os sacerdotes, aqueles que têm responsabilidades específicas em relação às ofertas dos sacrifícios da comunidade e no auxílio aos indivíduos que desejam oferecer seus sacrifícios, pela realização de alguns aspectos da oferta, como a aspersão do sangue do animal. Os demais levitas cumprem um papel de apoio e de administração, além de estarem envolvidos no ensino ao povo e em outros aspectos da liderança do culto. Em sua visão de um novo templo, Ezequiel entrega a posição de sacerdotes, no sentido mais restrito, aos descendentes de Zadoque, dentro da linhagem de Arão.

Mal, maligno   O Antigo Testamento usa essa palavra de um modo similar ao uso do adjetivo "ruim" — pode referir-se tanto a coisas ruins que as pessoas fazem quanto a coisas ruins que lhes acontecem, tanto a ações moralmente ruins quanto a experiências ruins. Os profetas, portanto, podem falar de Deus fazer o mal no sentido de trazer calamidade sobre as pessoas. Eles, às vezes, usam a palavra em ambas as conotações no mesmo contexto, indicando o fato de que coisas más ocorrem a pessoas cujas ações são más — embora os profetas saibam que nem sempre isso ocorre.

Nome   O nome de alguém representa a pessoa. O Antigo Testamento fala do templo como um lugar no qual o nome de Deus habita. Trata-se de uma das maneiras de lidar com o paradoxo envolvido em falar do templo como um local da habitação de Deus. Isso reconhece a ausência de sentido: como pode um edifício conter o Deus que não pode ser contido pelos céus, não importa quão amplo ele seja?

Não obstante, os israelitas sabem que Deus, em algum sentido, habita no templo e que podem falar com Deus ali; eles têm consciência de que podem falar com Deus em qualquer lugar, mas há uma garantia especial desse fato no templo. O povo de Israel sabe que pode apresentar ofertas lá e que Deus irá recebê-las (supondo que sejam apresentadas em boa-fé). Uma forma de tentar explicar o inexplicável ao abordar a presença de Deus no templo é, portanto, falar do nome de Deus como presente ali, pois o nome representa a pessoa. Proferir o nome de alguém, como se sabe, evoca a realidade daquela pessoa; é quase como se ela estivesse ali. Ao dizer o nome de alguém, há um sentido no qual você o evoca. Quando as pessoas murmuram "Jesus, Jesus" em suas orações, isso traz a realidade da presença do Filho de Deus. Igualmente, quando Israel proclamava o nome de *Yahweh* em adoração, isso trazia a realidade da presença de Deus.

Pérsia   A terceira superpotência do Oriente Médio. Sob a liderança de Ciro, o Grande, eles assumiram o controle do Império **Babilônico**, em 539 a.C. Esdras 1 vê *Yahweh* cumprir as suas promessas nos Profetas, ao levantar Ciro como um instrumento para restaurar **Judá** após o **exílio**. Judá e os povos vizinhos, como Samaria, Amom e Asdode, eram, então, províncias ou colônias persas. Os persas permaneceram por dois séculos no poder, até serem derrotados pela **Grécia**.

Purificação, **purificar**, **oferta de purificação**   Uma preocupação relevante da **Torá** é lidar com o **tabu** que pode vir sobre pessoas e lugares. Não há nada errado em estar envolvido no sepultamento de alguém, por exemplo, mas a pessoa envolvida deve dar tempo para que a mancha da morte se dissipe ou pode removê-la antes de ir à presença de Deus. Um ritual de purificação pode ser realizado para esse fim.

GLOSSÁRIO

Querubins Os querubins não eram figuras angelicais semelhantes a belos bebês (como o termo sugere no uso moderno), mas incríveis criaturas aladas que transportavam *Yahweh*. Havia estatuetas dessas criaturas no templo; portanto, eles indicavam a presença de *Yahweh* ali, invisivelmente entronizado acima deles.

Sagrado, veja os comentários em 41:13—42:20

Sião Um nome alternativo para a cidade de Jerusalém. "Jerusalém" é um termo mais político ou geográfico. "Sião" possui conotações mais religiosas, uma designação da cidade que foca ser o lugar no qual *Yahweh* habita e é adorado.

Tabu Utilizo a palavra "tabu" para expressar uma palavra hebraica, em geral traduzida por "impuro", porque no original o termo sugere uma qualidade particular em vez de a ausência de pureza. Há certas coisas que são misteriosas, extraordinárias, impactantes e um pouco preocupantes. Entre elas estão a menstruação e o parto, pois ambas sugerem tanto morte quanto vida. São opostos entre si, e Deus é o Deus da vida, não da morte, ainda que na menstruação (com sua associação de sangue e de vida) e no parto (que significa dar vida, mas é deveras perigoso), a morte e a vida estejam em íntima conexão. Desse modo, o contato com eles torna as pessoas tabu, isto é, elas não podem ir à presença de Deus até estarem **purificadas**. Tabu, igualmente, surge em outras conexões, como sexo e o culto a outras divindades.

Torá A palavra hebraica é, tradicionalmente, traduzida por "lei", mas esse termo propicia uma impressão equivocada, pois ele cobre a instrução em um sentido mais amplo. A estrutura da "Torá" (os livros de Gênesis até Deuteronômio) é a história da relação de *Yahweh* com o mundo e com **Israel**, embora a Torá seja dominada por instruções.

"Ensino" é a palavra mais próxima em nosso idioma. O termo hebraico, portanto, pode aplicar-se ao ensino de pessoas, como os profetas, assim como às instruções presentes de Gênesis até Deuteronômio. Assim, às vezes, não fica claro se o termo se refere à Torá ou ao ensino, em um sentido mais amplo.

Yahweh Na maioria das traduções bíblicas, a palavra "Senhor" aparece em letras maiúsculas ou em versalete, como ocorre, às vezes, com a palavra "Deus". Na realidade, ambas representam o nome de Deus, *Yahweh*. Nos tempos do Antigo Testamento, os **israelitas** deixaram de usar o nome *Yahweh* e começaram a usar "o Senhor". Há dois motivos possíveis. Os israelitas queriam que outros povos reconhecessem que *Yahweh* era o único e verdadeiro Deus, mas esse nome de pronúncia estranha poderia dar a impressão de que *Yahweh* fosse apenas o deus tribal de Israel. Um termo como "o Senhor" era mais facilmente reconhecível. Além disso, eles não queriam incorrer na quebra da advertência presente nos Dez Mandamentos sobre usar o nome de *Yahweh* em vão. Traduções em outros idiomas, então, seguiram o exemplo e substituíram o nome de *Yahweh* por "o Senhor". O lado negativo é que isso obscurece o fato de Deus querer ser conhecido por esse nome. Por esse motivo, o texto utiliza *Yahweh*, com frequência, não algum outro nome (assim chamado) deus ou senhor. Essa prática dá a impressão de Deus ser muito mais "senhoril" e patriarcal do que ele o é na realidade. (A forma "Jeová" não é uma palavra real, mas uma mescla das consoantes de *Yahweh* com as vogais da palavra para "Senhor", com o intuito de lembrar às pessoas que na leitura da Escritura elas deveriam dizer "o Senhor", não o nome real.)

Livros da série de comentários

O ANTIGO TESTAMENTO PARA TODOS

JÁ DISPONÍVEIS pela **Thomas Nelson Brasil**

Pentateuco para todos: Gênesis 1—16 • Parte 1

Pentateuco para todos: Gênesis 17—50 • Parte 2

Pentateuco para todos: Êxodo e Levítico

Pentateuco para todos: Números e Deuteronômio

Históricos para todos: Josué, Juízes e Rute

Históricos para todos: 1 e 2Samuel

Históricos para todos: 1 e 2Reis

Históricos para todos: 1 e 2Crônicas

Históricos para todos: Esdras, Neemias e Ester

Poético para todos: Jó

Poéticos para todos: Salmos • Parte 1

Poéticos para todos: Salmos • Parte 2

*Poéticos para todos: Provérbios, Eclesiastes
e Cântico dos Cânticos*

Proféticos para todos: Isaías

Proféticos para todos: Jeremias e Lamentações

Livros da série de comentários

O NOVO TESTAMENTO PARA TODOS

JÁ DISPONÍVEIS pela **Thomas Nelson Brasil**

Mateus para todos: Mateus 1—15 • Parte 1

Mateus para todos: Mateus 16—28 • Parte 2

Marcos para todos

Lucas para todos

João para todos: João 1—10 • Parte 1

João para todos: João 11—21 • Parte 2

Atos para todos: Atos 1—12 • Parte 1

Atos para todos: Atos 13—28 • Parte 2

Paulo para todos: Romanos 1—8 • Parte 1

Paulo para todos: Romanos 9—16 • Parte 2

Paulo para todos: 1 Coríntios

Paulo para todos: 2 Coríntios

Paulo para todos: Gálatas e Tessalonicenses

Paulo para todos: Cartas da prisão

Paulo para todos: Cartas pastorais

Hebreus para todos

Cartas para todos: Cartas cristãs primitivas

Apocalipse para todos